Édéfia
エデフィア
断崖《だんがい》山脈
ロリアル湖
網膜《もうまく》焼き

OKSA POLLOCK

オクサ・ポロック

3 二つの世界の中心

アンヌ・プリショタ
サンドリーヌ・ヴォルフ
訳 児玉 しおり

西村書店

すべて、ゾエのために。

OKSA POLLOCK, tome 3, Le cœur des deux mondes
Anne Plichota
Cendrine Wolf

オクサ・ポロック 3 二つの世界の中心　目次

第一部　外界

OKSA POLLOCK

3

OKSA POLLOCK

3

主な登場人物

オクサ　オクサ・ポロック。14歳《さい》。この物語の主人公。エデフィアの君主《グラシューズ》の地位の継承《けいしょう》者。

ギュス　ギュスターヴ・ベランジェ。オクサの幼なじみで親友。エキゾチックなユーラシアン。

テュグデュアル　テュグデュアル・クヌット。ミュルムの血を引く、かげりのある少年。

ドラゴミラ　オクサの父方の祖母。通称《つうしょう》「バーバ」もしくは「バーバ・ポロック」。オクサのよき理解者。

パヴェル　オクサの父親。背中に「闇《やみ》のドラゴン」を宿す。

マリー　オクサの母親。反逆者《フェロン》の陰謀《いんぼう》によって、車椅子《くるまいす》生活となる。

オーソン　オーソン・マックグロー。恐《おそ》るべき反逆者《フェロン》の首領《しゅりょう》。

レミニサンス　オーソンの双子《ふたご》の妹。グラシューズ・マロラーヌの血を引く。

ゾエ　レミニサンスの孫娘《まごむすめ》。オクサの親友であり、またいとこ。

アバクム　ドラゴミラの後見人。通称「妖精人間」。野ウサギに変身できる。

レオミド　ドラゴミラの兄。みずからの意志で〈絵画内幽閉《ゆうへい》〉されたままになる。

クッカ　魅力的なテュグデュアルのいとこ。オクサを目の敵にする。

不思議な生き物たちとアイテム
フォルダンゴ
フォルダンゴット
闇《やみ》のドラゴン
プチシュキーヌ
キュルビッタ・ペト
ヤクタタズ
クラッシュ・グラノック
ジェトリックス

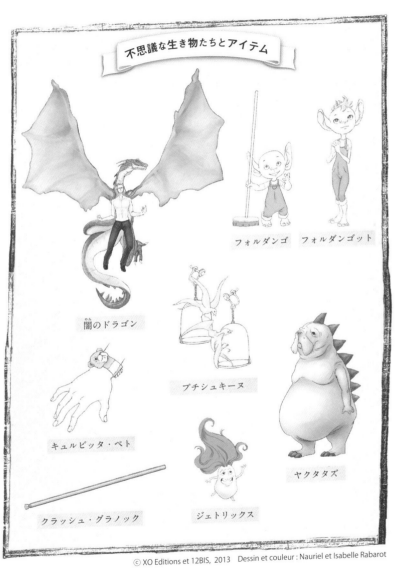

ポロック家の家系図

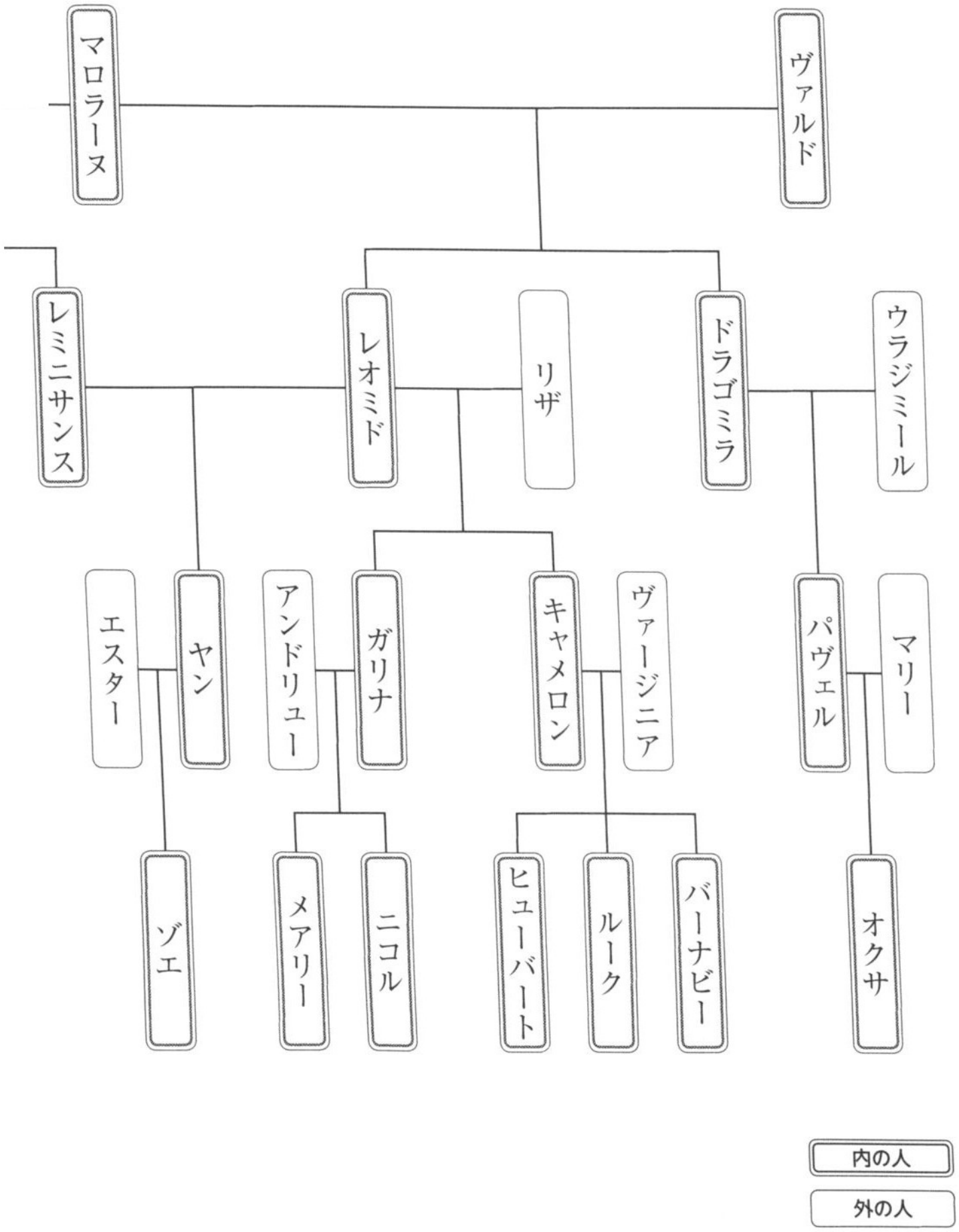
マロラーヌ
ヴァルド
レミニサンス
レオミド
リザ
ドラゴミラ
ウラジミール
エスター
ヤン
アンドリュー
ガリナ
キャメロン
ヴァージニア
パヴェル
マリー
ゾエ
メアリー
ニコル
ヒューバート
ルーク
バーナビー
オクサ
内の人
外の人

クヌット家の家系図

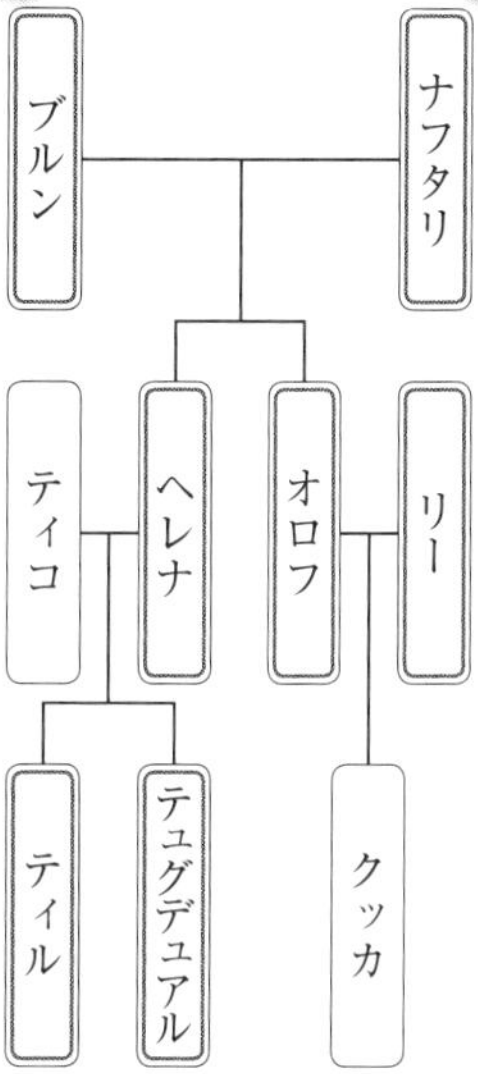

ベランジェ家の家系図

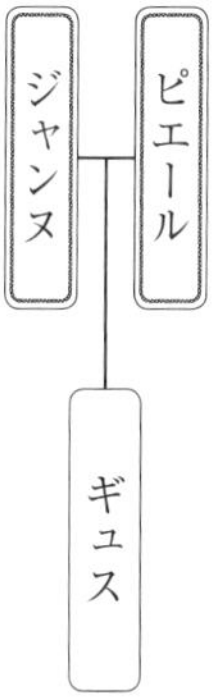

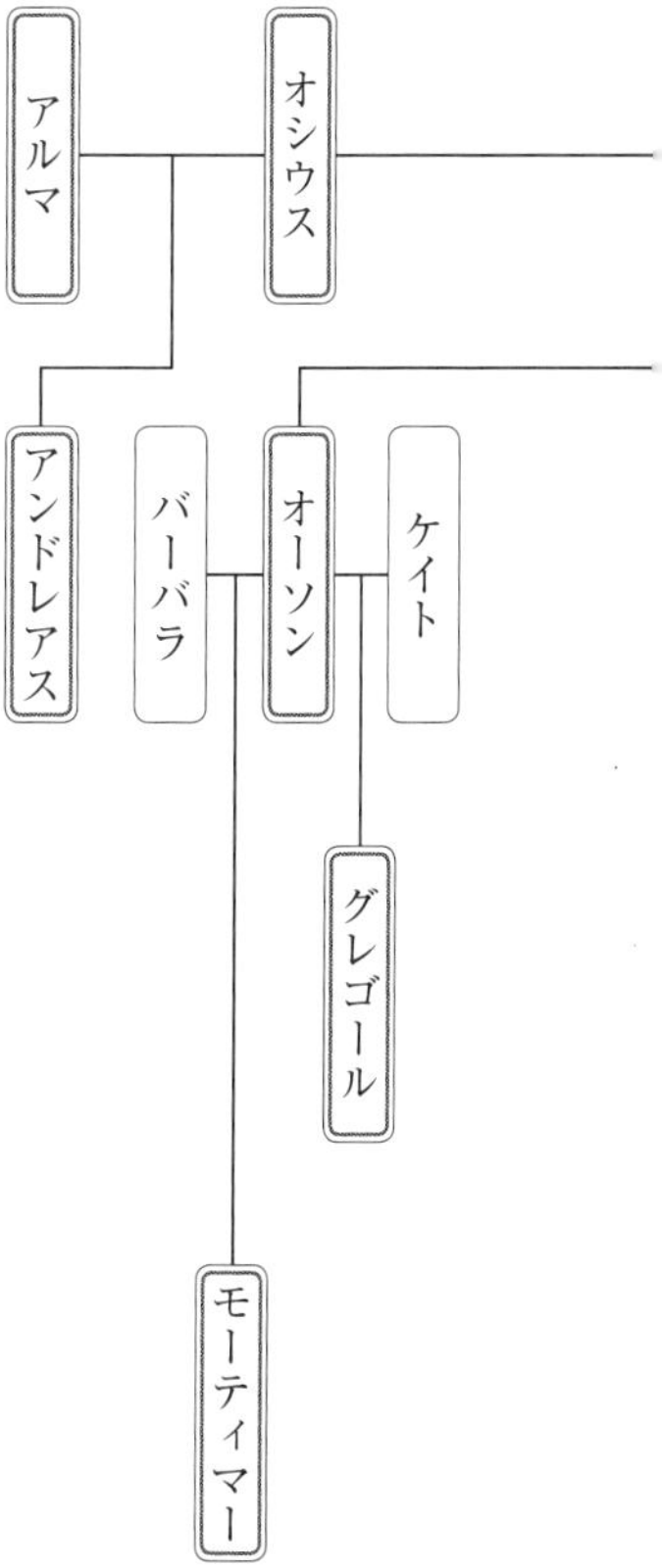

前巻までのあらすじ

もうすぐ十三歳《さい》になるオクサ・ポロックは、パリからロンドンに引《ひ》っ越《こ》してきた。活発で感受性の強いオクサは、両親のマリーとパヴェル、祖母ドラゴミラとともに暮らし、ギュスという親友にも恵《めぐ》まれた、ごく普通《ふつう》の女の子だった。

オクサの生活を一変させる、信じられないようなことが起きたのは、新しく転入した聖プロクシマス中学校に通う第一日目の夜のことだった。心の中で思うだけで物を動かすことができたのだ！

その後、しばらくして、おなかに不思議なあざのようなものがあらわれた。それをドラゴミラに打ち明けたのがきっかけで、オクサは一族の出自の秘密を知ることになる。ポロック家の人々が「エデフィア」という地球上の見えない国から来たということ、ドラゴミラはその国を治める君主〈グラシューズ〉になるはずだったが、反逆者《フェロン》が起こした〈大カオス〉のため、数十人の人たちとともに五十七年前にこの世界にやって来たこと――。その人たちは〈逃《に》げおおせた人〉という名のもとひそかに団結し、いつか故郷に帰ることを夢見ていた。おなかにあらわれたあざは、オクサが次の〈グラシューズ〉となる印であり、エデフィアへの帰還《きかん》を可能にする唯一《ゆいいつ》の「希望の星」だということだ。いっぽう学校では、クラス担任で数学・理科担当のマックグロー先生にオクサは目をつけられていた。どうも先生はオクサの超《ちょう》能力に気づいているらしい。

十三歳の誕生日に、オクサは武器として使う〈クラッシュ・グラノック〉をもらった。学校が秋休みになると、オクサはギュスとともにウェールズ地方にある大伯父《おおおじ》レオミドの家に行き、超能力の訓練をすることになった。そこで、レオミドとオクサ、ギュスの三人が、マックグロー先生におそわれる事件が起きた。マックグロー先生は、エデフィアで〈大カオス〉を起こした反逆者《フェロン》の首領の息子、オーソンだったのだ。彼《かれ》もまたエデフィアにもどりたがっており、帰還の鍵《かぎ》であるオクサを手に入れようとしていた。この事件を受けて、〈逃げおおせた人〉たちは急きょ集まった。そのときに、オクサはエデフィアから亡命したクヌット夫妻の孫である、不思議な魅力《みりょく》をたたえた少年テュグデュアルと再会することになり、胸がときめく。

オーソンはオクサたちを追《お》い詰《つ》めていった。オクサの誕生日のプレゼントの中に仕込《しこ》まれた毒により、母マリーが神経系統をやられて半身不随《はんしんふずい》になったのだ。贈《おく》り主は、クラスメートのゼルダの友人、ゾエだった。彼女《かのじょ》は実は、オーソンの娘《むすめ》だった。また直後には、オクサにしつこくからむ上級生男子——これもオーソンの息子、モーティマー——におそわれ、オクサは肋骨《ろっこつ》を折る大怪我《けが》をした。さらにオーソンはある日、だれもいない学校にオクサと二人きりになるように策略をめぐらせた。攻撃《こうげき》はし烈《れつ》なものだったが、オクサは一瞬《いっしゅん》のすきをついてオーソンをふり切り、逃げ出すことができた。

決定的な局面を迎《むか》えたのは、それから数日後のことだった。ドラゴミラが一人でオーソンの家に乗《の》り込《こ》んで行ったのだ。二人の間で激しい戦いが繰《く》り広《ひろ》げられるなか、オクサとギュスも大急ぎでオーソンの家に駆《か》けつけた。戦いはドラゴミラの後見人アバクムが、ドラゴミラさえ使うのをためらう恐《おそ》ろしいグラノック〈まっ消弾《だん》〉をオーソンに浴びせることで終わった。黒い粒子《りゅうし》となったオーソンは、底なしの深い闇《やみ》に吸い込まれたはずだったが……。（第一巻『希望の星』）

＊＊＊

新たな試練が〈逃《に》げおおせた人〉たちをおそった。ギュスが呪《のろ》われた絵の中に吸《す》い込《こ》まれてしまった！　オーソン・マックグローが消滅《しょうめつ》するずっと以前、聖プロクシマス中学校の教室にかけた絵の中に〈絵画内幽閉《ゆうへい》〉されたのだ！〈絵画内幽閉〉は、犯罪を犯した人を社会から遠ざけるための呪いだ。ところが、ギュスの場合はまちがって〈絵画内幽閉〉されたために、絵の主である〈心の導師〉自身が呪いにかけられ、善と悪の見分けがつかなくなってしまっていた。

〈逃げおおせた人〉たちはギュスを救出しに行くことに決めた。しかも、オーソンの双子《ふたご》の妹でゾエの祖母であるレミニサンスも、オーソンの代わりに〈絵画内幽閉〉されていることがわかった。オクサ、パヴェル、アバクム、レオミド、ピエール、テュグデュアル、そしてフォルダンゴットが、みずから進んで絵の中に入った。

絵の中は不思議な世界だった。〈帰り道のない森〉では道を見つけるのが不可能に思えたが、たどり着きたい人のことを一心に思えば前に進めるのだった。そこには恐《おそ》ろしい怪物《かいぶつ》も待っていた。派手な緑色をした巨大《きょだい》カメレオンのような肉食獣《じゅう》のレオザールや、優しく気高い人の心を飲み込む、気味の悪い〈宙に浮《う》かぶ人魚〉などだ。休む間もなくおそいくる死の危険を前に、〈逃げおおせた人〉たちはつねに勇気をふりしぼり、助け合わねばならなかった。こうした危険な状況《じょうきょう》にもかかわらず、オクサとテュグデュアルの仲は進展していった。二人は反目し合いながらも接近し、ギュスの立場は微妙《びみょう》なものになった。危険と不安に立ち向かいながら、オクサの父パヴェルは、自分でも思いがけない力と勇気を発揮した。心の奥深《おくふか》くに眠《ねむ》っていた内なる力が、彼《かれ》の背中に彫《ほ》られた刺青《いれずみ》から「闇《やみ》のドラゴン」となって、ついに立ちあらわれたのだ。

絵の外の世界では、オクサの祖母ドラゴミラをはじめとして〈逃げおおせた人〉たちが必死に絵を守ろうとしていた。もしも絵が反逆者《フェロン》の手に渡《わた》ったら、絵の中にいる人たちの命が危険にさらされることになるからだ。だが、オクサのクラスメート、メルランのおかげで、絵は有名な時計台ビックベンのてっぺんに隠《かく》すことができた。

いっぽう、ドラゴミラは長年の友人メルセディカに裏切られた。彼女《かのじょ》はオーソンの二人の息子が率いる反逆者《フェロン》の仲間と手を組んでいたのだ。彼らはポロック家をおそい、〈エデフィアの門〉を開くために必要なロケットペンダントを奪《うば》った。しかも、オクサの母マリーを誘拐《ゆうかい》し、ヘブリディーズ海に浮かぶ反逆者《フェロン》の島に連れていってしまった。

結局、〈逃げおおせた人〉たちは、呪いの絵の中から全員がもどってこられたわけではなかった。フォルダンゴットはギュスを救うために命をささげ、レオミドもみずからを犠牲《ぎせい》にした。〈逃げおおせた人〉たちによって、ギュスとともに絵画から救出されたレミニサンスと、その双子の兄オーソン・マックグローが、グラシューズ・マロラーヌと反逆者《フェロン》の首領オシウスの間にできた子どもであることがついに明らかになった。つまり、この二人はレオミドとドラゴミラの異父きょうだいだったのだ。衝撃《しょうげき》的な事実はこれだけにとどまらなかった。オーソンは生きていたのだ。

オクサがロンドンの家にもどってほどなく、世界中で異常な自然災害が次々と発生しているというニュースが流れた。世界の中心であるエデフィアが滅《ほろ》びつつあるためだ。ロンドンも冠水《かんすい》し、〈逃げおおせた人〉たちはそこから脱出《だっしゅつ》せざるを得なくなった。彼らはパヴェルの闇のドラゴンの背中に乗って、稲妻《いなずま》に照らされる空に向かって飛び立った——。（第二巻『迷い人の森』）

オクサ・ポロック

3

二つの世界の中心

Message

第一部　外界

1　未知に向かっての逃亡《とうぼう》

パヴェルの背中から姿をあらわした闇《やみ》のドラゴンは、激しい風雨のなか、力強く羽ばたいている。空の上は闇につつまれていたが、ドラゴミラがかざしている発光ダコの光がヘッドライトのような役目を果たしていた。

「がんばって、パヴェル！」

ドラゴミラはドラゴンのごつごつした背中から身を乗り出して叫《さけ》んだ。

〈逃《に》げおおせた人〉たちの何人かは、パヴェルの負担を軽くするために、ドラゴンと並んで飛んでいた。忠実なスウェーデン人、ブルン・クヌットはパヴェルの背からジャンプして、ものすごい風に耐《た》えながら飛んでいるピエールとジャンヌに合流した。

「危ないぞ！」パヴェルは疲れたしゃがれ声をふり絞《しぼ》って叫んだ。「背中に乗ってくれよ！」

「じょうだんじゃない！」

ピエールはむちのように顔をたたく雨をよけるように手を目の上にかざして、大声でどなった。

祖母ドラゴミラの腰《こし》にしがみついていたオクサは気が動転していた。激しい風雨は出発したときから変わっていないが、ほんのわずかな間に、ロンドン市内の状況はますます悪くなっていた。

海面が上昇してテムズ川の水位を押し上げ、ロンドンの街全体が水びたしだった。そのため、ポロック家の人々とその仲間は急いでただひとつの道を選ぶしかなかった。逃亡だ。空の上の彼らを取り囲む不気味な暗闇と同じくらい、先の見えない未知への逃亡だ。

オクサがふり返ると、真っ青な顔をしたギュスの視線にぶつかった。ギュスはレミニサンスにしっかりとつかまっている。顔はびしょぬれだ。雨？　涙《なみだ》？　オクサはぶるっと身震《みぶる》いし、眉《まゆ》を寄せていっそうしっかりとドラゴミラにつかまった。

テュグデュアルとゾエが疲れきった様子で、ドラゴンに近づいてくるのが見えた。嵐《あらし》のなかを浮遊《ふゆう》するのは大変だ。二人はドラゴンの羽ばたきの合間を縫《ぬ》うようにしてやってきて、その背中の上にどさりと落ちた。ドラゴンはうめき声をもらし、その瞬間《しゅんかん》、がくんと数メートルも下降した。オクサは思わず叫んだ。

「パパ！」

パヴェルは弱っている。その周りを飛んでいる人たちも、同じようにみんな疲れきっている。オクサは父親の負担を少しでも軽くしようと、ドラゴンの背から飛び立とうとした。すると、ドラゴンの腹の下からうなり声が聞こえた。

「ダメだ！　そこにいるんだ！」

「それなら、ちょっと休憩しないと！」オクサが叫んだ。「パパ、どこかに降りて。おねがいだから！　でないと、みんな死んじゃうよ！」

パヴェルは少しの間考えてみたが、娘の意見をもっともだと思った。

「お母さん、発光ダコをしまってください。人目につくといけませんから。さあ、みんなぼくにしっかりつかまって！」

浮遊していた人たちもみんなドラゴンの体につかまった。ドラゴンは冷たく激しい雨のなかを急降下していった。


目のくらむような光線が闇のなかをせわしげに動いていた。ヘリコプターに乗っていた四人の兵士は夢を見ているのかと思った。信じられないことに、巨大な羽を持つ怪物《かいぶつ》と空の上ですれちがったのだ。それはドラゴンのようなものだった。しかも、空を飛んでいる人間もいる……。操縦席にいる二人は、ぼうぜんと顔を見合わせた。あまりのショックに操縦士は思わず操縦かんを離しそうになった。

一瞬、ヘリコプターはぐらついたが、なんとかバランスを保った。その間に闇のドラゴンは急上昇し、だれかに見つかる危険のない安全な高度にもどった。〈逃げおおせた人〉たちがどきどきしながら不安げに空の下のほうを見ると、ヘリコプターの投光器が追いかけてきた。とつぜん、ライトが彼らをとらえた。気づかれた！　ヘリコプターがうなりを上げて近づいてくる！

「撃《う》ってくるわ！」

兵士の一人が大きな機関銃の後ろにまわるのを見たオクサが叫んだ。

とっさに、オクサは機関銃の弾を防ぐために両手を広げて腕《うで》を伸ばした。これまでにも何度かあったように、体の中からわき上がる怒りや恐《おそ》れがものすごいエネルギーに変わっていった。とつぜん、激しい気流が起こり、ヘリコプターはぐるぐるとまわりながら数十メートルも先に飛ばされていった。

「あたし、何をしたの⁉」

「みんなを助けてくれたのよ！」

ドラゴミラがきっぱりと言った。

「よし、このすきに……」

疲労のにじんだ声でパヴェルが言った。

力つきたドラゴンは大きな羽を広げ、地面に向かってすべるように下りていった。

2　荒野《こうや》を歩く

「古いグラシューズ様のお兄様の屋敷《やしき》は、われわれの着陸点から鳥の飛翔《ひしょう》にして北北西の方向に十二キロメートルのところにあります」

ミツバチの足だけなくなったような生き物が鼻を地平線に向けて言った。オクサのガナリこぼしだ。

「屋敷へ向かうには二つの方法があります。国道を行くか、ウェールズ地方特有の荒野の小道を行くかです。国道のほうは近道ですが人目につきやすく、小道は遠まわりになりますが目立ちません」

ガナリこぼしが報告してくれたように、国道の喧騒《けんそう》は〈逃《に》げおおせた人〉たちのところまで聞こえてきた。夜が明けたばかりだというのに、早くも道路は混雑していた。車のヘッドライトに照らされた鳥たちが、鳴りひびくクラクションの音に驚いて、群れをなして逃げていく。イギリスの東部が浸水して、パニックに陥《おちい》った人たちがウェールズやコーンウォール地方に大挙して押《お》し寄《よ》せてきているのだ。

「荒野を行きましょう」

ドラゴミラは、心配そうにパヴェルを見やりながら提案した。


パヴェルは両手を太ももにつき、夜どおし空を飛んだ疲れを癒《いや》そうとしている。いかにも苦しそうだ。闇《やみ》のドラゴンは逃亡の切り札だが、ドラゴンに変身することはパヴェルの体力をひどく消耗《しょうもう》させる。とつぜんの我が家からの出発に心を引き裂《さ》かれ、そのうえ、たたきつけるようなひどい雨と闘《たたか》いながら、仲間を安全な場所に連れていこうとして全精力を使い果たした。体は焼けつくようだ。パヴェルはくいしばった歯の間からうめき声をもらした。

このところの出来事は、彼の最後の望みを容赦《ようしゃ》なく打ち砕《くだ》いた。それは、いつか「ふつうに暮らす」という希望だ……。そのためにパヴェルがしてきたことはすべて、砂の城のようなものにすぎなかった。それを信じて、あんなに期待していたのに……。ピエールといっしょにロンドンの中心街に開店したレストランは最後の希望だった。それも失敗に終わった。料理にもあんなに自信があったのに。いまごろは、そのレストランも、世界を飲みこもうとしているいまわしく、どす黒い泥《どろ》におおわれているだろう。

すぐに出発しないといけない、とドラゴミラは言った。彼女がこの言葉を使うのは初めてではなかったが、いままでよりもずっと悲しげなひびきをふくんでいて、二人の心のなかに苦い思い出をよみがえらせた。だが、過去のことをぐずぐず考えてどうなるだろう？　いちばん大切なことは妻のマリーを救うことではないのか？　もう長いこと反逆者《フェロン》たちの手中にあるマリーを。パヴェルがやっと顔を上げたとき、ドラゴミラが金属製の小瓶《こびん》を袋《ふくろ》から取り出して近づいてきた。

「これを飲んでごらん」

「例のシソ秘薬ですか？」と、パヴェルがかすれ声でたずねた。

「それって、すっごくまずいよ」オクサが思わず声をあげた。「おいしくはないけど、すごいよ！　生まれ変わったようになるから！」

オクサが熱心に言うので、パヴェルはかすかにほほえみながら、小瓶の中身をひと息に飲んだ。

「うえっ……泥水を飲んだみたいだ」パヴェルは顔をゆがめた。「ぼくがお母さんに絶対的な信頼をおいていなかったら、毒を飲まされたと思ったでしょうね。このひどい飲み物が少しでもおいしくなるフレーバーをつけてほしいな」

オクサはほっとしてほほえんだ。父親の皮肉は天下一品だ。サバイバルの手段だと本人は言っているけれど……。

「考えておくわよ」

ドラゴミラが請け合《あ》った。

「さあ、休憩《きゅうけい》はほどほどにして、先に進もうか！」

パヴェルは急に元気を取りもどした。


陽がのぼってきて、〈逃げおおせた人〉たちの影がヒース〈ヨーロッパ・アフリカの原野に自生する常緑低木〉の野に長く伸びてきた。みんなが歩いている道の周りの風景は起伏に富んではいるが、殺風景だ。ヒースの野にはもやがかかり、幻想的な雰囲気をかもしだしている。爆音を立てて飛ぶ英軍のヘリコプターが数機、鉛色の空を行き交っているのが見えた。これでは超《ちょう》能力は使えない。みんなは、人生の一部を残してきたロンドンの悲惨な状況を想像し、黙々《もくもく》と歩いた。


「だいじょうぶかい、ちっちゃなグラシューズさん？」

オクサはその声の主、テュグデュアルのほうを向いた。携帯電話をいじりながら、軽やかに歩いている。濡《ぬ》れた髪《かみ》が青白い顔をほとんど隠《かく》しており、オクサにはあごの先しか見えない。ハンサムかどうか、などということを超越《ちょうえつ》した独特の雰囲気をかもしだしている。彼は黒ヒョウそのものだ。しなやかで、するどく、暗くて得体が知れない感じ。オクサはどきどきした。

「だいじょうぶ」と、オクサはぼんやりとうなずいて、びしょぬれになったコットンのマフラーを絞《しぼ》った。「ちょっと疲れてるだけ……」

テュグデュアルはかすかにほほえんだ。

「世界の様子はどう?」

オクサはテュグデュアルの携帯電話を目で指した。テュグデュアルは電話をそそくさとしまいながら言った。

「いまよりもっといい日もあったけどな」テュグデュアルは電話をそそくさとしまいながら言った。「要するに、おまえにとって、このカオスを収めるのは大変だということさ」

オクサは眉《まゆ》を寄せた。これまでよりもっと重い責任に押しつぶされそうだ。若いグラシューズには世界の未来がかかっている。それも二つの世界の……。オクサが生まれた〈外界〉と、家族のルーツがあるエデフィアと。二つの世界の均衡《きんこう》を取りもどすことができるのはオクサだけだ。でも、どうしたらいいのかわからない。

「仲間がいることを忘れるなよ! おまえは一人じゃないんだからな」

オクサの気持ちを見抜いたテュグデュアルがささやいた。


たしかに、オクサは一人ではない。〈逃げおおせた人〉たちが周りを固めてくれている。ポロック家、ベランジェ家、クヌット家の人々、それにアバクム、ゾエ、レミニサンスという力強い味方がいる。だが、たった一人、母親がいないことがオクサの心をずしりと重くしていた。母を腕《うで》に抱きしめることができたら、これから先のことにもう少し希望が持てるかもしれない。そんなオクサの苦悩を代弁するかのように、とつぜん激しい風が吹きつけてきた。頭上に重い雲がたれこめ、雨が落ち始めた。

「ちょっとでも太陽が出てきてくれるんだったら、何だってあげたい気分よ……」

オクサはジャケットのえりを立てながらぶつぶつつぶやいた。

テュグデュアルがオクサの横に並んだとき、オクサは息を深く吸いこみ、二人ずつ並んで細い道を行く〈逃げおおせた人〉たちをあらためてながめた。

ドラゴミラは、何キロ離れたところからでも見分けられるほど鮮やかな黄色の長いケープにすっぽり身を包んでいる。「バーバらしい……」と、オクサはほほえんだ。ドラゴミラはパヴェルの腕に寄りかかっている。二人は背中を丸めながらも、先頭をしっかりと歩いていた。オクサは父親をたのもしく思った。父親のドラゴンの力、そして〈逃げおおせた人〉たちと行動を共にすることを決めた勇気を誇《ほこ》らしく思った。「お母さん、はっきり言っておきますけど、マリーと二つの世界を救ったら、そのあとはぼくの好きなようにさせてもらいますよ、いいですね?」と、断固とした態度でドラゴミラに言ったたっけ……。いかにも父親らしい言い方だ。

この二人のすぐ後ろをギュスとゾエがブルゾンのえりに顔をうずめながら黙《だま》って歩いていた。ギュスはみんなのなかでただ一人、超能力を持っていない。嵐のなか、ぬかるんだ小道を歩いてくたくたになっているにちがいない。ゾエは赤みがかった金髪《きんぱつ》からしたたる雨のしずくを手の甲でぬぐいながら、心配そうに時々ギュスのほうを見やっている。オクサの胸はキュンとなった。ギュスの横にいるべきなのはゾエではなく、自分なのに……。自分がギュスを励《はげ》まさないといけないのに。オクサはいらいらとこぶしをにぎりしめた。何かしなくては、とあせった。どうしたらいいんだろう?

「ギュス！」

ひとりでに大きな声が出てしまい、オクサは自分でも驚いた。テュグデュアルが口の端で笑っているのを見て、ほおが真っ赤になった。ギュスも思いがけない大声に驚いてふり返った。

「なんだよ?」

不機嫌そうだ。

オクサはあわてて言った。

「だいじょうぶ?」

「みんなより元気っていうわけじゃないけどな……」

ギュスの顔はひきつっている。

オクサは顔をそらせたギュスのきれいなブルーの目の中に苦しみと悔《くや》しさがやどっているのを見てとった。オクサがテュグデュアルと親しくなったのがおもしろくないのだ。この二人は会った瞬間からライバル同士になった。テュグデュアルにとってギュスは皮肉な存在、ギュスにとってテュグデュアルは強敵だ。この暗い感じの少年があらわれてから、オクサは初めて恋心をおぼえた。それからというもの、テュグデュアルはオクサの生活と心の大部分を占《し》めていた。そのためにギュスとオクサの仲にひびが入ったのは否定できない。以前とはまったく変わってしまった。あれほど仲のよかった二人なのに、一歩まちがえれば敵同士になりそうで、オクサはひどくとまどっていた。

「なんで、ギュスを大声で呼んじゃったんだろう?」オクサは思わずそうもらした。

「それは、考える前に行動して自分を困難な状況に陥《おとしい》れるのが大好きだからさ。気性の激しいちっちゃなグラシューズさん！」テュグデュアルは秘密を打ち明けるかのようにささやいた。

オクサはこぶしをにぎりしめた。ギュスを失いたくない！　オクサは泥んこ道を苦労して歩いているギュスの細いシルエットを見ながら思った。オクサはポケットに両手をつっこみ、さも不機嫌そうに歩いた。ひも付きのショートブーツの先で小石を蹴《け》とばすと、石はくぼみにころがっていった。遠くの丘は雨にかすんでいる。まるでこれからのことを暗示しているかのように水平線はうす暗い。

〈逃げおおせた人〉たちがくたくたになりながら、二時間以上も黙って歩き続けていると、オクサがとつぜん大声をあげた。

「あっ、見て！」

みんなが顔を上げ、荒野を跳《と》びはねながらやってくる野ウサギに視線を注いだ。ドラゴミラは思わずほっと安堵《あんど》のため息をもらし、ぱっと目を輝かせた。

「アバクム……」

野ウサギは奇妙な連れを従えてまたたく間に近づいてきた。息を切らした、ドラゴミラのガナリこぼしと、しま模様の長い脚《あし》でヒースを軽やかに跳び越えるヴェロソだ。野ウサギが〈逃げおおせた人〉たちのところまで来ると、みんなは大喜びした。

「ああ、わたしの後見人、アバクム！　怖《こわ》かったわ……」

ドラゴミラはひざまづいて、野ウサギの茶色がかったグレーの見事な毛並みに顔をうずめた。ドラゴミラとアバクムは、いままでほとんど離れて暮らしたことがなかった。彼女はいつもアバクムをそばにおきたがった。再会を喜び合う姿は二人の結びつきの強さを物語っていた。野ウサギはしばらくの間ドラゴミラに身をまかせていたが、みんなの目の前でアバクムに姿を変えた。その不思議な光景に、オクサたちは目をみはった。彼は体をぶるっと震わせ、グレーの髪を整え、深刻な面持ちでみんなをぐるりと見まわして人数を確認した。そのまなざしは、ほっとした様子のオクサのところで一瞬止まった。

「みんな無事だったんだな、よかったよ！」

「パヴェルのおかげですよ！　彼のおかげでなんとかピンチを乗り越えたんです」

ピエール・ベランジェが大きな地声で言った。

パヴェルはとまどってうつむいた。

「ナフタリとわたしはロンドンがどうなっているか気になっていたんだ。まったくひどいことになった」アバクムはパヴェルをたたえるように見つめた。「雨は激しくなる一方だし、状況は悪化するばかりだ」

その言葉を裏づけるように、ヘリコプターが十機ほど、轟音《ごうおん》を上げて荒野の上を超低空で飛んできた。そのうちの一機が〈逃げおおせた人〉たちに近づいてきたので、みんなの間に緊張が走った。ドラゴミラがガナリこぼしとヴェロソをケープの中に隠したのと同時に、拡声器を持った兵士が窓から顔を出した。

「怪我《けが》をした人はいませんか？　助けが必要ですか？」大きな声がひびいた。

アバクムが「だいじょうぶ、ありがとう」という合図を送ると、そのヘリはほかのヘリに合流し、被災者のあふれるイギリス東部やロンドンの方向に飛んでいった。

「どうやってあたしたちを見つけたの？」と、オクサがたずねた。

アバクムは愉快《ゆかい》そうにオクサの鼻を指でぽんとはじいた。

「レオミドの家はここから三キロも離れていないんだよ」

オクサは鼻をくんくんさせてこうつぶやいた。

「あたしには泥の臭《にお》いしかわからない。不公平よね！」

「ちょっと鼻がきくというだけさ。おまえにはほかの能力があるだろう？」

「とんでもない！　ヘリコプターがあんなにうろちょろしてたら、〈浮遊術《ふゆう》〉もなんにも使えないしさ！」

みんなはほほえんだが、ギュスだけはぷいっと横を向いたので、オクサは傷ついた。

「さあ、行きましょうか。ナフタリが待っているでしょう。ようやくこれで、みんながそろうわけね」

ドラゴミラがみんなをうながした。

〈逃げおおせた人〉たちは激しい雨に背中を丸めながらも、力がわいてくるのを感じてまた歩き始めた。

3

気持ちの通じ合い

大きな暖炉《だんろ》の炎がパチパチと弾《はじ》けた。暖炉の前では、〈逃《に》げおおせた人〉たちがそろってぐったりしていた。ひどい嵐《あらし》をやっとの思いでくぐりぬけ、気力と体力を取りもどそうとしているようだ。オクサはやわらかいソファにしずみこみながら、眠気と闘《たたか》っていた。ほんとうはこのまま眠ったほうが楽なのに……と思いながら、フェルトのような肌ざわりの背もたれに頭をのせ、教会の身廊《しんろう》（教会の入り口から正面に続く主要部分）を改造した巨大な広間の壁にかかった現代アートの絵を見つめていた。

ドラゴミラの亡くなった兄、レオミドの家は相変わらず堂々として立派な造りだ。ただ、主《あるじ》はもういない。オクサは自分の一部を失ったような気がして、こみあげてくる涙《なみだ》を抑《おさ》えようと深く息を吸った。

それから、ギュスの注意を引こうとした。少し離れたところで無表情な顔をして座っているギュスを見ると、オクサはいらついてきた。ギュスに怒りの目を向けてみたり、かと思うと、すがるようなまなざしを向けてみたりした。相反する感情が爆発しそうになったとき、とつぜん、何かが彼女のなかからはなれていき、すうっと心が軽くなった。驚いたことに、自分の一部がほとんど見えない影のようになって体から出て行った気がしたのだ。自分の体の形をした透明《とうめい》なシルエットがギュスに近づいていき、オクサが心の底からしたいと思うことをした。指先でギュスのあごを持ち上げ、自分のほうを向かせたのだ。ギュスは奇妙な感覚に眉《まゆ》をひそめ、オクサはその不思議な現象をじっと見つめていた。指先にはギュスの肌に触れた感覚がある……。

えっ、どうなってるんだろ？　オクサは驚いたように目を見開いて心のなかでつぶやいた。ギュスは抵抗するのも面倒なほど疲れているらしく、オクサのほうに顔を向けた。二人はぼうぜんとその場に固まっていた。ここ数日間で初めてギュスはオクサの視線から逃げずにいたし、そのことに自分でも驚いているようだ。オクサはギュスの視線を必死に受け止めた。しばらくすると、その不思議なシルエットは消えてしまったが、そのシルエットのおかげで、ぎこちないながらも気持ちが通じ合ったことはたしかだった。

「コホン、コホン」

青リンゴ色のサロペットを着た生き物が二人、ギュスの近くに立っていた。一人はぽっちゃりしていて、もう一人はひょろ長いが、二人ともマンガの主人公のような大きな目をしていた。顔の幅が広く、バラ色の肌は半透明の細かい産毛《うぶげ》でおおわれている。

「こんにちは、フォルダンゴたち！」と、ギュス。

「わたしたちの非常にあわただしいあいさつが、若いグラシューズ様のご友人様にささげられます」と、フォルダンゴが言った。

「ああ……ありがとう……」

ていねいなあいさつをされてとまどったギュスはしどろもどろに答えた。

フォルダンゴたちが黙《だま》っているので、ギュスは何か言わざるをえなかった。

「ぼくに何かできることはあるかい？」

レオミドのフォルダンゴとフォルダンゴットは力強くうなずいて、三人目の家族を紹介した。

〈外界〉で唯一誕生した奇跡《きせき》の子、子どものフォルダンゴだ。

「この子って、ほんとかわいい！」オクサが叫《さけ》んだ。

「〈永遠に絵画内幽閉《ゆうへい》されたご主人様〉の召使いは懇願《こんがん》の付与《ふよ》をいたしますが、その内容をご披露いたします、若いグラシューズ様のご友人様。あなた様が以前、フォルダンゴの子孫の体を揺《ゆ》すり、なでることに同意されたとき、彼は温かさの詰《つ》まった思い出を保持しました」

漆黒の長い前髪《まえがみ》を後ろにさっとふりはらったので、ギュスのユーラシアンらしいきれいな顔があらわれた。たしかに、最初にレオミドの家に来たとき、フォルダンゴの子どもをひざの上で寝かせてやったっけ。あの夜、自分は怒っていた。オクサに対し、そして自分自身に対して。ちょうどいまのように……。オクサもそのときのことをきっと思い出しているにちがいない。ギュスはオクサの顔をこっそりと見た。オクサは思わずにっこりし、ギュスにウインクした。ギュスもそれに応えてウインクを返し、顔をぱっと明るくほころばせた。

「それを再び犯す願いが考えられています。問題でしょうか？」

フォルダンゴは恐縮するあまり紫色になった。

「もちろん、だいじょうぶだよ！」

ギュスは片言をしゃべっている子どものフォルダンゴを抱《だ》き取ろうとかがんだ。

子どもの身長は四十センチくらいで、丸くてやわらかい体をしていた。ビー玉のような青く輝く大きな目がギュスを尊敬のまなざしで見つめていた。ギュスの胸にゆったりともたれかかった子どもの背中を優しくなでてやると、数秒後にはやすらかにいびきをかきはじめた。フォルダンゴとフォルダンゴットは感謝の気持ちでいっぱいになり、ころびそうになるほど何度も何度も頭を下げた。

「若いグラシューーズ様のご友人様はわたくしどもの謝意の嵐を受け取られねばなりません」

「嵐のほうはいいよ。もう十分受けたからね」

ギュスは雨が降り続く窓の外を指さした。

みんなの前でフォルダンゴットがものすごい勢いでバタリと倒れた。そしてよくみがきこまれた床の上を、氷の上のペンギンのようにすべった。

「ああ！　あなたがたの召使いはからっぽの脳みそを割り当てられております！　こんなみじめな宣言を許していただけますでしょうか？」

フォルダンゴットの言葉を聞いて、みんなは必死で笑うのをこらえた。

「そんなことはもういいよ」ギュスが言った。

「あなた様の寛大さは膨大な大きさを持っており、わたくしどもの感謝は世界の終末まで続くでしょう！」

この言葉は、〈逃げおおせた人〉たちに冷水を浴びせた。彼らはとつぜん、現実に引きもどされた。

「世界の終末までか……そのろくでもないことを忘れるところだったよな」

テュグデュアルがわざとのん気そうに言った。

祖父母のブルンとナフタリは彼に非難のまなざしを向けた。テュグデュアルは深刻なことをふざけて言うのが好きだ。しかし、彼をよく知る人たちは、彼がそうやってプレッシャーに耐《た》えていることを知っていた。テュグデュアルはぎこちない作り笑いでみんなを順に見つめ、最後にオクサをちらりと見てほほえんだ。

子どものフォルダンゴのいびきと雨音だけが重苦しい空気がただよう部屋にひびいた。みんな疲れきっていたし、だれも自分からしゃべろうとはしなかった。

ドラゴミラのブレスレットがシャラシャラと音を立てた。紫色のウールのカーディガンのすそを引っぱりながら立ち上がったためだ。続いて、堂々とした体格のナフタリとブルンが二階の居心地のよい寝室に行くために立ち上がった。レミニサンスとベランジェ夫婦もそれに続いた。広間に残った人たちは離れたソファにだらりと座って、それぞれの思いにふけっていた。

子どものフォルダンゴの一件で元気を取りもどしたオクサは、ただ一人、そうした無気力状態に陥《おちい》っていなかった。フォルダンゴを見つめながら、わけもなくどきどきしてギュスに近づいた。

「乱暴にするなよ……」ギュスがささやいた。

オクサは一瞬迷った。フォルダンゴをなでようと伸ばした手のことを言っているのだろうか？

それとも、ギュスに対する自分の態度のことを言っているのだろうか？

「あたしは乱暴者じゃないわよ！」オクサは抗議した。

その言葉にギュスが笑い出し、オクサにも笑いが伝染した。ギュスがさっきのウインクで休戦しようと伝えてきたのは本当だったようだ。

「なら、だいじょうぶだよ」

ギュスはすやすやと眠っているフォルダンゴをあごで指した。

オクサは産毛の生えた肌をそっと指先でさわった。彼女の視線は、ほおのふっくらとしたフォルダンゴから無表情なギュスの顔に移った。いつもより震《ふる》えているまつ毛だけが、心の動揺《どうよう》をあらわしているようだ。とつぜん、二人は同時に口を開いた。言葉がかぶって意味不明になってしまった。二人は一緒に笑い出した。

「何を言おうとしたの？」二人はまた同時に言った。

ギュスはおかしいのをこらえるように目をくるりと上に向けた。

「うん……忘れちゃった」と、オクサ。

「それなら、あんまり大事なことじゃなかったんだろうな。いつものようにさ」

ギュスはわざとオクサをからかうように言った。

「そんな言い方して、恥ずかしくないの⁉」

オクサもわざときつく言い返した。

「いいや、おまえは？」

オクサの顔がくもり、ギュスをきっと見つめた。

「ほんとに陰険なんだから……」オクサはぶつぶつ言った。

ギュスの目から明るさが消えた。ギュスはオクサを傷つけようとしたのだろうか？　それとも、オクサがギュスの言葉を誤解したのだろうか？　オクサは眉をくもらせ、不機嫌な顔になった。

「もういいじゃないか。やめようよ……それより、あいつ、何しようとしてるんだろ？」

ギュスが気まずい空気を換えようとしていると気づいたオクサは、とつぜんあらわれた生き物のほうをふり向いた。しわだらけのセイウチのような生き物が暖炉に薪《まき》を足そうとしていた。薪の大きさから見て、暖炉にくべるのはとても無理そうだ。その横では、髪がぼさぼさの別のへんてこな生き物がいそがしく動きまわっている。

「おい、名前にぴったりのやつ！　そんな大きな薪なんか、暖炉に入るわけないだろ？」

その生き物は跳《と》びはねながらどなった。

セイウチのような生き物はふり返って、疑り深そうな目つきをした。

「わたしは〝名前にぴったりのやつ〟ではありません。ヤクタタズです」

「だからそう言ったんだよ」髪がぼさぼさの生き物が答えた。

「あなたは、だれですか？」

「おれはジェトリックスさ！　ヤクタタズ、おまえとちがって、ここが空っぽじゃないんだよ」と言いながら、自分の頭を指さした。「だから、その薪はぜったいに暖炉に入らないって言ってんだ。数学的に無理なんだよ！」

それを聞いてヤクタタズはしゅんとしたので、ギュスとオクサは笑い出した。オクサは急にかわいそうになり、助け船を出した。

「ヤクタタズ、つばを吐《は》いたら？」

「つばを吐くですって？　でも、それは下品です！」ヤクタタズは反対した。

「いいから、だいじょうぶだって、さあ！」

ヤクタタズはあまりエレガントでない咳《せき》ばらいをし、オクサの言うとおりにした。すると、薪は強烈な酸をかけられたように、真ん中が溶けて二つに割れ、つんと鼻をつく煙を立てた。オクサは咳こみながら大笑いして立ち上がり、幸せそうなヤクタタズが暖炉に薪を二本くべるのを手伝った。

「すごく強いじゃない、ヤクタタズ！」

「ありがとうございます。でも、胃がムカムカして気持ちが悪いんです」

「かわいそうに……」オクサはヤクタタズの頭を軽くポンとたたいてなぐさめた。

「若いグラシューズ様」と、ドラゴミラのフォルダンゴがやってきた。「古いグラシューズ様があなた様の同席の恩恵をこうむる願いを表現されました。この召使いの護衛に同意していただけますか？」

「うん……わかった。すぐ行く」オクサは少しあわてた。「じゃあ、ギュス。あとでね」

ギュスは手でわかったというように合図した。オクサはしわひとつないブルーのサロペットを着たフォルダンゴのあとについて古めかしく立派な階段を上がった。

4

消せない過去

ドラゴミラの姿は部屋の薄暗《うすくら》がりに溶けこんでいたが、頭に巻いた三つ編みとごく小さな——本物の！——鳥のとまったイヤリングのおかげですぐに見分けがついた。

「入りなさい、わたしの愛しい子《ドゥシュカ》」ドラゴミラの声がひびいた。

床にしかれた暗い赤の絨毯《じゅうたん》は分厚く、足音すらしない。オクサは声のほうへ近づいていき、ドラゴミラの正面にある革《かわ》張りのソファに座った。すぐ前には、身も心も温めてくれそうな暖炉《だんろ》の火が燃えている。火の前に陣取っている小さな鶏《にわとり》が、斑点のある羽を一生懸命にふくらませ、うれしそうにコッコッと鳴いている。その横ではしま模様の脚《あし》のヴェロソが、金の止まり木を離れてオクサの元へ飛んでいく小さな鳥たちを捕まえようとしている。

「ハーイ、プチシュキーヌたち！」

「若いグラシューズ様よ！」プチシュキーヌたちはオクサの髪を二束つかんでアンテナのように立てた。「かわいいわ！　ステキね！」

それから鳥たちはオクサの首元に止まり、羽毛におおわれた頭をすりつけた。

「古いグラシューズ様と若いグラシューズ様は、紅茶のおかわりをおすすりになりたいでしょうか?」

フォルダンゴがやってきてたずねた。

ドラゴミラはほほえんだ。

「ええ、ありがとう、フォルダンゴ。でも、わたしたちはすするのではなく、ただ飲むのよ」

フォルダンゴはおじぎをしてから下がった。オクサはドラゴミラのほうに体を向けた。

「ボキャブラリーのユニークさでいうと、フォルダンゴは名人だね!」

「そうね。言葉の選び方が危なっかしいこともあるけどね」

ドラゴミラはくすりと笑った。

大きな花柄の陶器のティーポットを両手でかかえるようにして、フォルダンゴがもどってきた。

二人のグラシューズは湯気の上がるティーカップを前に背中を丸めている。ドラゴミラはいぶかしげにオクサを見つめた。

「どうしたの、バーバ?」

「さっき、変なことが起きたでしょう?」

オクサは赤くなった。祖母はギュスと自分の間に起きた奇妙な現象のことを言っているのだ。

「じゃあ、バーバは全部見てたんだ……」

ドラゴミラはうなずいた。

「何が起きたのかわからないの。そんなばかなことってないと思うけど、まるであたしの一部が、あたしのしたいことを勝手に代わりにやっちゃったみたいな感じ」

「そのとおりよ。その一部というのは、おまえの〈もう一人の自分〉なの。だれでもそんな自分がいるものだけど、いわば、無意識の部分の自分ね。おまえの〈もう一人の自分〉は、触れられないけれど、具体的な形となってあらわれるわけね」

「バーバには見えたの？」

「アバクムとわたしには見えたのよ。〈もう一人の自分〉というのは、グラシューズの能力のなかでも、ごくまれなものよ。わたしが知っている限りでは、それを持ったグラシューズはエデフィア史上でおまえが二人目だわ」

「バーバが一人目なの？」

「残念ながらちがうわ。わたしは未完成なグラシューズだということを忘れないで。そのすばらしい能力をおまえと同じように持っていたのは、エデフィアの最初のグラシューズよ」

　オクサはうろたえた。ティーカップをテーブルの上に置き、手が震《ふる》えないように両手を組んだ。

「それって、あたしが最後のグラシューズだっていうこと？　ていうことは、二つの世界の均衡《きんこう》を取りもどすことにあたしが失敗するっていうこと？　全部だめになるっていうこと？」

　ドラゴミラはびっくりしてオクサを見た。

「いいえ、わたしの愛しい子《ドゥシュカ》。もちろん、そうじゃないわ！　二人に共通点があるとしたら、おまえはむしろエデフィアを再生するグラシューズだということじゃないかしら。わたしはそう思うわ！」

オクサは少しの間、考えこんでいたが、再び口を開いた。

「その〈もう一人の自分〉って、どうやったら出せるの？」

「そのうちうまく操れるようになるわよ」と、ドラゴミラはあいまいな口調で答えた。「例の人物との対決に役立つ可能性は高いわね」

「オーソンのこと？」

「わたしはレミニサンスが暴露した話にとてもショックを受けているのよ。もし父親であるオシウスへの復讐《ふくしゅう》心だけでオーソンが動いているのだとしたら、彼は決して、今していることをやめないでしょうね。考えれば考えるほど、六十年近くも前に起こったことの影響に今になって気づかされるわ。あのころはよくわからなかったことがたくさんあったけど……」

「だって、バーバはまだ子どもだったじゃない」オクサは祖母の真剣な表情に驚いた。「起きたことをよく理解できなかっただろうし、オシウスの態度がオーソンにどんなふうに影響をあたえるかもわからなかったと思うけど」

「ひとつだけ当時からはっきりしていたことがあるわ。オシウスは冷酷《れいこく》で邪悪《じゃあく》な人間だということ。父親としては最低よ」

ドラゴミラは顔を上げ、正面にあるむき出しの壁をじっと見つめた。そして、〈カメラ目〉で記憶の奥底から出た映像を映し出した。

オーソンの少年のころの顔が映った。ドラゴミラの目をとおして見える光景は、〈クリスタル宮〉のテラスだろうと、オクサは思った。よく茂ったツタのような植物が手すりにはいのぼり、日陰を作っている。クリスタル製らしい噴水から吹き出す弓なりの水で子どものドラゴミラが楽しく遊んでいる様子がうかがえる。彼女は人差し指をふり回しながら水の軌跡《きせき》を変え、十二、三歳くらいのオーソンとレオミドめがけて水をかけているようだ。

水がオーソンにかかると、ドラゴミラのひどく子どもっぽい笑い声がひびいた。オーソンはびっくりして目を大きく見開いている。それから、そばで笑っているレオミドをひじでつつき、二人は目配せを交わすと、獣《けもの》のようにうなりながらドラゴミラのほうに向かってくる。くすぐりっこの大騒ぎが繰り広げられた。ドラゴミラの心のなかと部屋の薄暗がりに笑い声がひびきわたり、〈カメラ目〉がぼやけた。

とつぜん、画面がオーソンの顔にフォーカスした。まだ少年らしいその顔が父親の冷ややかな声を聞くと急にゆがんだ。〈カメラ目〉が移動すると、オシウスが画面の中にあらわれた。エレガントながら太った巨体は人を恐《おそ》れさせる威厳《いげん》に満ちている。二人の少年の仕返しから逃《のが》れるためにドラゴミラは床にころがっているようだ。そのドラゴミラの前に自分の息子がしゃがんでいるのを見ると、オシウスはその暗い目をいぶかしげに細めた。オーソンは真っ青な顔をして急いで立ち上がった。不明瞭なオーソンのつぶやきが、よけいに父親の気に障ったようだ。

「おまえはどうしてそう言い訳をしようとするんだ？」オシウスはキンキンする声で言った。

「そんな言い訳はおまえの弱さを強調するだけだ。どんなささいなことでも、自分のやったことの責任をとったほうがいい。別に悪いことをしているわけじゃないだろう？」

オーソンの気詰まりな沈黙に、オシウスはさらにまくしたてた。

「レオミドは何が起きても自分を弁護できるだろう？　いや、彼は責任を取る。おまえは、おまえの友だちをみならうべきだ」そう言って、くるりと背を向けた。

レオミド、オーソン、ドラゴミラ、そしてレミニサンスの出生の秘密——マロラーヌがその四人の母親であるという——が明らかになったいまでは、オシウスのその言葉はよけいに不愉快《ふゆかい》でいやな感じがする。オシウスはひどい男だった。オクサは、実の母に見捨てられ、父親に軽蔑されたた、傷ついた少年オーソンに同情を禁じえなかった。レオミドはオシウスの息子ではないのに、いつもオシウスにほめられ一目置かれていた。レオミドとレミニサンスが愛し合うようになったことから出生の秘密が明らかになり、三人の生活がめちゃくちゃになるまで、思春期のオーソンが感じていたであろう怒りがオクサにもよくわかった。その秘密は守られなかったのだから、結果的には周囲の人々を巻きこむ時限爆弾のようなものだったのだ。

急に画面が変わった。オクサは自分の母親の顔があらわれて、声をあげそうになった。画面が引いて、パヴェルとほかの〈逃《に》げおおせた人〉たちの後ろに田舎《いなか》風の大きな屋敷が見えた。みんないまより十五歳くらい若そうだ。結婚式の装いをしたパヴェルとマリーに陽の光が当たり、二人の顔が幸福そうに輝いている。二人は見つめ合いながら、野外に設けられたダンスフロアにすべりでた。母親の笑い声がひびきわたり、オクサの心は温かくなった。ママはなんてきれいなんだろう……ママが恋しい。

とつぜん画面が変わり、パリのアパートにいる数年後のオクサの両親が映し出された。ソファに座って、マリーの大きなおなかに手を当てたパヴェルが考えごとをするように頭を後ろにそらせている。二人の前でドラゴミラが紅茶をいれているようだ。

「オクサっていう名前もいいわね。きれいな名前じゃない？」と、マリー。

パヴェルの顔がくもった。

「男の子かもしれないよ」

「きっと、女の子よ！　きれいでかしこくて、わたしたちはその子をすごく愛して、死ぬまで幸せに暮らすのよ」

マリーは愛情に満ちた目を夫に向け、肩をつついた。

「いつになったらその心配性が治るのかしらね。なにもかもうまくいくわよ」

光が弾けるような音を立てて、〈カメラ目〉はとつぜん終わった。オクサとドラゴミラの間には重い沈黙が流れた。オクサはオーソンと自分がどれだけ対照的かを考えていた。父母の愛情は子どもの一生を左右する。その子がどういう人間になるか、その子の運命の基本的な部分を決めるのだ。その絶対的な力は恐ろしいほどだ。オクサは心を決めたようにドラゴミラのほうを向き直り、マリーの最後の言葉を繰り返した。

「なにもかもうまくいくわよ」

ドラゴミラは意図をくみ取ったようにうなずいた。

「わたしもそう思うわ、わたしの愛しい子《ドゥシュカ》」

5　新メンバー

ヘブリディーズ海の島へ向かうのは翌日の朝と決められた。

「もう待っていられない……」

パヴェルは相変わらずどしゃぶりの暗い空を見上げた。

レオミドの屋敷は人間はもちろん、不思議な生き物であふれかえっていた。アバクムやドラゴミラやレオミドの生き物たちや植物たちは仲間との再会で大騒《おおさわ》ぎだ。なかには、レオミドがイギリスに住むようになって以来、何十年も会っていなかったものもいた。

この騒ぎを平然と見守っている三匹のヤクタタズは別として、脚《あし》や羽のある生き物たちはみんな動きまわっている。植物たちはというと、動けないながらも、動く仲間に負けないぐらい興奮してにぎやかだった。ふだんは落ち着いて威厳《いげん》のあるサントレですら、この大騒ぎに参加していたほどだ。オクサは、ドラゴミラのゴラノフが反逆者《フェロン》たちに連れ去られた事件についてゴラノフ四株が話している内容に耳をかたむけた。

「あいつらは、あの子をちゃんと世話してくれてるかしら？」

ゴラノフのうち一株が言った。

ゴラノフの軸液を抽出するいくつかのやり方とその影響についての議論が続いた。

「反逆者《フェロン》たちはすごく残酷《ざんこく》だからね……もし、やつらが乳しぼりの方法を使わなかったら、あの子はぜったいに死ぬわ。しかも、むごたらしい無用な苦しみのなかでね！」

「そうなると、わたしたちの種は途絶えてしまうわ」

ゴラノフたちの感情は一気に高まり、不幸な仲間の痛ましい運命と自分たちの暗いさだめにおののいて、へなへなと倒れた。

大暖炉《だんろ》の前の絨毯《じゅうたん》の上では、小さな鶏《にわとり》のようなドヴィナイユたちが例のごとく、ひどい気候についておしゃべりをしていた。いまではその非難がそんなにまちがっていないことはみんなが認めるところだ。新たな自然災害が世界じゅうをパニックに陥《おとしい》れていた。異常に暖かい海底流が潮流の動きに大混乱を起こし、今度はアメリカ西海岸に洪水をもたらしていた。空のほうもい い知らせはない。大型の竜巻が世界各地で大きな被害をあたえていた。地球全体が苦しんでいる。

地球が苦痛にうめけばうめくほど、海や空が執拗《しつよう》に攻撃をしかけてくる。

「こんなに早く事態が悪化するとは思っていなかった」世界じゅうの災害の映像を次々と映すテレビにじっと見入っているアバクムがつぶやいた。「おや、ここにいたんだな！」オクサがそばに来たのに気づいて言った。

「うまくいくと思う?」

オクサは心配そうにたずねた。

妖精人間アバクムはオクサのほうをふり向き、その目をじっと見つめた。

「うまくいかないはずがない!」アバクムの声はうわずっていた。「考えたくないんだ……」のどが締めつけられたように声がかすれた。

「これで終わりだなんて?」

答える代わりにアバクムはオクサの肩《かた》に腕《うで》を回し、広間にいざなった。ガナリこぼしとヴェロソは、「反逆者《フェロン》の島」に一緒に乗りこむ仲間たちを見つけようと必死で努力してきた。いまや、世界に散らばる〈逃《に》げおおせた人〉たちがレオミドの屋敷に集まり、ひとつのコミュニティをつくっていた。アバクム、ポロック一家、クヌット一家、ベランジェ一家、レミニサンスと孫娘《むすめ》のゾエという中心メンバーに、およそ二十人が加わった。

彼らの境遇はさまざまだが、みんな、若いグラシューズを助けてエデフィアに帰るために協力し合うという同じ目標を持っていた。オクサのほかにそれができる人はいないし、世界とそこに住む何十億という人たちの運命がその肩にかかっているのだ。アバクムに付き添われてオクサが広間に入ると、話し声がぴたりとやんだ。オクサに初めて接する人たちは、立ち上がってうやうやしくおじぎをした。とまどったオクサは歓迎の言葉を二言三言つぶやき、助けを求めるように父親に目をやった。愛しい娘の肩にかかる重圧を知っているパヴェルは、励《はげ》ますようなほほえみを浮かべた。

オクサは、敬意を持って彼女を見つめている未知の人々の顔をざっと見まわし、ゾエとともに薄暗《うすぐら》い場所に立っているギュスに気づいた。一見すると、ギュスはすねているように見える。オクサは彼のことをよく知っているのでまちがえるはずはない。口角がひきつっているのは彼が不機嫌な証拠だ。

オクサは勇気をふり絞《しぼ》って、みんなの見ている前でギュスへの友情が変わらないことを宣言しようと思ったが、数歩進むと見えない力によって押し止められた。驚いたオクサは自分の守護天使のようなゾエに目でたずねた。ゾエは頭を「だめ」というように横にふって、オクサが近づくのを妨げるように片手を胸の前に上げた。オクサは真っ赤になった。もちろん、いまはそんなことをしている場合ではなかった。オクサは恥ずかしくなって、きびすを返すと父親のそばに隠れた。

「さて、これでみんながそろいました！」ドラゴミラの声は少し震《ふる》えている。「オクサ、今日集まってくれた人たちにおまえを紹介しましょう」

オクサはレオミドの子、キャメロンとガリナは知っていた。会ったのは三度で、最後に会ったのは、オクサたちがビッグトウ広場に越してきたとき。そのときは、レオミドもいっしょだった。あれからいろいろなことがあった。キャメロンはレオミドによく似ていた。彫りの深い顔と、父親と同じ深いまなざし。五十代後半らしく、やせた体形からマロラーヌの子孫らしいしなやかさと優雅《ゆうが》さがただよっており、オクサにはオーソンとの類似点がいやでも目についた。

彼の妻のヴァージニアはひかえめに夫に寄り添っていた。キャメロンが自分の出自《しゆつじ》を知ったのはかなりあとになってからだが、それがふつうでないことを早くから直感的に感じていた。キャメロンは正直で慎重な人生を送ってきた。正直というのは家族に対して、慎重は世間に対してだ。したがって、〈逃げおおせた人〉の運命は彼の妻や子どもにとっては秘密でもなんでもなかった。彼の息子たち三人は、苦悩をたたえた目をし、英国人らしい気品をただよわせていた。

ガリナは兄キャメロンの三年後に生まれた。遺伝子のいたずらか、彼女《かのじょ》はドラゴミラにそっくりだった。長い三つ編みをアップにした見事な髪型《かみがた》と明るいブルーの目のせいで、よけいによく似ていた。彼女はごく若いときに、賢くて魅力《みりょく》的な牧師、アンドリューと激しい恋に落ちた。心の広い人でなければ彼女の変わった出自を受け入れることはできなかっただろうが、幸運にもアンドリューはそういう人間だった。二人は結婚し、二十歳くらいになる二人の娘がいる。

オクサの思い出のなかの一家は、陽気で、一風変わっていて、ユーモアのセンスがあった。いま、顔をゆがめて不安そうにオクサを見つめている彼らとはまるで別人に見える。オクサは、彼らの生活が一変し、世界の消滅の危機と急な逃亡のために親しい人たちにさようならも言えずに家を捨てて来たことを考えずにはいられなかった。自分は彼らの信頼に応えられるだろうか？

「来てくれてありがとう」

愛するレオミドの子どもや孫たちを前にして、ドラゴミラの気持ちは高ぶった。

「若いグラシューズ様、こんな大変な状況ですが、あなたの力になれるのは光栄です」

キャメロンが目を輝かせながら言った。

「ここに来るのは当然よ。望むと望まざるとにかかわらず、わたしたちは〈逃げおおせた人〉ですもの」

ガリナの顔も真剣だ。

「たとえわたしたちが結婚によって〈逃げおおせた人〉のメンバーになっただけだとしても、いまは一人一人が自分のできることをするのが大事なんじゃないでしょうか?」

アンドリューは不満げな顔をした二人の娘をじっと見つめた。

「そのとおりだとも! 本当にありがとう」アバクムは感謝をこめて言った。

匠人《たくみびと》の高級職人でいまは南アフリカで優れた金銀細工師《きんぎんざいくし》になったボドキン、そして、エデフィアの会計係を務め、〈外界〉では銀行員になったコックレルがオクサにあいさつをした。この二人のダンディーな年配男性は、世界が陥《おちい》っている混乱を利用して、特別な方法で何千キロもの距離をかけつけてきた。背に腹はかえられない。〈外の人〉たちは自分たちの身に起きた大災害に気をとられていたので、ありえない速さで走る男や、ロケットのように雲を突き抜けて飛ぶ男にまったく気づかなかったのだ。しかし、たとえ気づかれたとして、それがどうだというのだろう? 世界じゅうの人たちは、陸地を浸水させる海や火山の爆発や地震から逃《のが》れることしか頭にない。この二人の尊敬すべき重要人物の横には、〈逃げおおせた人〉の第一世代であるフェン・リー、そしてコックレルの妻アキナと息子タカシがいる。三人は切れ長の謎めいた黒い目でオクサをじっと見つめていた。

6　氷の女王

ドラゴミラに紹介されるまでもなく、オクサはナフタリとブルンの長男がすぐにわかった。オロフ・クヌットは父親に生き写しで、巨体でいかめしくはあるが、人をひきつけるものがあった。〈逃《に》げおおせた人〉の血を引く妻――体は大きく、麦のような金髪だ――の後ろに立ったオロフはどんな危険にも立ち向かう用意があるようにみえる。

しかし、このひときわ目立つ夫婦よりも、オクサの心にさざ波を起こしたのは彼《かれ》らの娘だった。全十五歳くらいだろうか。テュグデュアルのいとこにあたるその娘は典型的な北欧美人だった。全身をベージュ色でまとめ――フィッシャーマンズセーターと同系色のジーンズだ――雪のように輝く透き通る肌にチョコレート色の口紅がよく映えている。オクサはわけもなくうろたえながら、氷の女王だ、と思った。その娘、クッカは冷たく、同時に興味深げにオクサをじろじろ見た。オクサは彼女の並外れた美しさにとまどい、思わず震《ふる》えた。ドラゴミラがポロック家とクヌット家の間の強い絆《きずな》について話し始めると、クッカの視線はオクサを離れ、こちらに近づいてきたテュグデュアルのほうに移った。クッカの顔はぞっとするほど冷たいほほえみで輝いた。

「あら、わたしのお気に入りのいとこじゃないの」

そのつっけんどんな澄んだ声は、割れた水晶のかけらのようにひびいた。クッカは自分が寄りかかっていたテーブルの上の花瓶をテュグデュアルに向けて投げつけた。テュグデュアルは顔にまともに受けないよう避けるのがせいいっぱいだった。陶器の花瓶は壁に当たってこなごなに砕《くだ》けた。オクサは声をあげ、クッカの両親はどなった。

「なんて華々しいご登場……こんにちは、ちっちゃないとこ殿！」

テュグデュアルは両手をポケットにつっこんだまま、皮肉な笑みを目に浮かべてさらに近づいてきた。

陶器のかけらがテュグデュアルの大きな靴底の下できしんだ。

「言っとくけど、わたしはあんたより大きいのよ！」クッカが言い返した。

クッカはテュグデュアルの前に立ちはだかるようにして立ち、実際、彼より数センチ高いことを証明してみせた。テュグデュアルはあわてるどころか、すぐさまこう言い返した。

「おれは身長のことを言ってるんじゃないよ、ちっちゃないとこ殿。成熟度のことを言ってるんだよ」

「じゃあ、その話をしようじゃないの」クッカはブロンドの髪をさっと後ろにはらった。「家族の生活をむちゃくちゃにするのが、成熟度の証拠っていうわけね。それなら、クヌット家を代表してお礼を言うわ」

この言葉は矢のようにテュグデュアルの胸を突き刺した。両手のこぶしをにぎりしめ、青ざめながら一歩後ずさりした。ほおがこけ、鼻は酸素が欠乏しているかのようにぴくぴくした。オクサはというと、クッカの言葉で傷ついたテュグデュアルの心を自分にはいやすことができないと思うと、いらいらした。

ほかの〈逃げおおせた人〉たちはクヌット家の人たちに遠慮して広間を出て行った。オクサだけが抑《おさ》えられない好奇心を丸出しにしていたが、やがてしぶしぶと広間を出ていき、薄暗《うすぐら》いホールの階段から広間の様子をうかがうことにした。

「忘れてるんなら思い出させてあげるけど、あんたのお母さんのヘレナおばさんは、息子のことを黒魔術師だと思いこんで重いうつになったじゃない。覚えてる?」クッカはとげとげしい調子で続けた。「あんたのエゴイズムとおかしなにせ魔術の実験のおかげで、八人の人が、幸せな生活を送っていた国から逃げなきゃいけなくなったんじゃない」

「クッカ!」オロフが低い声でたしなめた。

「わからせないといけないのよ、パパ! 知らん顔するなんて生易しいわ! この人があさましい栄光を夢見る前は、みんな平和に暮らしてたんだから。みんなを危険にさらしたのよ。この人のせいでフィンランドにいられなくなったんじゃない。おかしいじゃないの! わたしはこの人のせいで、すべて失ったのよ、国も、高校も、友だちも! 彼は何を失ったっていうの? 友だち? 友だちなんてもともと一人もいなかったじゃない。だれがこんな怪物を友だちにしたいっていうのよ」

「クッカ、もしテュグデュアルが怪物だっていうなら、わたしたち全員がそうだよ」

ナフタリがいさめた。

「わたし以外の全員よ。わたしはふつうだもの！」

不満そうなささやきが広がった。オクサはわけがわからなかった。どうして、この女の子は自分のことをふつうだと言うんだろう？　クッカはテュグデュアルのほうを向いてにらんだ。

「おまえは何もわかっちゃいない」

テュグデュアルはうつろな声でつぶやいた。

「あんたがわたしたちの一族じゃなかったらよかったのに！　あんたがわたしの人生を台無しにしたのよ！」と、クッカは叫《さけ》んだ。

「もうやめなさい！」父親がどなった。

しかし、興奮したクッカを止めることはできなかった。クッカは、彫像のように固まっているテュグデュアルに近づき、怒りで震える人差し指をその胸に押しつけた。

「あんたのお父さんが、いま、どこにいるか知ってんの？」

テュグデュアルの体がぐらついた。

「知らないの？」クッカはさも愉快《ゆかい》そうに叫んだ。「北海のど真ん中にある石油プラットフォームにいるのを知らないの？　おじさんはね、こういう秘密ばっかりのばかげたところから、そしてあんたからできるだけ遠く離れるために出て行ったのよ！」

テュグデュアルの顔がゆがんでいるようだ。二人は数秒間そのままでいた。雪のように輝くクッカと、雷雲のように暗いテュグデュアル。とつぜん、テュグデュアルはいとこの黄金色の長い髪《かみ》を引っぱって頭をのけぞらせ、自分の顔を数センチのところまで近づけて、絞《しぼ》り出すような声で言った。

「二度とおれの親父のことを口にするな！」

「怪物！」

クッカはテュグデュアルを真正面からにらんだ。

オクサにはテュグデュアルの押し殺したうめき声が聞こえたような気がした。危険を感じたナフタリは、自分の孫息子がいじわるないとこを黙らせようとするのをやめさせようとした。しかし、一瞬遅かった。テュグデュアルの目から怒りの稲妻がひらめき、クッカをけいれんさせた。彼女はナフタリの腕のなかに倒れ、オロフとその妻があわてて駆け寄った。テュグデュアルは真っ青になり、壁にもたれかかると、そのままずるずると床にくずおれた。彼の顔にきざまれた苦悩がオクサのいるところからでもわかった。クッカの言葉は図星だったようだ。


「おまえの恋人は騒《さわ》ぎを起こすのがうまいよな！」

後ろでギュスの声が聞こえた。

オクサはびくっとした。ギュスは階段を数段上がったところにいて、オクサをにがにがしげに見ていた。何か言おうとしたとき、小さな男の子を抱いた女性がホールを横切って広間に入っていった。そこにいた人たちは、ざわざわした広間を見回している女性のほうをいっせいにふり向き、急に口をつぐんだ。体じゅうにみなぎる怒りを抑えようとしているテュグデュアルに彼女が気づいた。小さな男の子がテュグデュアルのほうに両手を伸ばして叫んだ。

「テュグ！」

テュグデュアルはぐったりしながらも顔を上げた。息をするのもつらそうだ。女性は男の子を床に下ろすと、目に涙をため、テュグデュアルに近づいて起き上がらせ、抱《だ》きしめた。

「こんにちは、ヘレナ」

ナフタリがやってきた。

オクサは震えた。ヘレナって！　テュグデュアルのお母さんじゃない！　オロフやその両親と同じように、ヘレナも優雅《ゆうが》で力強い体つきをしていた。背は高く、すらりと細い手足。彼女は人をひきつける気品と魅力《みりょく》を持っていた。白髪の混じったこげ茶色の髪にふちどられた顔はひどく青白く、目には深い苦しみをやどしている。ヘレナはテュグデュアルを離して、両親であるナフタリとブルンにあいさつした。テュグデュアルはすでにいつもの人をくったような態度にもどっていた。ただ目の奥にやどる暗い光が激しい感情を物語っていた。

「やっと来たな」ナフタリが感慨をこめて言った。「それに、ティル、おまえは大きくなったなあ！」

そう言いながら、テュグデュアルの脚にしがみついている男の子のほうにかがんだ。

「ぼく、五歳だよ！」

オクサはあっけにとられてテュグデュアルを見た。彼は家族のことを一度も話したことがなかった。だが、オクサ自身、彼に家族のことをたずねたことが一度もないことに思いいたり、反省した。この五分くらいの間にいろんなことがわかった。ここにくるまでの困難な旅の様子を兄に話している天使のようにかわいいティルを見ながら、オクサはほほえんだ。テュグデュアルはオクサがびっくりするほど優しく弟に話しかけている。そんな彼の様子はオクサの目にはますます魅力的に映った。

やっとクヌット家の人々は落ち着きをとりもどした。ソファにひざをかかえて座ったクッカはテュグデュアルと一時休戦することにしたようだ。もったいぶった仕草で指先で長い髪をすきながら、自分を無視しているテュグデュアルにきつい視線を投げかけている。

「終わりよければすべてよし！」オクサの後ろでギュスが手をたたきながら言った。「おまえの王子様は名誉を挽回《ばんかい》したわけだ。万歳！」

オクサは手をポケットにつっこんだまま、階段を三段とばしに上がった。そして、自分の寝室にいき、ドアを後ろ手に閉めた。

7

黒く純粋《じゅんすい》な心

怒り狂ったように何時間も吹き荒れていた風は、ようやく静まった。レオミドの屋敷《やしき》を取り囲む荒野《こうや》の地平線に、灰色でどんよりした夜明けの光が差してきた。オクサは目をあけ、ベッドの中でしばらくじっとしていた。気持ちの整理をしたかったからだ。服装は昨日と同じく、すり切れたジーンズとボーダーのセーターのままだったが、だれかがショートブーツをぬがせ、羽毛の掛け布団をかけてくれていた。きっと父親だろう。

オクサは耳をすませた。墓場のような静けさだ。まるで、昨夜のうちにすべての生き物が死に絶えてしまったかのようだ。とつぜん、灰になりかけた薪《まき》が暖炉《だんろ》の中でくずれた。その音に驚いて部屋を見わたすと、自分のそばにドラゴミラのフォルダンゴがいることに初めて気づいた。優秀な警備員のように、大きな丸い目でオクサを見つめている。オクサはベッドから起き上がってほほえんだ。

「おはよう、フォルダンゴ！　ここで夜を明かしたの？」

「若いグラシューズ様、あなた様の召使いのあいさつをお受け取りください。ご質問への答えは肯定です。古いグラシューズ様が、若いグラシューズ様の睡眠を監視されるよう懇願されましたので、召使いの目は少しもそれることはありませんでした。〈永久に絵画内幽閉《ゆうへい》されたご主人様〉のフォルダンゴ三人も、この家のすべての招待客に対して同じ護衛をいたしました」

「じゃあ、フォルダンゴたちはみんな一睡もできなかったってこと？　かわいそうに！」

「あなた様の心のなかの不満をすべて取り除いてくださいい、若いグラシューーズ様。フォルダンゴというのはまったく苦痛なく命令を実践することができるのです」

「ほんとに主人に忠実なんだね」

オクサは感心して、ため息をもらした。

「忠誠はフォルダンゴの精神のなかにあります。忠誠の信頼は完全です」

「ありがとう、フォルダンゴ。おまえたちがいてくれてよかった」

フォルダンゴは鼻をならすと、暖炉に薪をくべようとしたが、とつぜんふり向いてオクサをじっと見つめた。

「若いグラシューーズ様、嫉妬《しっと》があなた様の心を傷つけてはなりません」

フォルダンゴのこの言葉にオクサはあっけにとられた。

「どうしてそんなこと言うの？」

「グラシューーズ家の友人であるクヌット家の孫息子様があなた様の思いの上に腰《こし》かけています。それに、いとこのクッカ様の冷蔵庫のような存在があなた様の心にすり傷をつけました」

「なんで、そんなことがわかるの？」

オクサは自分の気持ちを見透かされていることにびっくりし、息が詰《つ》まりそうになった。

「あなた様の召使いはあなた様の視線を確認し、あなた様の感情を読み取りました。グラシューズ家のご友人の孫息子様は恋愛の心配事で若いグラシューズ様を支配しています。大理石のように冷たいクッカ様が、若いグラシューズ様を苦しめている方と雷《かみなり》に満ちた再会をされました。二人のいとこの間には非常な電気がありますが、お二人の関係には愛は不在です。頭からすべてのご心配をお取り除きください」

オクサはドキッとした。フォルダンゴの言うことは全部本当だ。テュグデュアルが自分の心をとりこにしているのも事実だし、クッカとの激しいやりとりに嫉妬しているのも本当だ……。どうしてそんなふうになるのかわからないが、否定はできない。

「そんなことまでわかった？」

オクサは赤くなった。

「グラシューズ様の心のなかにあることでフォルダンゴにわからないものはないということを忘却されてはなりません」

「それって、すごくやりにくいなあ……。ちょっと聞いてもいい？」

オクサの声は震《ふる》えた。

フォルダンゴはうなずいた。

「あのう……テュグデュアルはあたしを好きかな？」

フォルダンゴは長く細いまつげをしばたたいた。

「グラシューズ家のご友人の孫息子様は性格の不完全なうわべだけしか見せません。感情をまったく受けつけないように見えながら、大きな混乱とひどい苦悩を知覚しています。彼の暗い目にとっては、権力は火と同じ魅力《みりょく》を帯びることをあなた様はお気づきのはずです」

「それはどういうこと？」

「グラシューズ家のご友人の孫息子様は、あいまいなお気持ちに出会われています。権力に深く魅了されていますが、それを実際に使うことはされていません。若いグラシューズ様は多くの人にとって大事なその権力を帯びていらっしゃり、結論として、権力への魅了は若いグラシューズ様のほうに向いています」

「ていうことは、テュグデュアルは権力を持っているあたしに興味があるだけなんだ……」

オクサはあきらめに似た気持ちになりながらも、のどの奥が締めつけられるようだった。

フォルダンゴは広い額にしわを寄せた。

「若いグラシューズ様、人間の本性にはよく複雑さが詰まっています。しかし、あらゆる心配を心から追い出されないといけません。グラシューズ家のご友人の孫息子様はほかの人たちと同じ論理を持っていません。見かけは人をだまし、混乱を導きます。なぜなら事実は意外だからです。グラシューズ家のご友人の孫息子様の忠実さと愛は不変性と全体性を持っています。彼の心は黒くもつれていますが、純粋さを保存しています。しかしながら、若いグラシューズ様はご友人やご家族といったほかの存在を無視してはいけません。世界の消滅もです」

「いまの状況は深刻なんだよね？」

フォルダンゴはうなずいた。

「あたしになんとかできるのかな?」

「あなた様の召使いはただひとつの保証しかできません。エデフィアへの帰還が近く、成功の希望は〈逃《に》げおおせた人〉の結集にかかっているということです」

オクサはいらいらしてのどをかいた。窓の外にはメタリックな灰色の空が見え、黒い稲妻がしま模様のように走っている。それは前に閉じこめられた絵画の中の空によく似ていた。オクサは急いで窓に近づいた。部屋からは古ぼけた金網に囲まれた小さな墓地が見えた。そこはかつて、テュグデュアルとオクサが初めてちゃんと言葉を交わした場所だった。そのときと同じ場所に当の本人がいた。彼にはオクサが見えない。テュグデュアルはオクサの視線を感じただろうか?確信はない。テュグデュアルは考えごとに没頭しているようだ。顔は苦しそうにゆがんでいた。まるで仮面がはがれたように、いまのテュグデュアルにとっては悲しみ以外に何も存在していないかのようだ。墓石にもたれて座り、自分のすべてをさらけ出している様子にオクサははっとした。テュグデュアルの好きな歌が記憶によみがえった。

おれはいつも黒い服を着る
黒は内側で感じている色だから
もし、おれが少しでも変に見えるなら、
ほんとうにおれが変だからだ

でも、おまえがおれを好きになってくれることはわかっている
ただ、おれを見てくれさえすれば
ただ、おれに会ってくれさえすれば
おれの人生にはたいしたものはない
でも、おまえにやるよ――それはおまえのものだ

Unloveable/The Smiths

以前、テュグデュアルはいつものように屈託なく――ほとんど陽気に――この歌を口ずさんでいた。でも、この歌詞の意味は深刻で、そのままテュグデュアルのことを歌っているかのようだ。オクサはそうっと窓を開け、外へ抜け出した。フォルダンゴは面食らって、口を顔いっぱいに大きく開けてその様子を見ていた。

「若いグラシューズ様、わたしの言葉を忘却されませんように」

フォルダンゴはため息をついた。

「約束する！」

オクサは地上数メートルの高さに浮いたまま答えた。

テュグデュアルはオクサに気づくと驚いて顔を上げた。地面に両足がついたばかりのオクサはテュグデュアルをするどい目で見つめた。

「おはよう、ちっちゃなグラシューズさん！」

「おはよう」

オクサはとなりにどさっと座った。

「よく眠った？」

「ぐっすりよ。あなたは？」

「けっこうここにいたかな」

「眠れないの？」

「ふだんから、あんまり眠れるたちじゃないんだ。一週間に数時間も眠れば十分さ。いまはもっとひどいけどな」

「あんまり疲れてないわけ？」

オクサはテュグデュアルにちらりと目をやった。

「ああ。いらいらして眠れなかったんだ。空をながめて考えごとをしてたら、気持ちが落ち着いてきたよ」

オクサは一瞬迷ったが、思い切ってたずねた。

「話したい？」

意識を失ったクッカのそばに立ちつくすテュグデュアルの苦しそうな顔が、オクサの頭にちらついた。

「どうでもいいことさ」

オクサは文句を言わずにはいられない。

「そんなことない！」

テュグデュアルのすべてを知りたいだなんて、どうやって告白したらいいんだろう？　でも、時間がたてばたつほど、テュグデュアルは心を閉ざしてしまう。あたしの思いとは逆に……。この人ってなんて複雑なんだろう。結局オクサは無理強いしないことに決めた。これ以上、彼の心を傷つけないように？　この二人の間のいい雰囲気をこわしたくないから？　オクサにはわからなかった。

「とにかく、あなたのお母さんって美人だね。弟もすっごくかわいいし……」

かすかに手が震えているようだが、それ以外の反応はまったくない。寒いから？　それとも何か気にさわった？　とつぜんテュグデュアルの肩《かた》がオクサに触れた。そしてオクサのすりきれたジーンズからはみ出た糸を引っぱり、うわの空で人差し指に巻きつけた。

「死にたくなかったら、おれたちみんなの力を結集しないといけないな」テュグデュアルは低い声で言った。「すべての力を」

また逃げた。でもそんなことはどうでもいい。テュグデュアルと二人っきりでいると、たとえ話題が深刻でも、すごくいい気分でいられるような気がする。今朝もそうだ。テュグデュアルのすることは決して単純じゃない。素直じゃなくて、二重の意味があって、謎ばかりだ。ギュスとは正反対……オクサはもどかしさでいっぱいになった。そしてそっとテュグデュアルの頭に自分の頭をもたせかけた。

しばらくすると、墓地に黒ずんだ紫色の光が差してきた。まるで昨日の荒れた天気のせいで空に内出血が起きているかのようだ。テュグデュアルはオクサの肩に手を回した。二人はそのまま黙《だま》って墓石にもたれ、不気味な厚い雲の動きをじっと見つめていた。

すると、荒野の向こうからアバクムらしき人影があらわれた。その後ろをレオミドのジェリノット——体長三メートルはありそうな巨大な雌鶏《めんどり》だ——が体を左右にゆすりながらこちらに向かってくる。

「出発だな。ここにもどってくることはもうないだろう」と、テュグデュアルがつぶやいた。

ふいにオクサは悲しみにおそわれた。残してきたものは、まだ思い出と呼ぶには早すぎる。まだ身近なことばかり。学校、友だち、ドラゴミラとの夕方のひととき、両親とすごした貴重な時間……。以前の生活を捨てるのは難しい。オクサは顔を上げ、わいてくる涙《なみだ》をこらえるようにまばたきをした。

そのとき、二階の窓のひとつにクッカの姿がはっきりと見えた。墓地をじっとにらむ、その陰険な目つきにオクサの背筋がぞくっとした。テュグデュアルはそれにすぐに気づいて、アーチ形の窓に目をやった。冷淡ないとこの顔はもう見えなかったが、テュグデュアルはオクサの肩においた手をあわてて引っこめた。オクサは混乱した。どういうことなんだろう？　テュグデュアルは恥ずかしがってるのかな？　オクサはフォルダンゴの言葉を思い出した。どうしてこんなに複雑なんだろう？　テュグデュアルはさっと起き上がると、オクサに手を差し出した。

「来いよ！　ちょっと空中散歩しようぜ」

　オクサはその誘いを断ってテュグデュアルを置き去りにしようかとも思った。けれど、テュグデュアルは無理やりオクサの両手を自分の肩におかせた。そして自分も同じようにオクサの肩に両手をおき、二人はいっしょに宙に浮いた。地上では、アバクムが片手を目の上にかざし、いとおしそうにほほえみながら二人を見守っている。

　その光景を見ていたのは彼一人ではない。屋敷の端っこではギュスが冷たい窓に額を押しあて、二人が荒野の上を飛ぶのを目で追っていた。その背後には、ベッドの上であぐらをかいたゾエがギュスの丸まった背中を悲しそうに見つめていた。ギュスの心がどんなに傷ついても、結局いつもゾエにはどうすることもできないからだ。

　そこから二つ離れた部屋では、クッカのライオンのたてがみのような金髪が怒りで逆立っていた。そして、生き物たちが朝の体操をしている野菜畑にはドラゴミラとパヴェルがいた。オクサとテュグデュアルが紫色のもやのなかを飛んでいくのを二人は見上げていた。自分の娘がそんなに高く飛んでいるのを初めて見たパヴェルは、いまにも娘を追って行きそうな勢いだ。それを間一髪、ドラゴミラが引き止めた。

「だいじょうぶよ」

　オクサはというと、自分の知らないところで巻き起こっている、みんなのさまざまな思いからはるか遠くにいた。悲しみの混じった幸福感に胸をふくらませ、本能に身をまかせ、自分を愛してくれる人たちの思いに目をつむっていた。

8　永遠の別れ

ドラゴミラには人を説得するすばらしい才能があるのだろうか？　それとも「グラノック的」手法を用いたのだろうか？　それはだれにもわからない。ともかく、年老いた漁師はバーバ・ポロックの願いを聞き入れてくれた。となりの港にあるいちばん大きいトロール漁船がレオミドの所有地の入り江に錨《いかり》を下ろすことになったのだ。洪水が起きているイギリス東部から避難民が大量に押し寄せていることを考えて、〈逃《に》げおおせた人〉たちは反逆者《フェロン》たちの島まで海路を使うことにした。三十一人という大所帯が移動するには最も速くて目立たない方法だ。気をつけてもどうしても彼らは目立ってしまうし、世界が大混乱に陥《おちい》っているとはいえ、用心するにこしたことはない。たとえ、数日後には彼《かれ》らが一人残らず〈外界〉からいなくなるのだとしても……。

鎧戸《よろいど》が閉められた大広間で、〈逃げおおせた人〉たちは最後の会合を開いていた。アバクムのアドバイスにみんながじっと耳をかたむけた。

「今回の旅でいちばん大事なのは常に注意を怠《おこた》らずに計画を実行することだ。攻撃にかけては反逆者《フェロン》たちのほうが上手だ。でも今回は逆のパターンだ。わたしたちのほうから攻撃をしかけるわけだが、なにしろ知らない土地に行くのだし……」

「忠実な情報提供者を忘れていらっしゃいますよ！」

ドラゴミラのガナリこぼしの声がひびいた。

「そんなことはないわよ」ドラゴミラはガナリこぼしの頭をなでながら反論した。「おまえのおかげで、いつも重要な情報が手に入るのよ。これからもたのむわね」

「いつでも御用をお申しつけください！」

ガナリこぼしは背筋をピンと伸ばした。

「われわれの戦略をよく頭に入れておいてください」アバクムが続けた。「なるべく危険を回避して、能力に応じて各自が動くこと。では、これから出かけよう。順調に行けば、二十四時間後には反逆者《フェロン》の島に着くだろう。うまい具合に夜に着くというわけだ」

みんなは押し黙っている。この旅立ちは〈逃げおおせた人〉たちにとっては新たな人生の幕開けであると同時に〈外界〉での生活の終わりを意味する。この旅が〈エデフィアの門〉へ続いていると信じているから、みんなここにいるわけだ。しかし、心に固く誓った帰還ではあっても、感傷と郷愁《きょうしゅう》にみんなの息は荒くなり、目には涙《なみだ》が浮かんでいた。

とつぜん、広間の奥からメロディが聞こえてきた。テュグデュアルがピアノを弾《ひ》き始めたのだ。黒ずくめの服のためよけいに顔が青白くみえる。彼は〈逃げおおせた人〉たちの悲しみを代弁するような郷愁的なメロディを弾いている。オクサは驚いて顔を上げた。また、あたしの知らなかった新しい彼だ……。

自分の知っているロックの曲がアコースティックバージョンになっている。そのメロディの美しさにオクサはうっとりした。レオミドのフォルダンゴたちが崇拝するように大きな青い目でテユグデュアルを見つめている。

「グラシューズ家のご友人の孫息子様は、グラシューズ家の召使いの聴覚に魅惑をあたえられました」と、フォルダンゴットが言った。「〈永久に絵画内幽閉《ゆうへい》されたご主人様〉が亡くなられて以来、この旋律の美しい楽器を実践する人はいませんでした。強い感情が聴く人を魅了しました。その確信は完全です」

テユグデュアルは眉《まゆ》ひとつ動かさずにフォルダンゴットをちらと見ると、いましがたの感情を断ち切るようにピアノのふたをパタンと閉めた。そして、何か言おうと口を開きかけたが、フォルダンゴたちの感謝に満ちた視線やその場の雰囲気にとまどってか、何も言わなかった。

暖炉《だんろ》の中で燃えている薪《まき》に水をかけ、つかの間の安らいだ時間を終わらせたのはパヴェルだった。決然としたその行為にドラゴミラは驚いて息子を見た。

「ばかげてるかもしれないけど、このすばらしい屋敷が火の不始末で焼け落ちてほしくないんだ。レオミドのために……」と、パヴェルはつぶやいた。

そして、パヴェルは広間を出て行った。ほかの〈逃げおおせた人〉たちも胸がいっぱいになり、押し黙《だま》ったまま、荷物の置いてある玄関ホールに向かった。一人一人が自分のかばんを持ち、ピエールとナフタリはグラノックとキャパピルの箱とミニチュアボックスをかかえた。みんなは暗い顔をしてゆっくりと玄関を出て行った。最後に出たのはドラゴミラだ。夕日に染まる大きな階段をしばらくの間ながめ、玄関の鍵《かぎ》をかけた。分厚い木の扉《とびら》をなでながら、深く息を吸いこんだ。

「さようなら……」

パヴェルが母親の肩に手をやり、黙ったまま自分のほうに引き寄せた。ドラゴミラは息子の差し出した腕《うで》に感謝するようにもたれた。二人はそうしておたがいに寄り添いながら、ふり返りたいという誘惑と闘《たたか》っていた。そして入り江に向かって歩いていくみんなに合流した。

9 騒《さわ》がしい乗客

「海の狼《おおかみ》」と名づけられたトロール漁船は波間に揺《ゆ》れていた。秋の夜の海が静かなことが救いだ。〈逃《に》げおおせた人〉たちは十室ほどの狭《せま》い船室に分かれて休んでいた。なかには出発前に気持ちが高ぶりすぎて、疲れはてて寝ている人もいた。オクサはといえば、船が出発するとすぐに操縦室にいる父親のもとに行った。

「三十メートルもある船の操縦をいつ習ったの？」

オクサは父親が器用に船を繰るのを見て驚いた。

「習ったことなんかないさ」

パヴェルは苦笑いした。

「習ったことないって、どういうこと？」

「船の操縦は習ったことがないけれど、人が操縦しているのを見たことはあるんだ」

「なるほどね……」

オクサは疑わしげだ。「それなら、すっごい安心かも」

「ぼくたちの仲間にはね、一回見たことをなんでも覚えてしまう能力を持つ人もいるんだよ」

オクサは眉《まゆ》をひそめた。

「聞いてるだけで外国語をしゃべれるようになる〈マルチリンガ〉みたいに？」

パヴェルは船の計器盤から一瞬、目を上げてオクサに向かってほほえんだ。

父親の様子にとりあえず安心したオクサは、周りの景色に目を向けた。海の上は、すっかり日が暮れている。西の方角はオクサたちの行く手をはばむように濃い闇《やみ》におおわれていた。船の強力なライトが数十メートル先まで暗い海を照らしていたが、オクサは真っ黒な墨《すみ》のなかを進んでいるような気がした。東側に目をやると、沿岸の村々の明かりが断崖の斜面にところどころ見える。そして、時々、波間に灯台が光を投げかけ、青白いしま模様を作った。

とつぜん、月が厚い雲から顔を出した。その光は灯台や船の人工的な光よりもずっと広い範囲を青白く照らしだした。すると、行く手をはばむ暗礁《あんしょう》が海の底から浮き上がってきたように見えた。オクサの胃がキュッと締めつけられた。だが、パヴェルは、暗礁をよけてトロール漁船を沖へ向けて進めた。

「うまい操縦だろ？」パヴェルは海から目を離さずに言った。

「すごい！」と、オクサは声をあげた。「これまでずっと船の操縦士をしてたみたい」

「集中力と器用さだな。うまいよ、パヴェル！」アバクムの声が背後から聞こえた。「交替しようか？」

「あとでいいですよ。もしよかったら、ヘブリディーズ海に入ってからお願いします。ぼくたちを迎えてくれる島を上から見ておきたいですからね」

「それはいい考えだ」アバクムはうなずいた。

オクサは、分厚いカーキ色のセーターを着た父親の緊張した広い背中をながめた。そして白髪まじりの金髪と節くれだった手も。すると、オクサの頭に、父親と闇のドラゴンがあやしげな空を飛んでいるイメージが浮かんできた。難攻不落《なんこうふらく》の反逆者《フェロン》の島の上空を飛んでいる光景だ。以前はパヴェルの心をむしばんでいたドラゴンに、彼もいまではすっかり慣れてしまったようだ。ドラゴンとの共存は少しずつ調和のとれたものになっているのだろう。そのために厳しい試練を受けたが、パヴェルはそれを乗り越えた。いま、彼は船の先頭にいて、仲間を未来に導いている。

オクサの思考は、操縦室にある二つのケースのゴトゴトという音で中断された。ミニチュアボックスだ。ドラゴミラとオクサのガナリこぼし二羽が蜂のように騒がしくその上を飛んでいる。

あわてふためいた声が聞こえてくる。

「警告！　警告！　暴動が起きそうです！」

ガナリこぼしが叫《さけ》ぶ。

「もう？　まだ出発したばっかりじゃない！」

オクサは笑いながらそれに答えた。

アバクムが緑の黄金虫を箱の二つの鍵穴《かぎあな》に差しこむと箱が開いた。ミニチュアサイズの生き物や植物がいろんな大きさの仕切りにぎっしりと詰《つ》まっている。大きなどよめきが箱の中から起きた。三羽のドヴィナイユがアバクムのサントレとけんかをしているのだ。

「あなた、湿気を出しすぎるのよ！」

グリーンピースほどの大きさにされた、ドラゴミラのドヴィナイユが文句を言っている。

ほかの二羽も加わってとなりの仕切りに入り、せわしなく葉っぱを動かして呼吸している立派な植物の根元で足を踏み鳴らした。

「いらいらさせられると、よけいに汗をかくんだ」と、サントレ。

「言っとくけど、わたしはもうすぐ死ぬわよ！」別のドヴィナイユがわめいた。「アバクム様の家からひどい旅に耐《た》えてきたのよ！　もう一センチだって動くのはごめんよ！」

「わたしはそんなに汗をかきますか？」

とつぜん、ドラゴミラのヤクタタズがたずねた。

「こんな強い口臭を発する植物たちと旅するなんてまっぴらだわ！」

今度はもう一羽のドヴィナイユがどなった。

「植物には口臭なんかないんだぜ、雌鶏《めんどり》さんよ！　あれは香水なんだ」

レオミドのジェトリックスが割って入った。

「みんなで旅行をするときは、ほかのひとに不快な思いをさせないようにしなくちゃ！」

「だれかピーナッツを持っていませんか？」この唐突な言葉はヤクタタズだ。「わたしはピーナッツが好きなんです。リラックスできますから」

「へえ、おまえでも緊張することがあるんだ」ジェトリックスがからかった。

「わたしは気絶すると思うわ」レオミドのゴラノフが全身を震《ふる》わせた。「この混雑……このひどい大騒ぎにはとても耐えられない……」

アバクムの肩越《かたご》しにのぞいていたオクサの目の前で、ゴラノフの葉っぱがだらりとたれた。するとそのそばにいたひとまわり小さなゴラノフが震えながら「ママ！」と叫び、同じようにへなへなと倒れた。オクサは思わずぷっと吹き出した。

「小さくしても、やっぱりみんな、変なんだ！」

「ピーナッツを持っていらっしゃいますか？」

ヤクタタズがオクサに気づいて言った。オクサの笑い声はますます大きくなった。

「湿度が九十パーセントもあって、外の気温は五℃くらいですよ」ドラゴミラのドヴィナイユがぶつぶつ言った。「もしわたしたちを死なせたいなら、まったくうまいやり方だわ！」

「この自己チュー！」サクランボくらいのスポンジになったメリルコケットが叫んだ。「苦しんでいるのはあなたオンリーだと思ってるの？　わたしを見てよ！　船の横揺れで気分が悪いわ。サラダの葉っぱみたいに青くなってるでしょ！」

「青いのがなんでいけないの？」

豊かな葉をつけたピュルサティヤがいらついた。

「メリルコケットが吐《は》くぞ！　警報！　警報！」

ジェトリックスは跳《と》びまわってわめいている。

「わたしはサラダ、好きですけど。胃にいいですよ」ヤクタタズが口をはさんだ。

「みんな、逃げろ！」と、ジェトリックス。

意識を取りもどしたばかりのゴラノフたちは、その言葉を聞いて叫び出した。

「助けて！　早く助けに来て！」


「おやおや、仲裁に乗り出さないといけないようだな」

アバクムが涙《なみだ》をふきながら言った。

そばでオクサとパヴェルも笑いすぎて涙を流している。

「みんな、どうかしてるわ」

オクサは笑いころげながら言った。

アバクムはナップザックから小さなスプレーを取り出し、よくふってからひとつひとつの仕切りにかけた。しばらくすると、箱の中は静かになった。

「わあっ！　すごい！　何、それ？」

「黄金妖精秘薬《おうごんようせいひやく》だよ。それに、アトロピンとスコポラミンを分泌するチョウセンアサガオの軸液を数滴混ぜたものだ。前回の旅のときにも生き物や植物たちが大勢、気分が悪くなって大変だったんだよ。それがトラウマになってしまったようだから、ドラゴミラとわたしで彼らの意識をそらして乗り物酔《よ》いにならないような薬を完成させたわけだ。これで少しは静かになるだろう」

「意識をそらす以上によく効いてるみたい」ミニチュアボックスの中の生き物や植物が幸せそうにまどろんでいるのを見て、オクサは言った。「武器としても使えるんじゃない？」

アバクムはちょっと考えるようにあごひげをなでた。

「眠りイヌホオズキを覚えているかい？」

「うん。グラノック学を教えてもらったとき、おじさんちのサイロにあったよね！」

「よく覚えているね」

アバクムは積み上げられた箱のひとつに黄金虫の鍵を差しこんだ。箱のひとつの面がシャッターのように開き、十個くらいの引き出しが見えた。ひとつひとつの引き出しには解読できない手書きの文字が書いてあった。アバクムはそのうちのひとつを開け、ごまつぶくらいの深紅のグラノックをいくつかつまんだ。

「オクサ、おまえのクラッシュ・グラノックを貸してごらん」

「アバクム、いいんですか？」パヴェルが心配そうに口を出した。

アバクムはうなずいた。オクサは自分のクラッシュ・グラノックを差し出した。

「これはおまえの新しいグラノックだよ」と、アバクム。

「なんていう名前？　何ができるの？」

「〈幻覚催眠弾《げんかくさいみんだん》〉だ。黄金妖精秘薬の代わりに眠りイヌホオズキを使ったために、さっき生き物たちにスプレーした液体より強力になっている。だから、幻覚を引き起こせるはずなんだ。数時間のあいだ目がさめたままで眠っているような状態になるんだよ」

「すごい！　〈睡眠弾〉のようなもの？」

「ちょっとちがうね。〈睡眠弾〉は眠らせるだろう。意識がなくなるんだ。だが、〈幻覚催眠弾〉はもっと巧妙だな。現実の認識をゆがめて敵の意図《いと》を阻止《そし》するから、もっと進んだ武器なんだ」

「わかった！　もっと強力な武器なんだ。でも、どうして幻覚を引き起こせる〝はず〟って言ったの？」

「それは予定していた実験を全部する時間がなかったからだよ。だからおまえのパパは心配そうにしているんだ」

「どういうリスクがあるの？」

「アトロピンは意識を現実から遠く離れたところに導く幻覚を起こす働きがある。そして、スコポラミンとイヌホオズキが一定時間、精神を麻痺《まひ》させる。それはテレビの画像を止めたような、スローモーションにしたような感じだ。ただし、その二つの段階の中継が不安定なんだ。それが心配なんだよ。幻覚を起こしている人をコントロールできないこともあるかもしれない。わたしは〈幻覚催眠弾〉を〈外の人〉と、おまえも知ってる匠人《たくみびと》のボドキンとナフタリに試してみたんだ。〈外の人〉たちにはとてもうまく利いたよ。現実でないことすら気づかずにすぐに夢のなかに入っていった。だが、われわれのように特殊な新陳代謝を持った人が対象になると、ちょっと厄介《やっかい》なんだ。ボドキンとナフタリは勇敢にも実験台になることを承知してくれた。効き目があらわれるのに数秒かかったが、一種の無感覚状態になって夢を見ているようだったそうだ。しかし、ミュルムであるナフタリは少し反応がちがった」

「って言うと？」

「彼が見たものはうっとりするようなものじゃなかったんだ。それで、予期しない反応を起こしたわけだ」

「危害を加えることはなかったんだよね？」

「眠っているトラと同じくらいはね。……眠っている間は危険はなかったが。そこが微妙なんだ」

「ふーん、つまり、〈外の人〉には問題はなかったんだ。でも、匠人とミュルムとグラシューズの血が混ざっている人には効果があるの？」

アバクムは自信がなさそうに顔をしかめた。

「やってみないとわからないってこと？」

危険をはらんだ闇の向こうの水平線をじっと見つめながら、アバクムは答えた。

「そうなんだ。あらゆる意味で……」

10　真夜中の考えごと

すっかり疲れ果てたオクサは船内の狭《せま》い通路を通って、ドラゴミラ、レミニサンス、ゾエといっしょに使うことになっている船室に向かった。船が少し揺《ゆ》れるので、船壁によりかかりながら歩かないといけない。とつぜん、ギュスが前方からあらわれ、立ち止まって死人のような青い顔をして壁にもたれた。オクサは心配そうに近づいていった。

「気分が悪いの？」

オクサはとまどいながらたずねた。

ギュスはオクサのほうに顔を向けたが、そのどんよりとした目にははっきりとものが見えていないように思えた。ギュスのハンサムな顔はひきつっているというより、ほとんどゆがんでいた。まるで体が強い圧力に押しつぶされているかのようだ。

「ほんとにひどい顔だよ」

「相変わらずデリカシーがあるよな……」ギュスが顔をしかめて皮肉った。「そのとおり、ぼくはひどい状態だ。脚《あし》もふらふらするし、体じゅうから力が抜けていくようだ。気力のことを言ってるんじゃないよ」

オクサは心配そうに爪《つめ》をかんだ。

「あたしに何かできることある？」

「この船を止める以外には考えつかないな」ギュスは顔をのけぞらせた。

「船酔《よ》い？　アバクムがよく効く薬を持ってるよ。聞いてみようか？」

「どうしてそんなことをしてくれるんだい？」ギュスはむっとして言い返した。

苛立《いらだ》つと同時に悲しそうにオクサはギュスを見つめた。

「理由は三つあるわ。あんたはあたしの友だちだから。それに、あんたの具合が悪いから。それからよくなる方法をあたしが知っているからよ。簡単な理由じゃない」

「そうだけど……つまり、おまえはだれにだってそうしてやるってことだよな」

一瞬、ギュスの肩《かた》をつかんで強く揺さぶりたい衝動《しょうどう》にオクサはかられた。だが、なんとか自分を抑《おさ》えた。二人の関係が少しは元どおりうまくいきそうな気がしていたのに。自分の思いちがいだったのか……。

「そう思ったっていいけどさ。でも、あたしにとってあんたはだれでもいい人じゃないもの。ここで待ってて。すぐもどるから」

「横になりたいよ。どうも具合が悪いや」

そううめいたギュスの様子は見るに忍びないほどだ。目は半開きで、息は苦しそうだし、冷や汗が流れる顔はよけいに青白く見える。ギュスは分厚いタートルネックのセーターのえり首を引っぱり上げ、両腕《うで》を寒そうに交差させた。

「あんたの部屋までついていってあげるよ」

オクサはギュスの腕《うで》をとった。

ギュスは怖《こわ》い目をして乱暴に腕をふりほどいた。

「そんなことしてくれなくていいよ！　ほかにすることがあるんだろ」

ギュスはそう言うと、壁にそってずるずるとくずおれた。

「何よ！　ほんと、うんざりしてくる。いいから、あたしにまかせて、ちょっと黙《だま》っててよ！」

オクサはギュスを立たせて体を支えた。体じゅうがけいれんしたように硬直していることがわかってびっくりした。ギュスはまたうめいたが、オクサのされるままになっているよりしかたがないようだ。ベランジェ一家の船室の前に着くと、ギュスは口ごもりながら言った。

「オクサ……」

ギュスの言葉にオクサは期待をこめて顔を上げた。

「ギュス、何？」

額にしわをよせたギュスは言葉を探しているようだ。

「いや……何でもない」

「ほんと、いらつくなあ」オクサは悔《くや》しそうにつぶやいた。

オクサは船室のドアを開け、ギュスが簡易ベッドに横になるのを手伝った。ギュスはすぐにひざを胸に寄せて丸まった。苦しげな声をあげているのを見ると、オクサは胸がいっぱいになってきた。ギュスが苦しんでいるのを見るのはつらい……。

「じっとしててよ。すぐもどってくるから！」

数分後にもどってきたオクサはギュスの顔にチョウセンアサガオ入りの黄金妖精秘薬《おうごんようせいひやく》をスプレーした。ギュスが幻覚を見ているような状態に陥《おちい》ると、心配そうな悲しい目つきで彼をじっと見つめ、自分の船室にもどった。


オクサはベッドのなかで寝返りばかりうっていた。エンジンの音や船のきしむ音、とりわけ次々と押し寄せる思いに眠りが妨げられる。これから先のことが闇《やみ》に包まれているばかりか、いま現在もかなりひどい状況だ。オクサの心には、恐怖が吸盤のようにぴったりとはりついている。まずは母親のことだ。反逆者《フェロン》との対決のまっただ中に母親が置かれている状況はよくわかっている。オーソンが、ドラゴミラ、パヴェル、アバクム、そして自分の心を乱そうとしているのは明らかだ。あいつは自分たちを挑発し、心理的なダメージをあたえる攻撃をしかけてくるにちがいない。オーソンの邪悪《じゃあく》で卑怯《ひきょう》な行為に打ち勝てないのではないかと、オクサはひどく不安になった。くじけないでいられるだろうか、自信がない。でも〈逃《に》げおおせた人〉たちの努力をむだにすることだけはしないようにしよう……。

それから、オクサは父親のことも考えた。父親は衝動的な行為に走らないよう自分を抑《おさ》えることができるだろうか？　難しい。とくに、愛する妻に危害が加わる恐《おそ》れがあるとなれば、我を忘れることも十分に考えられる。

船が目的地に近づいてくると、だんだん母親に会えるという安心感のほうが恐怖にまさってくる気がした。うまくいきますように……それにママがそれまで耐《た》えてくれますように。日がたつほど母親に残された時間は少なくなるのだ。彼女を救う方法はシンプルであると同時に複雑だった。母親を治療するための唯一の薬は、エデフィアの〈近づけない土地〉にしかない貴重な花、トシャリーヌだ。オクサは別のことを考えようとした。しかし、頭に浮かぶのは不安なことばかりだった。

心配の種といえば、ギュスもトップクラスだ。なかなかやるじゃない……チャンピオン級よ、とオクサはつぶやいた。だが、少しぎこちなかったにしても、とにかくさっきは話をすることができた。それだけでもましか、とオクサは苦々しくため息をついた。

母親とギュスに続く三番目の心配の種はテュグデュアルだ。彼がいると、どぎまぎする。その影響力があまりに強くて、自分が永久に底なしの幻のなかに落ちていくような気がしてしまう。なによりも彼に抱きしめられるのが好きだ。何もないところに落ちていくような感覚が好きなのだ。

それから、遠くて近いところにあるエデフィア。〈逃げおおせた人〉たちの運命と、二つの世界の存続がかかっているエデフィア。これも幻のひとつかもしれない。

突風に船が揺れ、オクサの思考を中断した。耳をじっとすませ、起き上がった。船のエンジンは相変わらずうるさく音を立てており、船は再び不規則に揺れはじめた。

オクサは思い切って窓のほうに目をやった。夜が明け始めている。あやしげな雲におおわれた低い空が見える。灰色の海面は断続的な突風に押し上げられ、うなる波となり、船を激しく揺らしている。オクサはベッドの上にあぐらをかき、窓に顔を押しつけた。遠くにある炭のように真っ黒な雲が滝のような雨をぶちまけている。まるで雨の柱のようで、そこに自分がいないことにほっとした。空は灰色と黒のまだら模様だったが、ところどころにはっとするほど不気味な紫色の部分が見えた。

「なんかすごいよね、そう思わない?」

いつのまにか目を覚ましていたゾエがとつぜん口を開いた。大きな淡い褐色の目でじっとオクサを見つめている。

「うん……どっちかというと怖《こわ》い。あの風の音が聞こえる?」と、オクサが答えた。

ゾエはいつものようにオクサに優しくほほえみかけ、セミロングの髪《かみ》をまとめようと手で髪をすいた。

「いろんなことにこれまで立ち向かってきたあんたが、突風が怖いって言うの? ライオンがネズミを怖がっているのと同じじゃない」

ゾエはオクサをからかった。

「ライオンなんて……。いまはネズミのような気持ち!」

「かよわいネズミが大きなゾウを地面にたたきつけることもあるわよ!」

ベッドの上で伸びをしているドラゴミラが割って入った。

「バーバ!」

オクサは自分のベッドから跳《と》びおり、祖母のベッドの横にひざまずいて優しくキスをした。

「かわいい子……わたしの子ネズミさん」ドラゴミラはオクサを抱きしめた。

「ほら、見て！　島が見える！」ゾエが叫《さけ》んだ。

オクサはどきりとし、ドラゴミラは青くなった。レミニサンスが起きてきて、異父姉妹であるドラゴミラを力づけるようにその肩に手をおいた。

「まだ着いたわけじゃないよね？」オクサはうろたえた。

「まだだと思うけれど……。さあ、優秀な船乗りたちのところに行ってみましょう！　どこへんにいるのかわかるはずだわ」と、レミニサンスが答えた。

11　張りつめた朝食

操縦室で船を操作していたのはアバクムだった。そのそばでヤクタタズが、体操をしているドラゴミラのジェトリックスをぼんやりとながめていた。パヴェルはハンモックで眠っていて、肩《かた》のくぼみにドヴィナイユが一羽おさまっていた。オクサが操縦室に入ると、パヴェルは目を開けた。目の下には紫色の隈《くま》がくっきりとできている。オクサにかすかにほほえむと、疲れ切った顔が少しだけ明るくなった。

「おはよう！」

オクサはできるだけ元気に聞こえるように言った。

「おはよう、ご婦人方！」

二人の男性が声をそろえた。

レミニサンスが近づいていくと、アバクムはかすかに緊張し、困惑した視線を向けた。

「あの島なの？」

水平線からあらわれた陸地を指差しながらレミニサンスがたずねた。

その声は震《ふる》えていた。アバクムが海のほうをじっと見つめている間、みんなは息をこらしていた。

「いいや」やっとアバクムが返事をした。「まだ半分しか来ていない。あそこに見えるのはマン島だ」

この航海が長くは続かないことはわかっているが、オクサはほっとした。ほかの人たちもほっとした表情をしているところを見ると、同じように感じているのは自分だけではないらしい。

「じゃあ、ボリュームたっぷりの朝食がいるわね」ドラゴミラが声をあげた。「あなたたち、手伝ってちょうだい！　パヴェル、おまえもよ！」

ドラゴミラはレミニサンスとアバクムを二人きりにしようとしているのだ。はっきりと口に出す人はいなかったけれども、レミニサンスを絵画から助け出したときから、オクサにはなんとなくわかっていた。重い運命を背負ったレミニサンスにアバクムは恋心を抱いていると。

アバクムがまだ若かったエデフィア時代、レオミドがレミニサンスへの恋を告白したとき、忠誠心にしばられたアバクムは自ら身を引いた。しかし、この長い年月の間その気持ちは変わっていなかった。アバクムはずっとレミニサンスを愛していたのだ。オクサにはよくわかった。オクサ自身が恋の悩みを知ったいま、アバクムの仕草でそれとすぐにわかる。アバクムのレミニサンスを見つめるまなざし、気遣い、優しさ、身震い……。アバクムはこれまでずっと自分の気持ちを語らなかった。希望を持っていたのだろうか？　いや、それはない。彼《かれ》はいつもひかえめだった。レオミドがいなくなってからも。


オクサは、テュグデュアルがもし自分と同じ思いじゃなかったら……と想像した。きっと死んでしまうだろう！　オクサはあらためてレミニサンスに寄《よ》り添《そ》うアバクムを見た。レミニサンスがアバクムの腕《うで》に優しく手をのせている。銀色の髪《かみ》にふちどられたその顔は聖母マリアのように輝いている。アバクムはもういっぽうの手で、壊れやすいものに触れるようにそっと愛する人の手に自分の手を重ねた。ドラゴミラがパヴェルとゾエとオクサを操縦室の外へうながした。

「バーバ」

オクサは二人のことをたずねようと祖母にささやいた。

「失われた時間はもどってこない。でも、いまこの瞬間を優しい時間にすることはできるわ」

ドラゴミラの答えは謎めいている。オクサはもの足りないというように祖母を見た。もっと知りたいと思ったが、ドラゴミラはどうやら質問に答える気はなさそうだ。この話は他人が立ち入る問題ではないということだろう。

「湯気の上がる紅茶も悪くないわね！」ドラゴミラが大きな声で言った。

「昨夜《ゆうべ》のきつい仕事の疲れをとるには、少なくとも二リットルは必要だな」パヴェルが顔をしかめながら言った。「歳《とし》をとったよ。隠しようもないな」

「あたしの歳とったパパはよぼよぼね」オクサがからかう。

オクサは操縦室のほうをちらっとふり返って見ようとしたが、ドラゴミラがさっと扉《とびら》を閉めてしまった。残念……。

「こっちに来いよ、この親不孝者！」パヴェルが眉《まゆ》をひそめながらオクサに言い返した。「ほら、ゾエも。この化石時代のおじさんのところにおいで。こんな状態じゃあ、二人にしっかり支えてもらわないとな」

パヴェルは二人の女の子の髪をいとおしげにくしゃくしゃっとかき回した。それから三人は食堂室へ向かうドラゴミラのあとに続いた。

食堂として使われている部屋に四人が着いたとき、ほとんどの〈逃《に》げおおせた人〉たちは大量の朝食が出されたテーブルについていた。三人のフォルダンゴが一生懸命に用意したものだ。フォルテンスキー家、クヌット家、コックレル家の人たちがいた。オクサが入っていったとたんにしんと静かになったので、オクサはとまどった。最初に目が合ったのはテュグデュアルだ。彼の目つきはおだやかそうに装ってはいるが、その実、何か激しいものをふくんでいた。オクサは思わず顔を赤らめ、どきどきした。やったね、オクサさん！　あんたが彼に夢中だってことをみんなに知らせたかったとしたら、大成功じゃない！　オクサは心のなかで自分をなじった。

「おはよう、ちっちゃなグラシューズさん！」

オレンジマーマレードをたっぷり塗ったトーストをほおばりながらテュグデュアルがあいさつした。

その向かいでは、クッカがオクサを頭のてっぺんからつま先まで観察して、ばかにしたようにくすくす笑っている。オクサは動揺《どうよう》した。驚くほど美しいこの少女の氷のような眼は、オクサがばかで平凡な女の子だと言っているみたいだ。猫がネズミをいたぶるように、オクサをあつかう男の子。そんな男の子にのぼせている女の子。どうもネズミのイメージがついてまわる。クッカは見事なブロンドの髪をもったいぶって後ろにふりはらい、女神のような目でオクサをじっとにらんだ。オクサはまるで開いたばかりの傷口に塩をぬられたような激しい痛みを感じた。おびえ切ったオクサを見てか、テュグデュアルの顔がくもった。意地の悪いいとこがオクサにあたえた動揺を見てとり、テュグデュアルはすぐに行動に出た。クッカがばかていねいにバターを塗っているパンを、指先をちょっと動かして宙に浮かせたのだ。クッカは叫《さけ》び声をあげ、テュグデュアルにナプキンを投げつけたが、テュグデュアルは難なくそれをかわし、ばかにしたような笑いを向けた。

「若いグラシューズ様、ご機嫌うるわしゅうございます！」

クッカたちのけんかを無視して、キャメロンがオクサにあいさつした。

レオミドの息子の敬意に満ちたまなざしは、ごう慢なクッカとは正反対だ。たちまちオクサの気分はよくなった。オクサはテーブルにつき、大きなティーカップの後ろに隠れるようにして座った。

「食堂にあなた様がたをお迎えする光栄は完璧《かんぺき》です」オクサたちにおじぎをしながら、ドラゴミラのフォルダンゴがあいさつした。「〈逃げおおせた人〉たちの舌と胃の満足を包むために、あなた様の召使いは努力の倍加をいたしました」

「本当にそのとおりね、フォルダンゴ」

ドラゴミラが礼を言った。

「あなたがたのお顔は非常な疲労困憊《こんぱい》とひどい神経の高ぶりをあらわしています」

なかでもパヴェルを見ながらフォルダンゴが言った。

「わたしもそのとおりだと思うわ」

ドラゴミラは疲れきった〈逃げおおせた人〉たちを見わたした。

「お母さんがみんなの元気を回復させる小瓶《こびん》をドレスのひだに隠していることはわかっているんですよ」

「息子だけあって、わたしのことをわたし以上に知っているのね」その場の雰囲気を和らげるためにわざと秘密を告白するように言いながら、ドラゴミラはパヴェルに向かってにっこりした。

「さあ、何がいいかしらね？」

「シソ秘薬もすばらしいけれど、今回は強壮秘薬ではどうですか。昨夜の疲労から回復するにはそれぐらいは必要でしょう」

パヴェルは半分本気で半分からかうように提案した。

その要望に応じて、ドラゴミラはゆったりしたグレーのドレスのポケットからごく小さな瓶を取り出した。それから、〈逃げおおせた人〉たちの後ろから一人一人のティーカップに半透明の液体を数滴ずつたらしてまわった。気持ち悪そうに顔をゆがめる人が多かった。

「すっごく元気になった気がする！」

オクサが目を輝かせた。

「あなたのおばあちゃんはまるで魔法使いだな」

ナフタリが言い足した。

そう思ったのはナフタリだけではない。さっきまで〈逃げおおせた人〉たちの顔にきざまれていた疲労がすっかり消えていた。体を強くする波動が血管をめぐったかのようだ。力がわいてきたオクサはまずは大きなブリオッシュをひと切れつかみ、正面に座った父親を見た。強壮秘薬のエキスのおかげで隈は消えていたが、不安そうな目つきは変わっていなかった。

オクサはおずおずとテュグデュアルのほうに顔を向けた。あからさまに周りとは一線を画し、ボリュームをいっぱいに上げたＭＰ３のイヤホンを耳につっこんでいる。その近寄りがたい無表情を見ると、オクサの心は痛んだ。それが仮面にすぎないことをオクサは知っている。思わずかけよって胸に顔をうずめたい衝動にかられ、そんな自分の思いにオクサはショックを受けた。自分をばかな子どもとしか考えていないクッカの軽蔑した目つきを思い出した。もしかしたら、彼女のほうが正しいのかもしれない……。そう思うと、自分のプライドがずたずたになった。生まれて初めて自分がどんな人間なのかわからなくなってきた。そんなことを考えている場合でないことはわかっていたが、いろんな問いが押し寄せてくる。自分は特別に美人でないにしても、はつらつとしているし、どちらかというと頭もいいと思っている。でも、どの程度だろう？　クッカを見ていると、そんな自分の長所がつまらないものに思えてくる。

いったいどうしたんだろう？　自分のことを好きになれないという不安が、獲物《えもの》に跳《と》びかかる野獣のごとく急にわいてきた。どうしようもなく汗が噴き出してきた。そして、やっぱり自分の内に閉じこもったままのテュグデュアルにがっかりした。数日前から頭をもたげていた疑念がふくらんでくる。急に気分が悪くなってきて、顔をこすった。もうくじけそうだと思ったとき、急にテュグデュアルが顔を上げた。彼はひそかに眉をひそめた。冷たくするどいまなざしに心配そうな影がちらりとよぎった。けれど、すぐに黒いマフラーを結びなおし、よそよそしげな態度にもどってしまった。その光景をあざ笑うように見ていたクッカの前で、オクサは自分の心と一人で葛藤《かっとう》しなければならなかった。

ベランジェ家の人たちがいないことを口にしたのはゾエだった。ギュスの名前を聞くと、オクサは青ざめながらびくっとした。なんてひどい友だちだろう。ずっと友だちだったギュスのことをすっかり忘れていたことを悔《く》やんで、オクサは血が出るほどくちびるを噛《か》んだ。様子を見に行こうと立ち上がったとき、ちょうどベランジェ家の人たちがボドキンとフェン・リーといっしょに食堂に入ってきた。ギュスのひどい顔色を見ると、オクサはよけいに自分に腹が立った。顔色は青白く、凶暴《きょうぼう》な目つきをしたギュスは幽霊のようだ。テュグデュアルですら、その様子に驚いているようだ。

「まあ、いったいどうしたの？」

ドラゴミラは席を立ってギュスのそばに行った。

「船酔いなんです」と、ピエールが答えた。「オクサがチョウセンアサガオをベースにしたアバクムの薬をくれたんですが……」

「船酔いは治ったんだよ、パパ」ギュスが顔を上げた。

ギュスはオクサのほうを向いた。ふだんは濃いブルーの目がいまは、筆で絵の具を混ぜ返したような色になっている。まるでにごった沼の底のような色。

「薬はよく効いたよ。ありがとう、オクサ！」ギュスはしわがれた声で言った。「ただ、このひどい痛みだけが……」

倒れそうになったところを、母親の腕をつかんでなんとか踏みとどまった。驚きの声をあげる者もいれば、助けようと駆け寄る者もいた。オクサがいちばんに駆け寄った。

「どうしちゃったのかな？」オクサは途方《とほう》に暮れたようにドラゴミラを見た。

ドラゴミラがナフタリとブルンのほうを見やると、二人は彼女を安心させるどころか、不吉な診断を下すようにうなずいた。

「少し何か食べなさいな」と、ドラゴミラがすすめた。

「食べられません」しゃがみながらギュスがうめいた。

「船室に連れて行きますよ」

そう重苦しく言うと、ピエールは息子を支えながら食堂を出ていき、ドラゴミラ、ブルン、ジャンヌ、ナフタリがついていった。少し離れてオクサとゾエも続いた。大人たちはオクサとゾエを遠ざけるような仕草をしてギュスの船室に入っていった。少しして、アバクムとレミニサンスもやってきて、オクサとゾエの前でドアを閉めた。

「みんな、何か隠そうとしているんじゃない？」オクサがつぶやいた。

「うん……」とゾエ。「何か、重大なことなんだと思うな」

オクサは体じゅうが凍りつくような気がした。ゾエが自分の手をにぎるのを感じたが、その手は氷のように冷たい。二人の心を少しずつむしばむ恐怖のように冷たかった。

12　危険な問い

ヘブリディーズ海に向けて北上する船の雰囲気は奇妙なものだった。〈逃《に》げおおせた人〉たちはやる気持ちと不安を抑《おさ》えようと努めていた。

船の中をくまなく歩いたオクサとゾエは、トランプで遊んでいるキャメロン・フォルテンスキーの三人の息子や、熱心に本を読んでいる牧師のアンドリュー、外国語でナフタリと議論しているコックレル、そして一人すねているクッカを見つけた。ギュスの病状については何もわからなかったが、せめてヒントだけでも得ようとした。オクサとゾエはギュスの船室に入った大人たちに探りを入れたがだめだった。口外しない取り決めをかわしているようだ。返ってくる答えはいつも同じ。「心配しないでだいじょうぶ。うまくいくから」

「まったく子どもあつかいじゃない！」オクサはカンカンだ。「だれも教えてくれないなら、自分たちでなんとかするしかないよね」

二人は通路をつたってベランジェ家の船室の前に来た。オクサはひざまずいて、人差し指で鍵《かぎ》を開けようとしている。

「ねえ、ゾエ。鍵をかけるなんて変じゃない？」

ゾエは黙《だま》ってうなずいた。オクサは立ち上がって、得意そうにドアを押した。船室ではピエールが壁のほうを向いて眠っている。通路から入ったごく弱い光に気づいたのか、しばらくの間、呼吸のリズムが乱れたが、すぐにもとにもどった。二人はドアをそっと閉め、薄明《うすあ》かりのなかでギュスを探した。ギュスは両ひざを胸によせて下段のベッドに寝ていた。まくらの上には体を丸めた子どものフォルダンゴがすやすやといびきをかいて寝ている。

「この子、あんたから離れないのね」

オクサはギュスの近くに座った。ゾエも横にすべりこんだ。

「父親とまちがえてるんじゃないかな」ギュスは産毛《うぶげ》の生えたフォルダンゴの頭をなでながらつぶやいた。「おまえたち、なんでここにいるんだ?」

「様子を見に来たの。具合はどう?」と、オクサがたずねた。

ギュスはオクサの顔を見ようと、頭を起こした。ひどい顔色だ。

「〝犬みたいにひどい状態〟さ」ギュスは顔をしかめた。「この言い回しってサイテーだよな。いまのぼくみたいにひどい状態の犬なんて見たことないよ」

「結局、なんなの?」

「ぜんぜんわからない」

ひざをギュッと腕《うで》でかかえながらギュスが返事をした。

「あんたのパパやママは何も言わなかったの? バーバは? バーバたち、ぜったい何か知ってると思うけどな」

オクサはゾエが「だめ」という合図を送っているのに気づいた。もう遅い。ギュスの不安をあおってしまった。

「もしぼくに何も言わないんなら、きっと重い病気なんだよ。治らない病気かもしれないな」

このギュスの言葉はオクサの心をえぐった。

ゾエがなぐさめるようにギュスの肩《かた》に手をやると、オクサはくちびるをかんだ。なんて自分はデリカシーがないんだろう……。

「ばかなこと言うんじゃないの。きっと治るって！」オクサはそう言いながら、ピエールやバーバとまったく同じこと――ただしオクサの気持ちは言葉とはうらはらだったが――を言っている自分に気づいた。「すごい効き目のある吐《は》き気止めの薬をあげようか？」

オクサはポケットから小さなスプレーを取り出した。

ギュスは迷っていたが、うなずいた。

「最後の手段は魔法だろうからな。いいよ。ちょっと待って、体を伸ばすから」

ギュスは丸めていた体を伸ばし、両手をおなかの上で交差させた。その様子にオクサは、学校の社会科見学で感動したウェストミンスター寺院の石の像をふと思い浮かべた。オクサは自分の連想にうろたえ、急に立ち上がったので上段のベッドに頭を打ちそうになった。倒れそうになったところをゾエが支えてくれた。

「これで気分がよくなるよ」オクサはギュスの顔にたっぷりとスプレーをかけた。「しっかりしてよ。また様子を見に来るから」

ギュスはすでに意識がなかった。船室を出るとき、オクサはちらりとふり返った。薄暗くはあったが、ゾエがギュスの耳元で何かささやくのを見たような気がした。あるいは、くちびるの端にキスをしていたのだろうか？　眉《まゆ》をひそめ、怒った目をして、オクサはゾエに「早く」と合図を送った。ゾエが深刻な表情で近づいてくると、自分が彼女《かのじょ》に対してとった態度をたちまち後悔した。

ふさいだ気分の二人は船のデッキまで歩いた。海は相変わらず荒れていて、空もどんよりしている。強い風が不安げな顔に吹きつけたが、二人は顔をかばおうともしなかった。オクサはゾエに怒ったような態度をとった自分が許せなかった。こうして二人でいることがつらかった。けれど、ゾエはそれを恨《うら》みに思っている様子はなかった。ゾエがオクサの腕をそっと取ると、オクサは泣き出しそうになった。

そうして二人はしばらくデッキを歩き、激しい波しぶきと心の痛みにいたぶられるままになっていた。船尾まで来てみると、手すりにひじをついているテュグデュアルがいた。

「船室にもどるから」と、ゾエが言った。

「ちょっと、気を使わないで！　そこにあいつがいるからって、いきなり飛びついたりしないって！」オクサは赤くなった。

「そうしたくてたまらないんでしょ？」

オクサはバツが悪かった。そんなに丸わかりなんだろうか？　ゾエはがっかりしてないだろうか？　オクサは勇気を出してゾエのほうを見た。ゾエはいつもの優しい目をしてオクサを悲しそうに見つめた。でも、ほほえんではいない。どうしよう？　ゾエと引き返そうか？　ほんとうはテュグデュアルのところに行きたくてたまらないのに？

「行きなよ……。どっちにしても、いまはギュスには何もしてあげられないんだし」

この言葉にオクサの緊張の糸が切れ、壁づたいにくずおれて泣き出した。ゾエはあわててそばにしゃがんだ。

「オクサ！　傷つけるつもりはなかったのよ！」

「あんたのせいじゃない。あたしよ。どうしたらいいのかわからない……ギュスのことで悲しいの。ギュスが苦しんでいるのを見るのは切ないし、前みたいじゃなくなったのがつらい。あたし、テュグデュアルと同じくらいギュスも必要だし、テュグデュアルのことを疑ってるくせに好きだったり。あたし、ばかなことばかりしてる！」

「ばかなことなんてしてない。できることをしてるだけよ。ギュスだって、あんたが友情を取りもどすために努力してることをわかってる」

「そう思う？」オクサは泣きながらたずねた。

「ギュスはあんたのことをよくわかってるって」

「ギュスがあたしにとってすごく大事だってことを彼もわかってると思う？」

「わかってないはずはないわ」

「ねえ、ゾエ。どうしてあんたってそうなの？」

「そうって？」

「どうしてこんなこと全部に耐《た》えられるの？」

ゾエは半分あきらめたような、しかし厳しい目つきでオクサをじっと見た。

「耐えられてなんかいないよ、オクサ」

オクサは驚いてしゃっくりした。

「ごめんなさい……」オクサは恥ずかしくなって口ごもった。

「あやまらないで。だいじょうぶよ。苦しみとわたしは昔から友だちみたいなものだから。離れ離れではいられないんだ」

謎めいたほほえみがゾエの顔を輝かせた。そして、オクサを強く抱きしめた。ゾエは手に入ることのないなぐさめを探しているのだろうとオクサは思った。オクサもありったけの愛情をこめてゾエを抱き返した。ゾエは永遠の重荷を背負っているような悲しみに満ちた深いため息をもらした。

「彼のところに行ってきなさいよ」そっと体を離しながら言った。「でも、忘れちゃだめよ、オクサ。ギュスにはあんたが必要なのよ」

オクサの想像とはちがって、テュグデュアルは船に打ちつける灰色の波をぼうっとながめていたわけではなかった。世界じゅうの新聞記事のリストを携帯電話からインターネットで見ていたのだ。

「やあ、ちっちゃなグラシューズさんだろ?」

テュグデュアルの目は画面に向けられたままだ。

「そうみたいね」

テュグデュアルは深刻そうな面持ちでオクサをちらりと見た。

「どんなニュースがあるの?」

「ほんとに知りたいのか?」

テュグデュアルは電源を切って携帯電話をパチッと閉じ、ポケットに入れた。それから、オクサをじっと見つめた。

「疲れてるようだな、ちっちゃなグラシューズさん」

「質問に答えてくれてないよ」

「おまえもだよ！」

「うん、ほんとに知りたい！」

「要約すると、ロンドンや世界じゅうの主な都市は二メートルも冠水《かんすい》している。プレートはすべりまくって、あらゆる断層を揺らし、マグニチュードは観測史上最大……そのほかには、地すべり、洪水、火山の目覚め、森林火災があちこちで起きている」

「ひどい状況！」

「あっ、そうだ、忘れてた！　地震のせいで巨大な氷山が分離した。三百平方キロメートルの氷山が北大西洋を流れてる」

「大変……」オクサははっと口を押さえた。

「世界の終わりだよ、おれのちっちゃなグラシューズさん」

テュグデュアルはわざと平然と言った。

オクサはテュグデュアルの肩を軽くこづきながら、初めて〝おれの〟ちっちゃなグラシューズさん、と呼ばれたことに気づいた。

「痛いなあ」

オクサは神経質に笑った。

「もっと痛くしようと思えばできるのよ」

「わかってるよ」

テュグデュアルはふざけながらも挑《いど》むようなまなざしでオクサを見つめたので、オクサはぼうっとした。

「おれだって、おまえを痛めつけることはできるんだ……」

そうテュグデュアルがつぶやいたとき、カラスのように黒い前髪が額にはらりと落ちた。

オクサは疑心暗鬼《ぎしんあんき》にとらわれ、しばらく口を閉ざした。

「できるけど、しないでしょ⁉」

オクサはわざと強く言い返し、テュグデュアルの目をじっと見つめた。一瞬、彼の体がぐらりと揺れ、もろさがかいま見えたような気がした。オクサはそのことにとまどいながらも安心した。これまでに何度か、テュグデュアルは弱みを見せたことがある。オクサにとってそれは喜びだったが、彼にとっては耐えがたいことなのかもしれない。そしてほかの人にとっては危険なことなのかも？　ビッグトウ広場の家にオーソンが侵入したとき、オーソンはテュグデュアルだけに話をしていた。まるで、テュグデュアルのなかに破壊者としての可能性を見出したかのように……。

オクサはその考えをふりはらうように頭をふった。フォルダンゴは彼の心の純粋さと忠誠を請け合ったじゃないか。フォルダンゴがまちがうことはない。絶対にない。ある歌の歌詞が頭に浮かんできた。オクサはほとんど聞き取れないくらいの声で口ずさんだ。

あなたの心のなかの暴力をなだめたい
あなたの美しさが単なる仮面ではないことを認めたい
あなたの過去についてくる悪魔を追いはらいたい

Undisclosed Desires／Muse

テュグデュアルは驚いたようにオクサを見つめ、そして目をそらせた。二人は荒れ狂う海をしばらく見つめていた。その絶え間なく動く波の力に圧倒されていた。

「何考えてるの？」

やっと海から目をそらしたオクサがたずねた。

「おれがおまえを見つめるとき？」

「あたしの質問に質問で答えるのはやめてよ！」

ほほえみそうになるのをこらえて、オクサはため息をついた。

「わかったよ……いま時間ある？」

「質問しないで答えて！」

「おまえが言い出したんだからな……。おれが考えることはだいたい、おれの目が見たことと、そこから導かれるイメージなんだ。たとえば、おれがおまえの父親やアバクムを見ると、白くて、まっさらで、見えない力を秘めた氷山のことを考える。レミニサンスとゾエを見ると、毒を塗られた短剣を思う。残酷《ざんこく》な毒を一滴ずつ心に注ぐ短剣だ。ドラゴミラとうちの祖父母を見ると、予告なしにおそいかかる運命の稲妻《いなずま》を思う。海を見ると、石油のプラットフォームの上に立った親父を思い、その黒い海におぼれたいと思う……」

とつぜん、テュグデュアルの声がかすれた。ひどく青白い顔になり、手すりをぎゅっとにぎりしめた。

「おれのいとこを見ると、おれが犯すかもしれない血だらけの殺人を思う。弟を見ると、いつか必ず失われるだろう純真さを思う。おまえを見ると、力と、おまえが体現する希望を思う。おれはそれにうっとりする」

そこまで言うと、テュグデュアルはまた無表情にもどり、貝のように口を閉ざした。オクサには、彼が言いすぎだと感じたし、同時にそれだけでは物足りない気もした。

「あんたに興味があるのはそれだけ？　あたしの力だけなの？」

のどを詰《つ》まらせながらオクサはたずねていた。

テュグデュアルの目がうろたえた。

「そうじゃないことはわかってるだろ？　……おまえに関係あることは全部興味がある。あの秋の日におまえがドラゴミラの部屋にあらわれたときからな。Ｔシャツにパジャマのズボンをはいて、はだしだったよな。それに、腹に印があるのを発見してあわててたよな。おまえが全部知りたいなら」と、テュグデュアルは声のトーンを上げた。「そのとおり。おまえの無限の力に、おれは魅了されてる。おまえの望むことはわかってるんだ。おまえがグラシューズだっていうことを忘れてほしいんだろう。だが、おまえみたいな小さな人間に、これまでになかったほどおれが魅了されていることはわかってないだろ？　おまえはグラシューズなのに、まるでそんなことを知らないかのようにおれにふるまえって言うんだろ！　どうやってそれをおれに忘れろって言うんだ？」

オクサはその言葉にショックを受け、くちびるをかみしめた。

「どうして聞きたくてたまらないことを聞かないんだ？」

テュグデュアルは歯ぎしりしながら言葉を続けた。

テュグデュアルの緊張した声、ぶっきらぼうな言葉、ひきつったあご、そうしたものがすべてオクサを動揺《どうよう》させた。まるで拷問《ごうもん》を受けているかのようだった。口を開くこともできず、打ちのめされたようにテュグデュアルを見つめ、目を伏《ふ》せた。すると、テュグデュアルは人差し指の先でオクサの顔を上げさせ、じっと見つめた。

「おまえがグラシューズでなくても、おれがおまえを好きだと思っているんだろ？」

テュグデュアルは一語一語をオクサにたたきつけるように言った。

オクサはぞくっとした。自分に自信がもてず、その問いへの答えに直面する勇気はまだなかった。オクサは思わず一歩後ずさった。しかし、テュグデュアルはやめなかった。

「ほら、どう思ってるんだ？」テュグデュアルは自分の残酷さに自らも傷ついているようにみえる。「もしおまえがふつうの女の子だったら、こんなふうに、これまでだれにもしたこともないようにおれが自分をさらけ出すと思うのか？」

テュグデュアルのまなざしは氷のように冷たかったが、同時に熱にうかされていた。全身から恐《おそ》ろしくて魅惑的な何かを発している。オクサはくらくらした。彼女の感情に呼応して、雷《かみなり》が鳴り始め、急に空が暗くなった。

「この問いはおまえにつきまとっているのに、答えを知るのは怖《こわ》いんだな」テュグデュアルはオクサの耳元でささやいた。「じゃあ、そうしたくてたまらないけど、これ以上おまえをじらすのはよすよ」

テュグデュアルは口をつぐみ、オクサのくちびるに自分のくちびるを重ねた。

13　空中デモンストレーション

「緯度五十六度を越えました！」昼すぎにガナリこぼしが大声で告げた。「まもなく、マル島沖、そしてトレシュニッシュ諸島の沖を通ります。あとはアードナマーカン半島を通りすぎて、五十七度線上にあるラム島まで行けば、反逆者《フェロン》たちの島はもうすぐそこです」

この知らせは、果てしなく続くつらい旅にうんざりしていた〈逃《に》げおおせた人〉を元気づけた。旅はもうすぐ終わるのだ。「海の狼《おおかみ》」が北に向かって進むにつれ、苛立《いらだ》ちがみんなの顔や仕草にあらわれてきていた。操縦に集中しているパヴェルとアバクムは例外だが。アバクムの肩《かた》に乗ったガナリこぼしは、航海図や計器よりもずっと正確な——しかもおしゃべりな——指標になってくれていた。

「あとどれくらい時間がかかるかな？」

パヴェルは不安そうに額にしわを寄せてたずねた。

「五時間です」役に立てることがうれしくてたまらないというふうに、ガナリこぼしがすぐさま答えた。「日が暮れる前に着きます」

「それはいい」

天候がおだやかなのをいいことに、デッキに出て足をのばしたり、外の空気を吸ったり、船の周りの灰色の海すれすれに浮遊《ふゆう》したりする人もいた。レミニサンスが優雅《ゆうが》な動きでとつぜん空高く飛んでいったときにはだれもが驚いた。見事な旋回《せんかい》とともに長い髪《かみ》が後ろになびく様は見るものをうっとりさせた。しばらくして、ブルンとドラゴミラも加わった。三人は空を飛ぶことを心から楽しんでいるようだ。

「ステキ！」オクサが叫《さけ》んだ。

「すばらしい！」そばでキャメロンが声をあげた。「本当にすばらしい！　長い間、こういう能力を隠《かく》さないといけなかったなんて、もったいないことだ……」

つられてデッキから飛び上がったオクサを見て、キャメロンはまた感嘆の声をあげた。オクサはロケットのように猛スピードで雲の上にいるブルンに合流した。それから、大声を張り上げながら急降下し、海面すれすれのところに止まって姿勢を整えた。以前レオミドに教わった技だ。

「オクサ！」操縦室からパヴェルが叫んだ。

アバクムは落ち着かせようとパヴェルの腕《うで》に手をおいた。

「心配しなくていいさ。あぶないことはないから」

パヴェルは深く息を吸った。

「危険はどこにでもありますよ。たとえば、ほかの船とかレーダーがあの軽率な四人組を察知したらどうなります？　すぐに軍隊に連行されるでしょう。まったく、そんなことをやってる場合じゃないんだ」

アバクムの顔がくもった。パヴェルの言葉を聞いて、ガナリこぼしが、波と雲の間で宙返りをしている女たちのところに飛んでいった。耳元に忠告されたドラゴミラはすぐにほかの三人に声をかけた。数秒後には四人はデッキにもどり、拍手で迎えられた。

オクサが操縦室のほうを見ると、その光景を見下ろす心配そうな父親の視線とぶつかった。父親の心配ごとを増やしてしまったことに気づいて、オクサは青ざめた。パヴェルがぎこちない合図を送ってきたので、オクサは父親の気持ちを和らげようと明るい笑顔を向けた。

「すばらしい！　きみはとてもうまいね！」

キャメロンがオクサに近づいてきてほめたたえた。

「でも、ほかの〈逃《に》げおおせた人〉と同じですよ」

「じょうだんだろ？　こんなことを言ってはなんだが、ほかの三人はきみより何十年も〈浮遊術〉の経験があるだろ。いつから飛んでるんだい？」

「あのう……一年前から」

「そうだと思ったよ。きみはとてもうまい！」

「ちょっと聞いてもいいですか？」

「なんでもどうぞ」

「あなたも飛ぶんですか？」

「わたしは覚えたのが遅かったからね。それに、訓練する機会がほとんどなかった。父はガリナとわたしに教えるのに乗り気でなかったんだ。思春期になる前、父はわたしたちにエデフィアの秘密を教えてくれた。フォルテンスキー家では包み隠さず教えておくほうが安全だと決めていたみたいだね。受け入れるのは大変だったけれど、父のそういう方針はよかったと思う。クヌット家のように秘密にすると災いしか招かない」

「テュグデュアルのことを言ってるんですか？」

「そうだ。彼がはらった代償は大きかった。出自《しゅつじ》を隠そうとしたクヌット家の方針は家族全員、とりわけテュグデュアルに大きなダメージをあたえた。これほどの秘密が急にわかるなんて、青天のへきれきだ！　しかも危険だ。それを受け止めるにはすごく強くないといけないだろうし、テュグデュアルは受け入れる用意ができてなかったんだと思う」

「でも、そういうことを受け入れる用意なんてできるのかな？　あたしなら、どういう状況であれ、あんな秘密を知ったらものすごいショックだと思うけど……」

キャメロンは自信がなさそうにあごに手をやった。

「そうかもしれない……。〈外の人〉に正体がバレるんじゃないかと、わたしも何ヵ月もの間怖《こわ》くてしかたがなかったよ。父には異常なほど用心させられたしな。ひどかったよ」

「それって、だれかに似てるなあ」

オクサは遠くからこちらを見ているパヴェルのほうに視線をやった。

「でも、知っているほうが危険は少ないと思うね。不安はあったけど、最低限の注意をはらっていれば、わたしたちがふつうの人とちがうことを見抜かれることはまずなかった」

「まるで過去のことみたいに話すんですね」

「そう、過去のことだ」キャメロンは船が立てる海の泡をぼんやりとながめながら言った。「これから何が起ころうと、わたしたちの〈外界〉での生活は過去のものなんだから」

オクサは固まった。キャメロンの言うことは正しい。この十四年間の人生のさまざまな場面が走馬灯のように心に浮かんできて、心は悲しみにしずんだ。そのままつきることのない思い出のなかにオクサははまっていった。


「だいじょうぶ、オクサ?」

オクサが目を開けると、十人ほどの目が自分に向けられていた。操縦室のハンモックに寝かされている。オクサは自分が意識を失っていたことに気づいた。

「何が起きたの?」

オクサは起き上がろうとした。

「キャメロンと話をしているとちゅうで、気分が悪くなったんだよ」

疲れきった顔のパヴェルが答えた。

オクサは眉《まゆ》をひそめた。自分の人生が数秒間に凝縮された映像を見るなんて……そういうのは死ぬときに見るものじゃないだろうか？　オクサはおびえた。過去の自分はもう存在しない。でも、そのすぎ去った過去は自分の存在の一部でもあるはずだ。過去の自分を捨てるなんてできない。まるで生きたまま、死んだようなものじゃないか。この矛盾《むじゅん》にオクサはぼうぜんとした。

「あれって、あたしのせい？」

オクサは外に目を向けた。

空はいつのまにか暗くなり、オニキスのように光る稲妻《いなずま》のせいでしま模様になっている。激しい雨が海と船にたたきつけている。

「その可能性はあるな」

カウンターにもたれたテュグデュアルが言った。

「自分をコントロールできるようにならないと……」

いらいらしながらオクサがつぶやいた。

「そのうちできるようになるわよ。心配いらないわ。物事には順序があるから」

ドラゴミラがなぐさめた。

「ねえ、オクサ。おまえのおばあちゃんが自分の感情をコントロールできるようになるまではね、故郷のシベリアの村では雷《かみなり》がしょっちゅう鳴って、異常気象が続いたんだよ」

アバクムが口をはさんだ。

「そうよ！」ドラゴミラがうなずいた。「わたしの愛しい子、このキャパピルを飲みなさいな。気分がよくなるわよ」

オクサは祖母がわたしてくれた銀色の錠剤を受け取ると、素直に飲みこんだ。すると、元気がわいてきて、新たなエネルギーが体じゅうにみなぎるのを感じた。

「これの作り方も教えてもらわないとね」

「ええ、いいわ！」

オクサの精神状態に呼応して、しばらくすると空がおだやかになった。雲が晴れていき、真っ赤に燃えながら海にしずんでいく太陽が見えた。

「コホン、コホン……」

ドラゴミラのフォルダンゴがやってきて、みんなの注意を引こうと、だんだんと強い咳《せき》をしだした。ドラゴミラはやっと気づいた。

「どうしたの、フォルダンゴや？」

「古いグラシューズ様とお仲間の方々は、若いグラシューズ様が名づけられた〝反逆者の島《フェロン》〟が最もするどい目には見えるようになったという情報を受け取られなければなりません」

その場にいた〈逃げおおせた人〉はみんな、さっと水平線のほうに目を向け、その島影をとらえようと目を細めた。燃えるような夕焼け空に浮かぶ、ごく小さなこぶのようなものが遠くに見えた。

14

反逆者《フェロン》の島

ナフタリとピエールに付き添われたパヴェルと闇《やみ》のドラゴンは、その力強い羽ばたきで少しずつ反逆者《フェロン》の島に近づいていった。上空から三十メートル下では黒っぽい断崖《だんがい》に波が激しく打ちつけている。雲間からあらわれる満月の青白い光が海に差しこみ、島はまるで巨大な塊のように見える。島の手前にはするどい牙《きば》のように突き出した暗礁《あんしょう》があった。そうした障害物がなく、アクセスできそうな入り江はひとつだけだった。「海の狼《おおかみ》」と同じくらいの大きさの船が一そう、そこに停泊している。闇のドラゴンはさらに力強く羽ばたいた。パヴェルは島の上をひとまわりしたかった。

「やめたほうがいい！」

ナフタリが近づいてきて忠告した。

「二人ともここにいてください」と、パヴェルが言い返した。「ちょっと見てくるだけですから。どっちにしても、ぼくたちが来ていることはわかっているでしょう」

ナフタリとピエールはしぶしぶ従った。二人は大きな岩の上に降りて待つことにした。

島をぐるりと取り囲む断崖から浮き上がったパヴェルが最初に目にしたものは、荒野《こうや》の真ん中に立っている屋敷《やしき》だった。木もなく、茂みすらない。地面すれすれに生えている草があるだけ。壮大な建物が、激しく吹《ふ》きつける風にさからって堂々と建っている。ガナリこぼしが描写したとおりの家だ。地上二階建てで、左右にかなり長い。島を二分する壁のようだ。そこから五十メートルほど離れた断崖の上には、荒れる海を見下ろすように小さな礼拝堂が建っている。

闇のドラゴンは屋敷に近づいた。煙突から煙が上り、いくつかの窓には弱い明かりが灯《とも》っている。パヴェルの心臓は激しく鼓動し、苦い胆汁が体じゅうをめぐっているような気がした。マリーがそこにいるのだ。この窓の向こうのどこかに。ドラゴンののどからは、パヴェルの苦悩をあらわすようにかすかなうなり声がもれた。

ドラゴンはわざとバサバサと翼の音をさせながら屋敷の周りを何周かし、玄関から数メートルのところを滑空した。いちだんと高くそびえている小塔のてっぺんの小窓にはっきりと人影が見えた。オーソンだ。身じろぎもせず、じっとパヴェルのほうをにらんでいる。パヴェルの胸が焼けるように熱くなり、我慢できなくなった。長い炎がドラゴンの口から吐《は》き出され、その小窓のふちをなめた。それからくるりと向きを変え、数回羽ばたいただけで海にもどった。

ライトを消した船は息詰《いきづ》まるような静けさのなか接岸した。不思議なことに風は止み、波も静まってぴちゃぴちゃと音を立てている。

「嵐《あらし》の前の静けさだな……」

晴れた空に目を向けながらテュグデュアルがつぶやいた。

「そうかもね」

月明かりに輝く海岸に降りながら、オクサがうなずいた。

〈逃《に》げおおせた人〉たちは順番に入り江に降りた。みんなはやっと目的地に着いたことにホッとすると同時に、おたがい手の内を知る者同士で戦う不安を感じていた。反逆者《フェロン》たちも〈内の人〉であり、同じ〈逃げおおせた人〉なのだ。唯一の大きなちがいは、彼らが裏切りの道を選んだことだ。

「だいじょうぶ、オクサ？」

ゾエが近づいてきてささやいた。

「うん……どう言ったらいいのかな……でも、とにかく着いてよかったよ。あと一時間でも長く船に乗っていたらキレそうだったもん」

「行動はつねに待機に勝る」

コックレルが仰々《ぎょうぎょう》しく言った。

「そうだといいけれど……」

ゾエは心細そうに周りを見回した。

入り江を取り囲むようにそそり立つ断崖がいやでも不安をかきたてた。みんなは頭をのけぞらせて切り立った崖を見上げた。

「だれか、ギュスを見た？」とつぜん、オクサが声をあげた。

「ここにいるよ」かぼそい声がした。

ギュスは背中を丸め、ひざにひじをついて砂の上にしゃがみこんでいた。ドラゴミラとジャンヌがその両側にしゃがみ、ボドキンが発光ダコを掲げて、そこだけを照らしている。子どものフォルダンゴが大きな目でギュスを見つめ、ギュスのセーターをつかんだまま何か片言でしゃべっている。ドラゴミラはギュスに小瓶《こびん》をわたし、ひと息に飲むようにすすめた。オクサは一瞬迷ったが、どきどきしながらギュスのほうに歩いていった。ギュスの顔色はひどかった。目は赤く、ほおはこけている。息をするのも苦しそうだ。ボドキンは発光ダコをわたしながら、オクサのために道をあけた。

「ありがとう」

ボドキンはおじぎをしてギュスを見つめた。

「気分はどう？」

オクサは思い切ってギュスを見つめた。

「死にそうだよ……」

オクサは思わずほほえんだ。まったくギュスらしい答えだ。

「ぼくを殺すために来たんなら、早くやってくれ、たのむから！　心の準備はできてるよ」ギュスは胸をそらせた。

「ばかなことは言わないのよ！」ドラゴミラがたしなめた。「この薬で頭痛はすぐに治るわ」

「頭痛がするの？」オクサは驚いてたずねた。

「ただの頭痛なのか死にぎわの耳鳴りなのかはわからないけどさ」ギュスはうつろな目をして答えた。「ゆっくりと死がやってきてるんだとしたら、なんて残酷《ざんこく》なんだろう」

オクサはヒステリックな笑い声をあげた。ギュスがいつもの調子になってくれることはうれしいが、苦しそうな様子を見ているのはつらい。思わずふり返ってテュグデュアルを目で探した。彼は岩壁にもたれかかり、のん気そうに自分のクラッシュ・グラノックを見つめていた。「あたしは二人とも好きなんだ」と、オクサは心のなかで思い、反逆者《フェロン》の島に着いたいまになってそんな結論にたどりついたことにうろたえた。

「この子は船に残しておいたほうがいいかもしれないわね」

ジャンヌの緊張した声がひびき、オクサの思考は中断された。

「いやだよ！　船の中なんて……それより砂浜で死んだ方がいいよ」

ギュスはそううめくと、頭をかかえた。

「ぼくが足手まといなのはわかってるよ。あのきたならしい骸骨《がいこつ》コウモリに噛《か》まれるし、それから絵画内幽閉《ゆうへい》されるし、しまいには、みじめなフツーの人間がたいしたことない痛みで騒《さわ》いでみんなの動きを遅らせてる」

子どものフォルダンゴは、ギュスのこの言葉を聞くと、ぴったりとくっついて腕《うで》に小さな頭をこすりつけた。オクサはうんざりしたようにギュスを見た。

「あんたのカリメロ節（カリメロはイタリアのマンガ、アニメのキャラクターで、自分の不幸を嘆いてばかりいる黒いヒヨコ）を聞くのは久しぶりだわ」

そのとき、息子のそばにいたピエールが数メートル離れたところにいたアバクムとレミニサンスのところに行き、三人でひそひそと話し始めた。オクサはその話の内容を探ろうと〈ささやきセンサー〉の能力を使って聞き耳を立てた。

「もうそうするしかないのよ」と言ったのは、レミニサンスの声だ。「時間をむだにしてはいけないわ。もし、彼らが解毒剤を持っていたら、進行が遅くなるでしょう。ギュスにはチャンスがあるわ」

オクサは叫《さけ》びそうになった。ギュスに何のチャンスがあるというのだろう？　生き延びるチャンス？　動悸《どうき》が激しくなった。オクサとアバクムの目が合った。アバクムはオクサが盗み聞きしたことに気づいたのか、オクサをじっと見つめた。その視線に気づいて、ピエールとレミニサンスもオクサのほうを向いた。オクサはあわてて断崖をながめているふりをした。

「よし、行こう！」ピエールはギュスのところにもどってきた。「おまえを背負ってやるよ」

「歩く方が気持ちがいいかもしれない」

ギュスはそう言って立ち上がったが、バランスを保つために父親の腕につかまっていなくてはならなかった。目をしばらく閉じ、それから開くと、周りの人たちに弱々しいほほえみを向けた。その視線は片手に発光ダコを持ち、あいたほうの手の爪《つめ》をかじっているオクサのところで長くとまった。

「見ろよ！　元気だろ？　だから、爪を噛むのはやめろよな」

ギュスは元気のない声で言った。

「最後の爪、もう噛んじゃったよ」

オクサはほほえみながら答えた。

「相変わらず食いしん坊だな」


「さあ、そろそろ、ぼくたちを出迎えてくれる人たちに会いにいかないと。空中浮遊《ふゆう》できない人はぼくの背中に乗ってください」

パヴェルはそう言うと、意識を集中させたためか顔に緊張が走った。明るい月光のなか、背中の刺青《いれずみ》から闇のドラゴンがあらわれるのがみんなに見えた。

「パパ、すごい!」

オクサは目に涙《なみだ》を浮かべた。

パヴェルは力強さと優しさに満ちた目をオクサに向けた。オクサと同じく感動したアバクム、ヴァージニア、クッカとアンドリューがドラゴンのわき腹によじ登ると、ドラゴンは見事な勢いで空に舞い上がった。一方で、ピエールはギュスをかかえて宙に浮き、オクサとゾエ、そして、ドラゴミラ、レミニサンス、フォルテンスキー一家もそれに続いた。

クヌット家の人たちは匠人《たくみびと》の特性を生かして切り立った断崖を素手で登り始めた。彼らは手が切れるくらいとがった岩ももとのもせず、垂直の岩壁をものすごい速さでクモのように登っていく。圧倒されたオクサは、その自在な動きをよく見ようとそばを行ったり来たりした。とくに、おじのオロフと競争するかのように登っているテュグデュアルのそばを。彼らの後ろでは、慎重に浮遊する母親に支えられたティルがうれしそうな声をあげていた。

〈逃げおおせた人〉たち全員が断崖を登りきった。すると、黒々とした海に続く背後の崖が急にちっぽけなもののように思えてきた。目の前には、二つの世界の未来の鍵《かぎ》をにぎっている不気味な屋敷まで、荒野が広がっていたからだ。

15 頭上の脅威《きょうい》

島の真ん中の屋敷《やしき》に続く小道は荒野《こうや》のなかをくねくねと曲がっていた。パヴェルと闇《やみ》のドラゴンに頭上から護衛された〈逃《に》げおおせた人〉たちはいっせいに顔を見合わせた。はやる気持ちと不安にかられ、みんなの顔は緊張していた。しかし、もうあとには引けない。

話し合いの結果、三つのグループに分かれることが決まった。ドラゴミラがオクサの手を取って前に出た。それにレミニサンスとアバクム、そしてオロフとゾエが続いた。その後ろにはフォルダンゴたちとヤクタタズ、ジェトリックスがおとなしく並んでいる。ドヴィナイユたちはドラゴミラの長い上着のポケットに隠れ、プチシュキーヌたちはドラゴミラのつけているペンダントのほんの小さな金の鳥かごの中におさまっている。

第二のグループは、クヌット夫妻、ピエール、コックレル、フェン・リーからなる戦闘《せんとう》集団で、狼の群れのような敏捷《びんしょう》さで荒野を横切り、屋敷の裏に消えた。

〈外の人〉たちは、フォルテンスキー一家、ジャンヌ、ボドキン、ヘレナ、テュグデュアルの護衛のもとに、危険が少ないと思われる小さな礼拝堂の中で待機することになった。

その割当にテュグデュアルは不満げだった。母親の横で彼はジーンズのポケットに手をつっこみ、ぷりぷりしていたが、我慢できず、こっそり自分のグループを抜け出し、第一のグループに追いついた。ドラゴミラは非難のまなざしをむけたが、アバクムの無言の問いにヘレナがうなずくと、テュグデュアルは若いグラシューズの後ろの位置に堂々とついた。

「これで完璧《かんぺき》だ。怪傑ゾロはポールポジション（カーレースで最も有利なスタート位置）か……」

ギュスは思わずもらした。

「彼は役に立つかもしれないわよ」ギュスの母親が言った。

「まあ、そうなんだろうな」


「よし、行こう！」

二つのグループは意を決して歩き始めた。明るい満月のせいで、あたりは乳白色の不思議な光におおわれていた。

「あたしたちが行くのが、あいつらに見えるじゃない！」オクサが言った。

「わたしの愛しい子《ドウシュカ》、わたしたちはこれから想像を絶する夜を迎えるんだから、それでもかまわないのよ。オーソンとその仲間はわたしたちがいることをちゃんと知っているわ」

「怖《こわ》い……」

オクサは心を静めようと空を見上げた。闇のドラゴンが翼を広げて飛翔《ひしょう》していた。オクサは父親に手で小さく合図をしてから、小道と屋敷のほうに注意を向けた。窓の明かりは消えていた。しかし、その窓のひとつひとつには自分たちの歩みを観察している反逆者《フェロン》が潜《ひそ》んでいることは明らかだった。

「ほんとに怖い」オクサが繰り返した。

ドラゴミラはオクサの手をさらに強くにぎった。ほかに何ができるだろう？〈逃げおおせた人〉たちは運命に向かってまっすぐに歩いているのだ。もう後もどりはできない。突き進むしかない。とつぜん、押し殺した叫《さけ》び声が聞こえた。みんながふり返ると、ギュスが両耳を押さえて体を丸めていた。限界を超える痛みにおそわれたようだ。

「あれを見ろ！」

テュグデュアルが空を指差した。

〈逃げおおせた人〉たちが目を凝《こ》らして見ると、月の出ている方角に鳥の群れのようなものが見えた。パヴェルが慎重に近づき、群れを避けながら仲間のもとにもどってきた。そして翼を広げて仲間たちを守ろうとした。

「あれは鳥じゃない！　骸骨《がいこつ》コウモリだ！」パヴェルが叫んだ。

みんなはパニックになりそうになるのをこらえて、各自のクラッシュ・グラノックをいっせいに取り出し、防御壁を作った。しかし、頭上の骸骨コウモリの群れは動かない。何百という小さな赤い目を乳白色の薄暗がりのなかに光らせ、〈逃げおおせた人〉たちを威嚇《いかく》している。

「何、あれ！　あの数、見た？　あいつらがいっせいに攻撃してきたらおしまいよ」

オクサが叫んだ。

「攻撃はしてこないよ」と、アバクム。「オーソンはわたしたちを怖がらせたいだけだ」

「そのとおりよ」ドラゴミラがうなずいた。「攻撃してもオーソンの得にはならない。恐れる必要はないわ」

「この鳥たちはくたびれているようですね。真っ赤な目をしていますよ」

アバクムのヤクタタズが言った。

「そうさ！　みんなひどい結膜炎なんだ！」

ジェトリックスが混ぜ返した。

「ああ、かわいそうに。結膜炎にはヤグルマギクの水がよく効くそうですね」

ヤクタタズはあきれるほどのお人よしぶりで同情している。

「妖精人間は真実に満ちた言葉を生産されました」ドラゴミラのフォルダンゴが口をはさんだ。

「〈逃げおおせた人〉たちは心を安心で満たさなければなりません。骸骨コウモリは好戦的な意図《いと》は持っていません」

「ふん……でも、途方もない平和主義者ともいえないけどな」

ジェトリックが跳《と》びはねながら反論した。

少し安心した〈逃げおおせた人〉たちは頭上でざわめく骸骨コウモリの群れをにらみながら、再び歩きはじめた。第一グループの後ろについていたギュスはひどく具合が悪そうだ。ジャンヌとガリナに支えられながらやっとのことで歩いている。

「平衡《へいこう》感覚がない……頭が……くらくらする……もうだめだ……」ギュスがうめいた。

その言葉を聞いたとき、オクサはある場面を思い出した。ほぼ一年前にオーソンとレオミドが対決した〝気球攻撃〟のとき、ギュスがこの骸骨コウモリに嚙《か》まれたことだ。オクサはそのあとに交わされた言葉を必死に思い出そうとした。「ギュスが嚙まれた。でも、心配ない。嚙み傷は浅いし、ドラゴミラがちゃんと処置をしてくれたから問題ない」とレオミドは言った。すると、

「後遺症はないだろうか？　骸骨コウモリはすごく……」とナフタリが言いかけたのを、たしかレオミドが「いたずらに話を複雑にするのはやめましょう」とさえぎったのだった。

オクサはそのやり取りを思い出し、がくぜんとして顔をこすり、急に立ち止まった。

「どうしたの、わたしの愛しい子《ドゥシュカ》？」ドラゴミラが心配そうにたずねた。

オクサは再び歩き出し、祖母の手をぎゅっとにぎった。

「バーバ、正直に話してね。ギュスは骸骨コウモリのせいで具合が悪いんでしょ？」

ドラゴミラはしばらく迷ってからようやく「そうよ」と答えた。「嚙まれたあと毒は潜伏していたんだけど、島に近づいたことで急に活発化して血管の中に広がってしまったようなのよ」

「ええっ！　骸骨コウモリに近づいたから痛みが出てきたっていうこと？」

「まあ、そういうことね」

「じゃあ、遠ざけないと！　どうしてあんな生き物からギュスを遠ざけようとしないの？」

「どうしようもないのよ」ドラゴミラがささやいた。「ギュスが骸骨コウモリに噛まれた瞬間から後もどりできないプロセスが始まっているの。あの怪物《かいぶつ》たちの存在はそのプロセスを速めているだけなのよ」

涙《なみだ》がこみ上げてきた。鼻もつんとする。オクサの呼吸が荒くなった。

「後もどりできないプロセスって？　それって……」

「オーソンが解毒剤を持っているわ」ドラゴミラは早口で言った。

「オーソンが？」

「骸骨コウモリのことをいちばんよく知っているのはオーソンよ。レミニサンスが断言していたわ。オーソンはあの生き物をコントロールしたり、命令したり、害のない単なるコウモリにしたり、恐ろしい武器にしたりできるんですって。噛み傷の対処法も知っているのよ」

「それって、ギュスを救うのはオーソンしかいないってこと？」

「そのとおりなのよ、わたしの愛しい子《ドゥシュカ》、残念なことに……」

今度こそオクサは涙をこらえることができなかった。心がはりさけそうだ。

「きっとなんとかするわ、約束する」

ドラゴミラはオクサの手を強くにぎった。

「どんな犠牲《ぎせい》をはらってでもね。わたしも約束するわ」

レミニサンスがオクサの肩《かた》に手をおいた。

オクサはほおをつたう涙をぬぐってからギュスをふり返った。

「目まいが……ひどい……」

ギュスがうめいている。

乳白色の月光のもとで見るギュスの容態はひどく悪そうに見えた。オクサはギュスに励《はげ》ましの合図を送った。

「がんばって、ギュス！」

ギュスはうなずいた。第三のグループは礼拝堂のほうに向かおうとしていた。ギュスは遠ざかり、子どものフォルダンゴがそのあとをとことことついていった。

オクサは不安を隠すように顔をそむけた。そして、警戒しながらも骸骨コウモリをじろりとにらんでから、息を深く吸いこみ、ドラゴミラとアバクムといっしょにしっかりと歩いた。早くしなければ。ギュスのために。ママのために。二つの世界のために。何も考えずに。「疑問を持つんじゃない」とテュグデュアルは言っていた。彼の存在を左後方に感じた。そっと彼のほうを見た。その青白く無関心そうな顔は前にも増して謎めいている。彼の視線はオクサのほうを向いているが、目にかかっている髪のせいで、その意味を読み取ることができない。そのとき、ドラゴミラとレミニサンスが歩みを止めた。オクサは全身の血が凍るような気がし、心臓がどきどきした。数メートル先に反逆者《フェロン》たちの館がそびえ立っている。物音ひとつしない、威嚇するような屋敷が。ドラゴミラがガナリこぼしになにごとかささやくと、ガナリは飛んでいって、二十秒くらいで貴重な情報をもってもどってきた。

「高さ二メートル五十センチのこの扉《とびら》の向こうには長さ六メートル二十センチ、幅三メートル八十五センチの玄関ホールがあります。その左手に両開きのドアがあり、同じ面積の二つの部分からなる八十八平方メートルの広間に続いています。右手のドアは四十二平方メートルの台所につながります。ホールの突き当たりには一メートル五十センチ幅で、ひとつひとつの奥行きが二十センチメートルある二十二段の階段が二階に続いています。この階段の踊り場には高さ一メートル八十センチの扉があって地下に続いています。この扉はだまし絵でカムフラージュされており、階段のランプの鉄細工《てつざいく》の中に隠された見事な油圧システムによって開閉されるしくみです」

「ごくろうさま、ガナリ」ドラゴミラはガナリこぼしの頭をポンと軽くたたいた。「人がいるのはわかった?」

「この屋敷には人が二十八人います。そのうち、エデフィアから放出された六人のミュルムとその直系の子孫十三人をふくむ反逆者《フェロン》が十九人、そして九人の〈外の人〉がいます。これには若いグラシューズ様のお母様はふくめていません」

母親のことを聞くと、オクサは怒りで体が震《ふる》えた。闇のドラゴンをおとなしい刺青《いれずみ》にもどしたパヴェルはオクサをしっかりと胸に抱《だ》きしめてから、腕《うで》のたつ仲間たちが待っている屋敷の裏に走っていった。オクサは怒りに燃えた目をして姿勢を正した。ついにドラゴミラが不気味な屋敷に向けて一歩を踏み出した。

「いまこそ運命に立ち向かうときよ……」とつぶやきながら。

16　とげとげしい再会

暗い色の玄関ドアはかすかに開いていて、中から揺《ゆ》らめく光がもれていた。ドラゴミラが歩を進めると、勇敢な前衛部隊の六人がすぐに続いた。アバクムはオクサの腕《うで》を取って自分のわきに引き寄せ、少し後ろにいるヤクタタズとフォルダンゴの横に並ばせた。ドラゴミラが意を決したように重いドアを押した。ドアはにぶい音を立てた。ガナリこぼしが報告したホールが見える。

壁には球状のガラスに入ったろうそくの燭台《しょくだい》が取りつけられていた。そのろうそくの炎がゆらゆらと不気味な光を投げかけ、天井に取りつけられたシャンデリアのクリスタルの房飾りをきらきらと輝かせている。ドアを開けたときに入ってきた風で、シャンデリアが揺れてかすかな音を立て、炎とクリスタルの反射からなる無数の光の点が壁に映し出された。板張りの床は年月と塩分をふくんだ海風のために黒っぽくなっているが、やや明るい色のなつかしい幾何学《きかがく》模様が見てとれた。八つの角を持った星。オクサのへその周りにある印と同じ、エデフィアのシンボルだ。

オクサは思わずおなかに手をやった。彼女はその星型が意味するもの、そして、それが自分にとって何を意味するかを知っていたが、これほど大きな床の印を見ると、自分が引き継いだ権力の大きさを感じた。ローラースケートとポップロックの好きな十四歳のふつうの女の子、オクサ・ポロック。しかし、その運命はふつうではない。そして、いま、この島の、この家の、このホールの真ん中にいる。それは世界の中心にいるということだ。オクサは眉《まゆ》を寄せ、息を吸いこみ、顔を上げた。心の奥底で自分が何者であるかを初めて理解した。自分こそが二つの世界の中心なのだ。

同じ不安と同じ目的を持って結束している〈逃《に》げおおせた人〉たちは慎重に歩を進めた。〝兄弟〟である敵に立ち向かうのだ。彼らはそれぞれ身を守るためにクラッシュ・グラノックを手に持ち、本能的に一カ所にかたまっていた。オクサはというと、反逆者《フェロン》があらわれたときどうしていいかわからないまま、用心深く周りを見回した。

とつぜん、いかめしい造りの階段の上に逆光のなか、人影があらわれた。その影はドラゴミラの足元まで伸びていた。彼女は身を固くした。そのエレガントで高慢《こうまん》な人影はゆっくりと階段を下りてきた。別のもっとがっしりした二つの人影がそれに続いた。人影が階段のなかほどにきたとき、ろうそくの明かりでやっと顔が見えた。

「こんばんは、ドラゴミラ。こんばんは、若いグラシューズ様」女の声がひびいた。そこにいた何人かにはなじみのある声だ。「大勢のお仲間を引き連れているのね」

「こんばんは、メルセディカ」こみ上げる怒りを抑《おさ》えながら、ドラゴミラが答えた。「そのほめ言葉をそのままお返しするわ」後ろについた二人の若い男をにらんだ。

「お礼を言わせていただくわ」メルセディカは皮肉な調子で言った。「再会できてうれしいわ、レミニサンス。本当にお久しぶりね。あなたの甥《おい》がわかるかしら？」

オクサはレミニサンスが震《ふる》えているのを感じた。数秒のやり取りで険悪な雰囲気を作るとは、メルセディカもやることが速い。しかし、レミニサンスは見かけより強い。彼女は顔をキッと上げて、三人を冷やかに見つめた。

「モーティマーとグレゴール。あなたの双子の兄さんの息子たちよ」

的の真ん中に矢を命中させたかのように、満足そうにメルセディカが言い放った。

二人の若者は冷ややかな笑みを浮かべたが、それは次のレミニサンスの言葉ですぐに引っこんだ。

「メルセディカ、ご参考までに言っときますけど、あなたの言うわたしの〝甥〟たちには、ポケットにつっこんでいる鼻紙ほども身近な気持ちは感じていないわよ」

そう言うと、丸まった鼻紙を取り出し、近くの燭台に近づいた。紙は音もなく燃え上がった。レミニサンスは床に落ちた燃えかすをつま先で踏みつぶした。

「でも、どうでもいい鼻紙なんかより、血縁関係のほうが強いはずでしょ、レミニサンス」メルセディカは無理やりほほえんだ。「まあいいわ、そんなことはあとでいくらでも話せるんだから。入ってちょうだい」

モーティマーとグレゴールにともなわれながら、メルセディカは左側の両開きの扉《とびら》を大きく開けた。そこには、オーソンに味方した人全員がするどい目つきをしてじっと待っていた。

ドラゴミラはオクサとレミニサンス、アバクムをしたがえて、大広間に一歩足を踏み入れた。部屋は砂岩《さがん》仕上げの壁に取りつけられたオイルランプに照らされ、床には分厚い絨毯《じゅうたん》が敷かれていた。炎が燃えさかる暖炉《だんろ》や金属のローテーブルの周りには使いこまれた革《かわ》張りのソファがいくつか置いてある。広間の奥の壁は一面本棚で、年季の入った古書で埋《う》めつくされている。その場の空気が緊張していなければ、贅沢《ぜいたく》で温かい雰囲気のサロンといってもいいだろう。

〈逃げおおせた人〉たちのほうが必ずしも圧倒されているとは限らなかった。粗暴《そぼう》な性質の反逆者《フェロン》たちも威厳《いげん》にあふれる四人を目の前にして動揺《どうよう》していた。二人のグラシューズ、首領《しゅりょう》オーソンの双子の妹、強力な妖精人間。それに、生き物たち。屋敷《やしき》の外にも人がいることがわかっているので、慎重になっているようだ。

一方、アバクム、ドラゴミラとレミニサンスのほうも、目の前に並ぶ顔をにらみながら、似たような感情を抱《いだ》いていた。エデフィアから脱出してから五十年以上がたったが、よく見知った顔もある。この島で遅かれ早かれ再会することはわかっていたが、優れた鉱物学者のルーカスや〈グラシューズ古文書〉を保存する〈覚書館《おぼえがきかん》〉の司書だったアガフォンを反逆者《フェロン》たちのなかに見つけると、うろたえた。この再会に心の準備ができていた人はどちらの側にもいなかった。

「どうぞ座ってください」メルセディカが壁に沿って並んでいるソファをいくつか指した。

しかし、〈逃げおおせた人〉たちは一人も動かない。敵を観察することに気をとられたままだ。

オクサは、モーティマーがゾエをじっと見つめていることに気づいた。なんて変わりよう！体のむだなぜい肉がとれ、細いが、がっしりしている。オクサはゾエを励《はげ》まそうとふり向くと、驚いたことに、彼女は腕を組んだまま、冷たく敵意のこもった目でモーティマーをにらみ返していた。オクサは、まちがいなくオーソンと血縁関係にあるだろう顔つきをしたもう一人の若い男に目を向けた。やせて、目が真っ黒で、体を硬くしている。こいつがグレゴールなんだ。バーバに暴力をふるって、ロケットペンダントとゴラノフを奪ったやつ。許せない……。冷たい顔つきをした顔を観察しながらオクサは心のなかでつぶやいた。

ついにドラゴミラがこう着状態を破った。怒りのこもった目をし、しっかりとした足取りでメルセディカに近づいた。反逆者《フェロン》たちがかすかに身じろぎし、何人かは防御の姿勢をとった。真っ赤なカシュクール（前を着物のように打ち合わせて着る上衣）に身を包み、首と指にじゃらじゃらと宝石をつけたメルセディカはその状況をおもしろがっているかのように、とげとげしくほほえんだ。その横では娘《むすめ》のカタリーナがえらそうな態度で〈逃げおおせた人〉たちをじっとにらみつけていた。

「わたしたちはおしゃべりをしにここに来たんじゃないのよ」ついにドラゴミラが口を開いた。「オーソンはどこなの？　穴にでも隠《かく》れているのかしら？」

「ものには順序というものがあるでしょ！」メルセディカは挑発するように一語一語区切って言った。「あなたたち、七人しかいないの？　ほかの人たちは怖《こわ》くなって引き返したのかしら？」

反逆者《フェロン》たちは、あざ笑い、皮肉なほほえみを浮かべた。ドラゴミラはあえて答えようとはしなかった。オクサが代わりに答えた。

「あたしたちが来るのを見張ってたんでしょ。それなら、あたしたちのほうが人数が多いことはわかっているはずよ」

「まあ、かわいいオクサ……」メルセディカは愉快《ゆかい》そうにため息をついた。「数が多いからといって強いとは限らないわよね」

そのとき、玄関ホールから大きな物音が聞こえ、ドアが大きく開いた。不気味な生き物が広間にさっと入ってきて、しゃがれた気味の悪い声でわめいた。

「うーっ！　口うるさいおいぼれと、その子孫め！　みんなくたばっちまえ！」

「最悪だわ……」

ドラゴミラはアボミナリを見てため息をついた。

その骨だけのねばねばした生き物は爪《つめ》をむき出してドラゴミラのほうに突進してきた。ドラゴミラが生き物のほうに手を伸ばした瞬間、手のひらの真ん中から細く光るものがものすごい速さで出てきた。アボミナリは吹《ふ》っ飛《と》ばされ、暖炉の前に置かれた金網にぶち当たり背中から落ちた。肩《かた》から煙を出している。うなり声は痛さより怒りのためのようだ。アボミナリは再びドラゴミラに向かってきた。

「おまえの腹を引き裂《さ》いて、腐《くさ》りかけたはらわたで臭《くさ》い首飾りをつくってやる、このハイエナめ！」

今度はメルセディカが行く手をさえぎって、ねばねばした腕を捕まえた。アボミナリは暴れた。

「相変わらず、なんてかわいいこと」ドラゴミラが皮肉った。

「吐《は》き気をもよおすその口を閉めろ、腐った鬼ババア！」

「わたしのお仕えする古いグラシューズ様に向かって、無作法な表現をする権利をあなたは有していません！」

フォルダンゴは怒りのあまり、顔色を失っていた。

「おれにはやりたいことをやる権利がある、このブタ奴隷《どれい》め！」

怒ったオクサは〈磁気術《じきじゅつ》〉を使った。広間のすみにある机の上のペーパーナイフがアボミナリの角質化した足の指の間に突《つ》き刺《さ》さった。縮こまった三本の指のうち、あやうく一本が切り落とされるところだった。

「雌《めす》ブタめ！」

「もう！　我慢ならないわ！」オクサが怒りに震えた。

この気味の悪い生き物はやりすぎた。オクサは暖炉のそばにある、薪《まき》でいっぱいのカゴに神経を集中させた。一秒後、硬い薪がアボミナリの頭上に降ってきた。アボミナリはふらつき、やがてどさりと倒れた。

「おやおや、みなさん……。それがこの思いがけない再会を祝うやり方かね？」

男の声がひびいた。

どこで聞いてもそれとわかる声に、〈逃げおおせた人《フエロン》〉たちは体をこわばらせた。静まり返った広間に男は壁を通り抜けてやってきた。そして反逆者たちの間をすり抜け、ドラゴミラの目の前に立った。

「こんばんは、ドラゴミラ！」男は軽く会釈した。「それとも、親愛なる妹、と呼ぶべきかな」

17　マリー救出作戦

そのころパヴェルたちは敢然《かんぜん》と風雨に立ち向かい、個々の能力に応じて働いていた。ナフタリ、ブルン、ピエール、フェン・リーはわずかなくぼみさえも利用してクモのように壁を登り、パヴェルとコックレルは窓から窓へと飛んで、室内をのぞきこんだ。方法はどうであれ、各自が勇敢《ゆうかん》にひとつの目標に向かって力を合わせていた。

「マリー、どこにいるんだ？」

パヴェルは歯をくいしばった。

冷たい突風に顔を赤くしたピエールがパヴェルに合図を送った。ピエールは、屋根をふちどる小さなでっぱりに人差し指をかけて全体重を支えている。バック転をして壁から離れたピエールはパヴェルのところまで浮遊《ふゆう》した。

「あそこだ！」

すぐに六人の〈逃《に》げおおせた人〉たちが集まり、地面から数メートル浮いたところで相談を始めた。パヴェルはうなずいてからナフタリの肩《かた》に片手をおいた。すると、ナフタリは、クラッシュ・グラノックを手に壁に入りこみ姿を消した。中から叫《さけ》び声が聞こえ、みんなは不安になった。それから、窓が開き、誇《ほこ》らしげなナフタリの顔がのぞいた。

ナフタリの発した〈ツタ網弾《あみだん》〉で猿ぐつわをされ、手足をしばられた女が大きく目を見開いている。それをしり目に、パヴェルはマリーが横たわっているベッドに飛んでいった。二人はしっかりと抱《だ》き合った。反逆者《フェロン》の仕業で離れ離れになってから四ヵ月以上がたっていた。これまでの緊張が一気に解け、パヴェルは最悪の知らせを聞いたときと同じくらい感情が高ぶっていた。長いことためこんでいた不安がすべて解消されたために、衝撃で胸が張り裂《さ》けそうだった。同時に愛する人にやっと再会できた大きな安心感に包まれた。パヴェルは深呼吸して、高鳴る胸を抑《おさ》えようとした。それからマリーの顔を両手ではさんでまじまじと見つめた。

「気をつけろ！　だれか来たぞ！」

部屋のドアに耳をつけていたピエールが叫《さけ》んだ。

パヴェルはベッドの前ですぐさま防御の姿勢をとった。ナフタリはしばり上げられた女にクラッシュ・グラノックを突きつけた。「女は恐怖から助けてほしいというまなざしをした。

「その人に危害を加えないでください！」マリーがささやいた。

パヴェルが問いかけるような目を向けた。

「彼女はいろいろと助けてくれたの」

マリーがそう言うとすぐに、ドアが荒々しく開いた。

四人の反逆者《フェロン》がなだれこんできて、侵入者たちを見て一瞬、動きを止めた。〈逃げおおせた人〉たちが思ったより手強いことがわかったのだろう。クヌット夫妻の並外れた風貌《ふうぼう》、ピエールとコックレルの堂々とした体格、フェン・リーの落ち着きはらった顔、それにパヴェルの怒《いか》り、それに加えて六人の顔には毅然《きぜん》とした決意があらわれていた。

反逆者《フェロン》がぼうぜんとしている隙に、ブルンは文字どおり飛んでいき、四人の反逆者《フェロン》のうち一人の上半身に足蹴《あしげ》りを食らわせた。一人が倒れた巻き添えを食って、ほかの三人もいっしょになって倒れこんだ。四人は床をころげながらグラノックを発射したが、〈逃げおおせた人〉たちはたくみにそれをかわした。発せられた火の玉をさえぎったパヴェルは苦しむ様子も火傷《やけど》を負った様子もない。ピエールが低い声で気合いを入れながら、四人の反逆者《フェロン》のうなじにノック・パンチを浴びせた。男たちはよろよろと倒れた。

「気をつけて！」窓を見張っていたフェン・リーが声をあげた。「外からもやってくるわよ！」

「こっちもだ」

ピエールが廊下に目をやった。

むだだとは知りながらもドアをバタンと閉め、ピエールはクラッシュ・グラノックを取り出した。〈逃げおおせた人〉たちは顔を見合わせ、おたがいの瞳の底に光る決意を確認し合った。まもなく壁や窓から入ってくるだろう十人ほどの反逆者《フェロン》たちに立ち向かう準備はできていた。

18　毒矢

オクサはあとずさった。ほとんど無傷のオーソンがそこにいた。黒いサングラスをかけていたが、顔と両手に〈まっ消弾《しょうだん》〉の傷跡《きずあと》があるのがわかった。体じゅうに傷があるのかもしれない。肌は遠くからだとなめらかに見えたが、近づくにつれ、顔じゅうにあるあばたがゴラノフの軸液《じくえき》に似たものでふさがれていることがわかった。

オクサは神経過敏《かびん》なゴラノフが心配でたまらなかった。生きのびてくれていればいいが……。カラスのように真っ黒だった髪《かみ》は、驚くべきことに銀色になっている。オーソンは広間の真ん中で立ち止まり、サングラスを取った。その容貌《ようぼう》は、彼の威圧《いあつ》的な真っ黒な目を知っている人たちをがく然とさせた。その目は、髪と同じように銀色っぽく輝き、前よりいっそう冷酷《れいこく》な光をたたえていた。

オクサは小さな手が自分の手の中にすべりこむのを感じた。フォルダンゴがオクサの動揺《どうよう》に気づいたのだ。オクサは、オーソンのせいで経験してきた数々の危険と悪夢の影に負けないように心のなかで闘《たたか》っていた。家族や愛する人たちをどんなに苦しませたことか。死んだはずなのに、いまは前よりもパワーアップしているように見える。〈まっ消弾〉を浴びてさらに強くなったみたいだ。黒のセーターとチャコールグレーのズボンのせいで華奢《きゃしゃ》に見えるけれども、手ごわいことは感じとれる。

オーソンは〈逃《に》げおおせた人〉たちと生き物たちを興味深げにながめていた。それから、オクサに視線を移した。オクサはその刺すような冷たい視線を受けて、一気に過去に引きずりもどされた。新学年の初日、数学の教師だったオーソンと初めて出会ったときに感じた体の奥底の耐《た》えがたい痛み。それとまったく同じ痛みが、腹にげんこつを浴びたようにおそってきた。オーソンはまるで不死身だ。オクサは手首を絶え間なく締めつけるキュルビッタ・ペトに助けられながら、落ち着きを取りもどそうとした。

オクサを守るようにすぐ後ろに立っているアバクムがそっとオクサの肩《かた》に手をのせた。オクサは自信とエネルギーが再びわいてくるのを感じながら、オーソンの顔にかすかな迷いが走ったのに気づいた。絶大な力を持っているにもかかわらず、妖精人間を恐《おそ》れていることは明らかだ。

オーソンはオクサから視線をはずし、双子の妹に目を向けた。レミニサンスはうろたえながらも目の前にいる男の底知れぬまなざしをはね返した。

「わたしのすばらしい妹……」

オーソンが口を開いた。

その声は悲しそうでもあり、皮肉っぽくも聞こえる。その両方だろう。

「そちら側を選んだというわけだ」

「選んだんじゃないわ」意外にも冷静な声でレミニサンスが言い返した。「血のつながりじゃなく、自分の心に従っているだけよ」

その即答にオーソンはうろたえた。

「わたしたちをつなぐ血縁関係を、どうしておまえたちはみんな拒否しようとするんだ？　遺伝は科学的にも証明されているのに……」

オーソンはみんなを苛立《いらだ》たせるためか、わざとふざけて言った。

「人をつなぐ絆《きずな》の強さに必要不可欠というわけではないわ！」

レミニサンスも負けずに言った。

オーソンは邪悪《じゃあく》なまなざしでレミニサンスをにらみ、広間の真ん中にある革《かわ》のソファに座った。

それから、おもむろに話を続けた。

「元気そうだね？」

「ええ、でもあなたのおかげじゃないことはたしかね」

レミニサンスは長いカシミアのカーディガンの裾《すそ》を引き合わせながら、吐《は》き捨てるように言い放った。

オーソンは顔をゆがめた。

「たしかに。忘れていたよ。おまえがいまここにいるのは、おまえの忠実《ちゅうじつ》なる元騎士《きし》、すばらしく完璧《かんぺき》なレオミドのおかげだったな。ところで、どうして彼はここにいないんだ？　異父兄弟と対決するのが怖《こわ》いのかな？　それとも、血のつながりがあることが恥ずかしいのか？」

〈逃げおおせた人〉たちは青ざめた。意外なことに、オーソンはレオミドが死んだことを本当に知らないのだ。ということは、ビッグトウ広場の家でゼルダの体に入りこんでいたときにした質問は挑発ではなかったのだ。恐ろしい知らせを聞いてオーソンがどう反応するか、オクサは不安になった。

「あいつには真実と向き合う勇気がないということはわかっていた。残念なことだ。いつも模範《もはん》生《せい》のように言われていたあいつがね……。対決せずにこそこそと隠《かく》れるなんて、非常に残念だ」

「レオミドは死んだのよ！」

レミニサンスは怒《いか》りをぶちまけるように叫《さけ》んだ。

その告白はオーソンを直撃した。顔がみるみるゆがんでいくのがはたから見てもわかった。目が大きく見開かれ、顔は青白くひきつった。ソファのひじかけを強くにぎりしめすぎて、両手の関節が音を立てた。そんな答えは予想すらしていなかったようだ。敵である異父兄弟と自分の運命がそういう結末を迎《むか》えるとは――。衝撃《しょうげき》を受けたオーソンは、自分に集まる興味と不安げな視線を避けるように目を閉じた。しばらくして再び目をあけると、憎《にく》しみを必死に抑《おさ》えようとしているレミニサンスの顔を探るように見た。

「どうしてそんなことになったんだ？」

オーソンはしゃがれた声でたずねた。

「わたしたちの秘密に耐《た》えられなかったのよ」レミニサンスはつぶやいた。「彼は死を選んだ。

〈心の導師《どうし》〉に飲みこまれたわ」
それを聞くと、オーソンはぼうぜんとして立ち上がり、背中を丸めてマントルピースに両手をついた。その様子を見て、〈逃げおおせた人〉たちも反逆者《フェロン》たちも息をのんだ。外では風が激しくうなり出した。鎧戸《よろいど》はバタンバタンと音を立て、その衝撃で壁が揺《ゆ》れた。オーソンががっくりとうなだれたままでいるので、〈逃げおおせた人〉たちはソファに分かれて座ることにした。

オクサはそのすきに反逆者《フェロン》たちを観察した。二人の男にとくに興味をひかれた。かなりな歳なのだろう。威厳《いげん》があり、知性と残忍《ざんにん》さがにじみ出ている。アガフォンとルーカスにちがいない。残酷《ざんこく》なミュルムだ。二人とも背が高くがっしりとしているが、高慢《こうまん》で堂々としているからか、年齢よりずっと若くみえ、はつらつとしている。長寿《ちょうじゅ》の真珠《しんじゅ》だ、とオクサは思った。二人はエデフィアの伝統的な服装をしていた。濃い色のウールで仕立てたローブのような衣装で、えりと袖《そで》に幾何学《きかがく》模様が刺繍《ししゅう》されている。そのうちの一人は、オクサと目が合うと、頭を下げた。オクサはあわてて目をそらせた。やっとオーソンが中央のソファにもどってくると、みんなの目はこの反逆者《フェロン》の首領《しゅりょう》に向けられた。

腕《うで》を組み、残忍な目をしたレミニサンスは双子の兄をじっくりとながめた。自分とよく似ている憎むべき兄を。自分と兄は同じ日に、同じ親から生まれたのに、どうしてこんなにちがう道を歩むことになったのだろう？　まだ若かった自分が、父のたくらんだ〈最愛の人への無関心〉によって人生をめちゃくちゃにされる前まで、二人は本当に仲がよかったのに。兄は望みさえすれば、あのいまわしい策略を妨害することもできたはずだ。そのことで罪悪感を感じているのだろうか？　こんなばかげた野心に首を突っこむまではそうだっただろう……。あの事件は父オシウスに対する不満が一因であったとしても自分は驚かない。兄がたとえ罪悪感を自覚していなくても、無意識のうちに心の重荷になっているはずだ。

そう信じてはいても、レミニサンスはオーソンが堂々としているのを見ると我慢できなかった。冷酷で激しい怒りが彼女《かのじょ》の理性を支配した。理屈ではどうにもならない。レミニサンスはオーソンの目の前に飛び出すと、その目をじっと見つめた。反逆者《フェロン》たちがすぐに威嚇《いかく》する動きをしたが、オーソンが手を上げてやめさせた。

「あなたがレオミドの死を悼《いた》んでいるって思わせたいの？　どうしてたくさんの命を犠牲《ぎせい》にするの？　何人殺したのよ、オーソン。何人なの？　それぐらい覚えているんでしょうね？」

オーソンはさげすむような表情をして首をかしげた。

「おいおい、かわいい妹よ。戦いに損失がつきものだということはわかってるだろ！　戦争の損害のようなものさ……」

「戦いって何のことよ」レミニサンスは腰《こし》に手を当てて、オーソンの目の前に立ちはだかった。

「コンプレックスだらけのあなたのエゴを満足させるための個人的な戦いのこと？」

「そんな口をきくことは許さない」

オーソンの目からパチパチと音を立てて火花が飛び散った。

「計画のじゃまになると思って、わたしを永久に絵画内幽閉《ゆうへい》しようとたくらんだじゃないの！

わたしの息子とその妻を殺したじゃないの！　じゃまになるという理由だけで二人を殺したのよ！」

怒りにかられて、レミニサンスはクラッシュ・グラノックを取り出した。オーソンは動かない。

「おまえは力不足だ。わたしを痛めつけたり、怪我《けが》をさせることはできるだろうが、わたしに逆らうことはできないんだ」

「あなたにはできないかもしれないけど……彼にならできるわ」

レミニサンスはオーソンの末息子のモーティマーに向けて〈ツタ網弾《あみだん》〉を発射した。

この攻撃《こうげき》で、この場の平和を取り繕《つくろ》おうとする努力はくずれ去った。〈逃げおおせた人《フェロン》〉たちの心は怒りと恨みに支配され、反逆者たちは慢心《まんしん》と栄光への夢に目がくらんでいた。反撃を始めたのはアボミナリだった。

「おまえの老いぼれ顔につばを吐きかけてやる！　おまえの体をばらばらにして、蟹《かに》のごちそうにしてやる！」

「なるほどね」

ドラゴミラはアボミナリの口をふさぐグラノックを浴びせた。

「だれがつばを吐くと言っているのですか？」

ヤクタタズが口をはさんだ。

オクサはそのチャンスを利用した。アボミナリが爪《つめ》をむき出してドラゴミラに飛びかかろうとしたとき、オクサはヤクタタズの耳に何かささやいた。次の瞬間、ヤクタタズの強力な唾液《だえき》による激しい痛みで、アボミナリはその場に立ちすくんだ。唾液がかかったところから鼻につんとくる悪臭《あくしゅう》と煙が上がり、皮膚が黒くなっていった。アボミナリは床に倒れた。

「これでひとつ片づいたわ」

　オクサは満足そうにつぶやいた。


　その間にも戦いが繰り広げられていた。オーソンは永遠の敵、アバクムを標的に選んだ。

「アバクム！　危ない！」オクサが叫んだ。

　オクサがオーソンに向けて大砲《たいほう》の玉のように自分の体をぶつけようとしたとき、パヴェルが広間に入ってきた。

「だって、パパ」

「おまえは何もするんじゃない！」

「おまえはそこにいろ！　動くんじゃない！」パヴェルは大きなソファの後ろにオクサを引っぱっていった。

「ママは……見つかった？」

「ママは礼拝堂《れいはいどう》にいるから、だいじょうぶだ。おまえはここにいるんだぞ！」

　こんなひどい状況だが、オクサは心底ほっとした。

　アバクムのほうは、母親の不老妖精から引き継いだ魔法の杖《つえ》を手に、つぎつぎと浴びせられるグラノックをかわしていた。ほとんど目には見えない膜のようなものが〈逃げおおせた人〉たちの前方と頭上にできたため、反逆者《フェロン》たちの放つグラノックは米粒ほどの威力《いりょく》もなかった。

パヴェルは不意打ちで攻撃しようと壁をかけめぐった。グレゴールとルーカスは指先から閃光《せんこう》を発してそれに応戦した。しかし、パヴェルのほうがずっとすばやい。パヴェルは最後の一周をすると、広間の奥から勢いをつけてオーソンのところまで疾走《しっそう》した。そしてオーソンの首を両脚の間にはさみ、水平に回転してきりのようにぐるぐるまわした。二人は宙に浮いたまま一体となって回転し続けたので、パヴェルを傷つけずに加勢することは難しい。アガフォンがオーソンに向かって言った。

「〈竜巻弾《たつまきだん》〉をやるぞ！」

そのグラノックが二人に届くと、オーソンは〈竜巻弾〉の遠心分離効果から逃《のが》れるために力の限り体を外側に投げ出した。両足で下り立つと、旋風《せんぷう》のなかに閉じこめられたパヴェルを援護《えんご》できないでいる〈逃げおおせた人〉たちをじろりとにらんだ。オクサは父親が閉じこめられたことにうろたえ、助けを求めるようにテュグデュアルのほうを見たが、彼はさかんに火の玉の攻撃を仕かけてくるカタリーナと戦っている。広間のあちこちで戦いが繰り広げられていた。オクサは吸盤キャパピルを一粒飲みこむと、天井に駆《か》け上がった。

「やぁーーーっ！」

オクサの手は磁石のように天井に吸いついた。旋風に巻きこまれないように、必死に体を天井に近づけた。髪と服は旋風の勢いで水平になっている。体が巻きこまれそうだ。首を締めつけるマフラーをほどくと、またたく間に風に吸いこまれていった。

「気をつけろ、オクサ！」

グレゴールが連射するグラノックをよけながらテュグデュアルが叫んだ。

オクサは危険を顧《かえり》みず、旋風に片腕を突っこんで父親の手をにぎり、自分のほうへ力いっぱい引っぱった。二人はいっしょに床にどさりと落ちた。

「いたっ！」オクサは体を丸めながらうめき声をあげた。グラシューズとはいえ、人間であることにちがいはないのだ……。

「言うことを聞かないからだ！」パヴェルは歯ぎしりしながらしかった。「こんな危険を冒すなんて」

オクサは面食らって父親を見た。じゃあ、どうしろっていうんだろう？　父親が死ぬのをおとなしく待ってろっていうの？　オクサの息は荒くなり、目が怒りで燃えた。

「いいじゃないか、おまえの娘には犠牲の精神があるだけだよ」

オクサは固まった。オーソンはオクサがいちばん痛がっているところに足をのせた。肩だ。しだいにその足に力をこめながら、オーソンはパヴェルをにらみつけた。とつぜん、オーソンはパヴェルののどをつかみ、オクサをつま先で押した。オクサはオーソンの重い足に胸を圧迫されてぐったりしながらも、目をみはった。オーソンはオクサを押さえつけたまま、パヴェルののどを締めつけ、おまけにテュグデュアルとドラゴミラの攻撃をかわしている。こいつは無敵だ。みんな死ぬんだ、とオクサは思った。オクサは体の奥でうごめいている〈もう一人の自分〉を呼び出そうとした。オーソンをやっつけたいのに、なんで出てこないんだろう？　どうしたら出せるんだろう？　ああ、できない……。

「オーソン！　いいかげんにして！」

とつぜん、レミニサンスの声がひびいた。

全員がその声のほうをふり返った。レミニサンスは、モーティマーの体をしばっている〈ツタ網弾〉の細い網の先にクラッシュ・グラノックを突きつけ、むちを打つかのようにふりまわしている。しっかりとしばりつけられたモーティマーは天井や壁や床にたたきつけられるたびに悲鳴を上げている。

「その人たちを放しなさい！」

レミニサンスはオーソンに向かってどなった。

オーソンは平然としている。

「本当にそれでいいのね？」レミニサンスは驚いてオーソンをにらんだ。「血縁を大事にするあなたに血を分けた息子を犠牲にする覚悟《かくご》があるわけね」

レミニサンスはクラッシュ・グラノックの動きを速めた。モーティマーの叫び声はいっそう大きくなった。オーソンは青ざめ、グレゴールはこぶしをにぎりしめた。〈逃げおおせた人〉たちの後ろではゾエが声を立てずに泣いている。耐えられない雰囲気だ。レミニサンスもオーソンも一歩も引く気配はなく、この対決は何時間でも続きそうだ。モーティマーの叫び声が弱くなり、少しずつ意識を失いかけている。

「最後までやることはできないだろう……」

オーソンは怒りに震える声でつぶやいた。

「自信があるの？」レミニサンスがクラッシュ・グラノックを思い切りふり下ろしたので、モーティマーの体はボールのように床に跳《は》ねた。「わたしがあなたみたいにやったとしたら……あなたが息子を殺したように、わたしがあなたの息子を何の躊躇《ちゅうちょ》もなく殺せるとしたら？」

「やめろ……」オーソンは真っ青だ。

オーソンはパヴェルを乱暴に突き放し、それから、オクサを靴の先で押した。オクサは体が痛んだが、さっと立ち上がった。しかし、もはや二つのグループの戦いではなかった。レミニサンスとオーソンはまるで世界に二人しかいないかのように、周りにはいっさい気も留めず、二人の間の決着をつけようとしている。

「おまえの息子と妻は飛行機事故で死んだんだ。おまえも知ってるだろ！」

オーソンが叫んだ。

「あなたが悪魔のような策略《さくりゃく》で事故を起こしたんじゃないの！　いいかげんなことを言わないでちょうだい。息子を殺してわたしの人生を台無しにしたのよ。わたしと同じくらいあなたが苦しむとしても、わたしはあなたの息子を殺すわ！　いい？　モーティマーを殺すわよ！」

〈逃げおおせた人〉たちと反逆者《フェロン》たちの間に動揺が広がった。〈逃げおおせた人〉の側は、絵画の中を長い間さまよった、あの優しくて弱々しい女性が最も強固な仲間になったことを知った。しかも、最も凶暴《きょうぼう》で、揺るぎない意志をもった仲間に。というのは、〈逃げおおせた人〉たちの間の取り決めに反して、この瞬間、レミニサンスは復讐《ふくしゅう》のことしか考えていなかったからだ。

一方、反逆者《フェロン》の側から見ると、レミニサンスは首領の双子の妹の名に恥じない女であり、彼女が力と残忍さの限りをつくすことに不思議はなかった。彼女の決心がびくともしないことは、いまではオーソンすら疑っていないようだ。レミニサンスのするどい眼光に疑いの余地はない。希望の余地もない。彼女は腕を上げ、モーティマーにとって決定的な一撃をあたえようとしていた。

ゾエが絶望的な声を張り上げた。

「殺さないで！　おばあちゃん、おねがい……」

一瞬、レミニサンスの気持ちが揺らいだようだ。オクサは息をつめてゾエを見た。短い間だったが、モーティマーは行き場のないゾエの兄のような存在だった。心からの愛情を受けた記憶はけっして消えることはない。ゾエはこれ以上耐えられないというように身もだえし始めた。

「モーティマーを殺さないで……だれかが死ぬのはもうたくさん」

「おねがいします！」女が泣きながら後ろのほうから出てきた。「息子を助けてください。息子を殺すことで復讐になるかもしれませんが、死んだ人を生き返らせることはできません」

再び人生ががらりと変わったあの四月の日、マックグロー家を出て以来はじめて伯母《おば》バーバラを見て、我慢も限界に達した。ゾエはうめき声をもらし、レミニサンスはその声に震《ふる》えた。ゾエは両手で顔をおおって泣きくずれた。

「二人のいうことを聞いてくれ！」

アバクムがレミニサンスに必死に訴《うった》えた。

しかし、苦しみは理性では抑えられなかった。レミニサンスは怒りと悲しみの混じった泣き声をあげながら、だれも止めることのできない破壊的な意志の力で腕を上げた。

19　分別を取りもどすのは難しい

広間の真ん中に金色の閃光《せんこう》が走り、耳をつんざくような音がした。そこにいる全員が手をかざしてまぶしい光からとっさに目を守ろうとした。

「不老妖精！」

オクサが叫《さけ》んだ。

〈逃《に》げおおせた人〉たちと反逆者《フェロン》たちの間にあらわれた金色の輝きに、オーソンは目をしばたたかせながら凍りついていた。そのぼうぜんとした様子にオクサは驚いた。そうか、彼《かれ》は見たことがないんだ……。

光のなかに人影が浮かび上がった。まるで催眠術《さいみん》に操られているように、ゆっくりとした動きだ。長い髪《かみ》が海藻《かいそう》のように波打っている。その人影は床から数十センチ浮いていて、向き合った二つのグループをじっと見つめているようだ。いまこのときが、未来を変えるかもしれない重大な瞬間であることをだれもがわかっているためか、全員が不老妖精の急な出現に金しばりにあったように動けないでいた。金色の人影がオクサに近づき、それに応じてオーソンは一歩下がった。

「ごあいさつ申し上げます、若いグラシューズ様」

その魅惑的《みわくてき》で澄《す》んだ声に、反逆者《フェロン》たちは水を打ったようにしんとなった。不老妖精が最大限の敬意をあらわしてオクサにあいさつしたことに圧倒され、みんなはクラッシュ・グラノックを下ろした。

「結束のときが来ました。世界の中心であるエデフィアが死につつあります」

不老妖精が宣言した。

「オシウスはどうなったんだ？」

心の底がうかがい知れないオーソンに見つめられながら、アガフォンが口をはさんだ。

「オシウスはすでに十分、害をもたらしました」不老妖精はさえぎった。「今日《こんにち》の二つの世界を消滅の危機に導いた大カオスの責任は、マロラーヌとオシウスの両方にあります。今度はあなたがたが行動する番です。もしあなたがたが行動しないのなら、すべては終わるでしょう」

「わたしたちは何をしなければならないのですか？」オクサが問いかけた。

「あなたがたの能力を結集するのです」不老妖精が答えた。

みんなは疑り深そうに顔を見合わせた。

「ぼくたちが力を合わせるなんて無理です」パヴェルが反対した。

「しかし、二つの世界の存続がその結束にかかっているのです」

重い沈黙のあと、両陣営からざわめきが起こった。

「団結なんかできない！」

反逆者《フエロン》たちの側からも、〈逃げおおせた人〉たちの側からも声があがった。

「そんなことはまったく無理だ！」

「問題外だ！」

「状況がそこまで悪いとは思えないわ！」

メルセディカの声がひときわ高くひびいた。


急に大きな音がした。不老妖精を包んでいた光が急に弱くなり、世界じゅうの災害の様子が映し出された。まるで十台のテレビのスイッチがいっせいに入ったように、ニュース記者の声がさまざまな言語で聞こえてくる。〈外界〉をおそった災害のひどさは画面だけで十分に伝わってきたが、だれもが記者のコメントを聞き取ろうと耳をすませた。火山が次々と目を覚まし、大地震が世界じゅうで起こり、津波が沿岸におそいかかる。豪雨《ごうう》で洪水が起こり、町や森では火事が起きている。世界のいたるところで、最後の希望に望みをつないだ人たちが終わりのない長い列をなして避難している。しかし、その努力はむだだった。カオスが完全に支配しているからだ。

「二つの世界の終末はわたしたちが想像したよりも足早に近づいています」と、不老妖精が告げた。「〈ケープの間〉によって守られていた世界の中心の均衡《きんこう》は、〈語られない秘密〉の暴露《ばくろ》によってこわされました。それ以来、なんとか秩序は守られていましたが、いまやわたしたちみんながカオスに向かってころがり落ちつつあります。傷は深いのです。しかし、均衡はまだ取りもどすことができます。そのためには結束と譲歩《じょうほ》と犠牲《ぎせい》が必要なのです。あなたがたにとってはとうてい無理だと思われるかもしれませんが、それを乗り越えなければなりません。二つの世界の将来があなたがたにかかっているからです。あなたがたみんなに……」

不老妖精は急にドラゴミラのほうを向くと、金色の渦巻《うずま》きのようなもので彼女を包んだ。

「〈エデフィアの門〉がもうすぐあらわれるでしょう」不老妖精はごく近くにいる人にしか聞こえない声でささやいた。「〈究極の目印の守護者《しゅごしゃ》〉であるあなたのフォルダンゴが導いてくれるでしょう。準備をしなさい、ドラゴミラ。あなたはグラシューズであり、これからもグラシューズであり続けるのですから。消滅しようとしている均衡をいまも心にとどめているグラシューズなのですから」

その渦巻きのようなものはドラゴミラを包んだままで、彼女にしか意味のわからない言葉をささやいた。それから、金色の光のなかにシルエットを包みこんで、まぶしい光は消えた。

〈逃げおおせた人〉たちも反逆者《フエロン》たちもみな、ぼうぜんとしていた。アバクムとパヴェルに支えられたドラゴミラの顔面は蒼白《そうはく》だ。顔はゆがみ、打ちひしがれた目をしている。

「話し合わなければならないようだわね」

ドラゴミラはしゃがれた声で言うと、いちばん手前のソファに座った。ほかのみんなもそれにならった。レミニサンスだけはクラッシュ・グラノックを手にもったままだ。それは床に横たわったまま動かないモーティマーの体に突きつけられている。オーソンもいやいやながら座った。

「事実ははっきりしているわね」ドラゴミラがまず口を開いた。「わたしたちの立場のちがいは決定的だけれども、均衡を回復するにはおたがいが必要なのよ。そうしなければ、みんなが死んでしまう。〈外の人〉も〈内の人〉もね。そうなりたいかしら？」

みんなは黙《だま》りこくった。各自の野心は別にして、その答えは全員にとって同じだった。

「オーソン、わたしたちはそれぞれエデフィアにもどるための手段の一部を持っているわ。あなたはわたしの母のロケットペンダントを持っているし……」

「わたしたちの母だろう」オーソンが訂正した。

「たしかにそうね。あなたはわたしたちの母のロケットペンダントを持っている。それに記された呪文が門を開けるために必要なの。そして、門はこの広い世界のどこかにあるのだけれど、それをだれが知っているか？　それは〈究極の目印の守護者〉であるわたしの忠実なフォルダンゴだけよ。だから、あなたは鍵《かぎ》を持っているけれど、門がどこにあるかわからない。わたしのほうはというと、門がどこにあるかを知ることはできるけれども、鍵がないわけね」

オーソンはじっと考えこんでいるせいか額にしわを寄せている。時間がたつにつれて、決心するのが難しくなるようだ。

「どうしてそんなにエデフィアにもどりたいのか、あなたの仲間に教えてあげたら？」とつぜん、レミニサンスが言い出した。「この人に盲従《もうじゅう》しているあなたたちは、それを知ってるの？」

「レミニサンス、やめてくれ」アバクムがつぶやいた。

アバクムはこの話がどんなふうに展開するかを心配しているようだ。レミニサンスが問いかけた質問は重大で個人的なことなのだろう。オーソンの顔がひきつった。まなざしが厳しい。騒《さわ》ぎを起こすことを恐《おそ》れているようだ。

「父親が今度こそ、あなたを愛してくれるだろうと期待してるんでしょう?」レミニサンスは居《い》丈高《たけだか》な口調で問い詰めた。「何を期待しているの? あの人は自分しか好きじゃないのよ。自分と権力。あなたがどう変わったって、何も変わりはしないのよ。これまでにしてきたことはむだなのよ、オーソン!」

「やめろ、レミニサンス!」アバクムが有無を言わせぬ口調でぴしゃりと言った。「そんなことを言ってる場合じゃない。彼の気持ちを詮索《せんさく》するよりも、いま大事なのは結束することだ。時間がないんだよ」

そのことを思い出させるように、ものすごい突風が再び家の壁を揺るがせた。風が暖炉《だんろ》の煙突《えんとつ》にまで入りこみ、火床《ひどこ》の周りの灰が舞った。外は雹《ひょう》まじりの豪雨に変わっている。建物の骨組みまでもがぎしぎしと音を立て、屋根瓦《やねがわら》が地面に落ちる音が聞こえてきた。そのとき、とつぜん、地面の奥底から揺れるような地震が島をおそった。床が大きくきしみ、広間の装飾品や額ぶちが落ちてきた。みんなは目を大きく見開き、あわてふためいておたがいにすがりついた。

振動は急におさまった。壁にはひびが入り、みんなは怖《こわ》くてひとかたまりになっていた。オーソンすら動揺《どうよう》しているようだ。彼は息を深く吸いこみ、双子の妹をじっと見つめた。すると、レミニサンスは優雅《ゆうが》にゆっくりとクラッシュ・グラノックを持ち上げた。ツタ網《あみ》にしばられたモーティマーの体が浮き上がった。レミニサンスはたくみに腕《うで》を動かして、その意識のない体をバーバラの前に移動させ、床におろした。オーソンは再び妹を見た。その不思議なまなざしが憎《にく》しみなのか、感謝なのかはだれにもわからない。オーソンは息子を腕に抱き、バーバラといっしょに玄関ホールのほうへ歩き出した。

「待って、オーソン!」急に声がした。「わたしたちも治療が必要なのよ」

声のするほうをみながいっせいに見ると、頭からつま先までびっしょり濡《ぬ》れ、子どものフォルダンゴをしたがえたジャンヌ・ベランジェが広間の入り口に立っていた。

「ギュス!」

母親の腕に抱かれてまったく動かないギュスを見ると、オクサは叫《さけ》んだ。

黒い髪はうしろに垂れ、顔は死人のように青白い。アバクムがすぐにかけよってジャンヌを助けた。彼はギュスのまぶたを引き上げると、顔をくもらせ、オーソンのほうをふり返った。オーソンは問いかけるような目つきをした。

「解毒剤を……」

アバクムはそれだけ言った。

オーソンのくちびるが横に伸び、残酷《ざんこく》で得意げなほほえみに変わった。彼はアバクムの言葉と、痛みにゆがんだギュスの顔を見ただけですぐに事情を飲みこんだようだ。

「もちろん、喜んで!」オーソンはさも優しそうに答えた。

20　解毒剤

ルーカス、アガフォン、グレゴール、メルセディカからなるオーソンの親衛隊《しんえいたい》は、薄暗《うすぐら》くじめじめとした玄関ホールに向かった。アバクムとギュスの両親、ドラゴミラ、ナフタリ、パヴェルとオクサもその一団について行った。レミニサンスがいっしょに行こうとすると、オーソンの声がひびいた。

「彼女《かのじょ》はここに残ってもらう！　そばにいてもらいたくない」

「ここで待っていてちょうだい。わたしたちの仲間のそばにいて。たのんだわよ」と、ドラゴミラがささやいた。

レミニサンスはうなずき、ドラゴミラたちは反逆者《フェロン》たちについて広間から離れていった。

玄関ホールの暗さに不安を感じたドラゴミラはクラッシュ・グラノックから発光ダコを出した。まぶしく光る吸盤のおかげであたりはたちまち明るくなった。

「足が十一本もある！」オーソンは感心したように口笛を吹いた。「おまえがこんなめずらしいものを持っているなんて知らなかったよ」

「わたしのことで知らないことはそれだけじゃないわよ」ドラゴミラが言い返した。

オーソンは引きつった笑い声をあげながら、みごとな鉄細工《てつざいく》のほどこされたランプに近づき、日食をかたどった模様に手のひらを当て、取っ手を回した。ガナリこぼしが言っていたとおりだ。階段の踊り場に隠された小さな扉《とびら》が開き、オイルランプに照らされたもうひとつの階段があらわれた。オーソンが階段をおり、みんなは黙《だま》ってそれに続いた。扉がゆっくりと閉まるすきに、テュグデュアルとゾエが〈逃《に》げおおせた人〉たちのあとについてこっそりとすべりこんだ。

「何してんの?」二人に気づいたオクサがひそひそ声でとがめた。「チョー危険よ!」

「おれたち抜きでおまえをこんなとこに行かせるわけないだろ、ちっちゃなグラシューズさん!」子どものフォルダンゴを抱《だ》いたテュグデュアルが答えた。

オクサはあきれたというように目をぐるりと回した。そして内心、この二人がいてくれてよかったと思っていることがばれないように顔をそむけた。

「さあ、反逆者《フェロン》たちの巣窟《そうくつ》に何があるか見てやろうじゃないか」

テュグデュアルはオクサたちを先にうながした。

かなり長い階段を下りていくと、島の地底なのだろうか、十くらいのドアが並ぶ広い廊下《ろうか》に出た。壁に明かりがゆらめいており、息苦しさを感じさせる。しかし、オクサたちが入ると廊下の奥の巨大な換気扇がまわり出して塩気のある空気が入ってきたため、少し息苦しさは和らいだ。

「こっちだ!」オーソンがひとつのドアを押した。

みんなは彼のあとに続いた。見えない鍵《かぎ》がカチリと音を立てて閉まった。そこは実験室用に改造されただだっ広い部屋だった。ドラゴミラが持っているのと同じくらい見事な蒸留器が真ん中にでんと据《す》えられ、壁の棚はありとあらゆる大きさの瓶《びん》や試験管で埋《う》まっていた。部屋のすみの暗がりには岩石や結晶であふれた大箱がいくつか置いてある。オーソンは息子を簡易ベッドに寝かせた。大きな戸棚を乱暴にかきまわしてあれでもない、これでもないと探していたが、やっと金褐色の液体の入った小瓶を見つけ出した。ドラゴミラは興味津々で近づいた。

「わたしの作った強壮剤だ」だれからも聞かれていないのにオーソンは話し始めた。「イエローストーン（アメリカ中北部にある国立公園）の湧き水に、痛みを和らげる効果のある孔雀石をつけこみ、疲労回復のためにマダガスカルのラブラドル長石のかけらを加え、折れた骨を接骨するためのサラゴサのアラレ石を少し混ぜたものだ。あとひとつ必要不可欠な材料があるが、それについては黙っておいたほうがいいだろう」

そう言うと、ベッドにかがんでモーティマーの口を少し開けさせて薬を数滴落とした。数秒すると、モーティマーの凶暴《きょうぼう》な顔に生気がもどった。ドラゴミラとパヴェルがいることに気づくと、はっと身を引いて体を丸めた。すぐにバーバラが抱き寄せたが、体がまだ痛いらしく、うめき声をあげた。

「もう数滴飲め」オーソンは小瓶を差し出した。

モーティマーはオーソンの言うとおりに薬を飲み、ゾエに目をとめた。彼女のことをじっと見ながら、満足そうに伸びをした。顔には大きなすり傷があるが、ネコ科の動物のようなしなやかさでベッドから跳《と》び下りた。その回復の速さに〈逃げおおせた人〉たちはがく然とした。

「鉱石の効果というのはすごいだろう?」と、オーソン。

「おそらく、植物の効果と同じぐらいにね」

オーソンのさも得意げな調子にうんざりしたドラゴミラは言い返した。

「それなら、自分でこの子の治療をすればいいじゃないか」

ギュスを見ながら、オーソンは皮肉った。

ドラゴミラはオーソンの見下したような態度にあきれたが、なるべくおだやかに接しようと努めた。

「ギュスをこんなにしたのはあなたなんだから、解毒剤を持っているはずよ。不老妖精の言葉を聞いたでしょう? 時間がないのよ。あなたがすでに持っている治療薬を、どうしてわたしが貴重な時間を削《けず》って作り出さないといけないの? もし脅《おど》したりしたら、二つの世界の未来、つまりあなたの世界を危険にさらすということを覚えておいてね」

「おお、ドラゴミラ、ドラゴミラ」オーソンはため息をついた。「いらいらしすぎてうわごとを言っているのだろうね。わたしがそんな無責任なことをするわけはないだろう?」

「たしかに、どうやったらそんな無責任になれるのかしらね……」

そう皮肉ったドラゴミラは簡易ベッドに横たわっているギュスの枕元にかがんだ。彼の両親とアバクムはベッドのそばに座っている。ジャンヌは息子の手をにぎり、ギュスから目を離さないでいた。子どものフォルダンゴもベッドにはい上がって体を丸めてギュスにぴったりくっついている。

「どういうことなのか説明してくれないかしら？」

ドラゴミラはギュスを見ていると、じわじわと怒りがわいてきた。

「簡単だよ」オーソンはうれしそうに答えた。「わたしのかわいい骸骨《がいこつ》コウモリの毒が、このかわいそうな少年の血管にまわっているんだ。その毒が原因で、人間や自然や機械の発する超音波や超低周波音に体が敏感になっている。けっこうすごい武器だろ？　ＣＩＡもすばらしい新世代の兵器を開発するために、そうした超音波や超低周波音からインスピレーションを受けているんだ。ひどい苦しみから逃《のが》れるために、この少年は気絶するほうを選んだというわけだ」

「選んだだって？」

思わず声をあげたピエールがオーソンをにらんだ。

「解毒剤をあげて！　すぐに！」

ドラゴミラが命令口調で言った。

オーソンは意地悪くあざ笑った。

「おまえの論理は原始的だね！　そんな原始的なやり方をわたしがすると思っているのかい？　じょうだんじゃない。この少年は死へとゆっくりと向かっているところだよ」

「だめよ！」

オクサがどなった。

ジャンヌは両手で顔をおおって泣きくずれ、ピエールはがっくりと肩《かた》を落とした。

「しかし、そうなんだ！」二人の様子にオーソンは満足げだ。「もちろん、わたしが処置してやらなければだがね……」

「約束したじゃない！」

オクサは怒りにまかせてどなった。

「そうだ。だから二つの選択肢のなかから選ぶことを提案する」

「なんて立派な君主様だ」

パヴェルがヒューと口笛を鳴らした。

「第一の解決法は、この少年が意識不明と耐《た》えがたい苦痛の二つの状態を交互に繰り返しながら思春期の間、苦しみ続けること。思春期が終わると、彼は静かに息をひきとる」

「それが解決策だっていうの？」

ドラゴミラは苛立《いらだ》った。

「第二の解決法は、解毒剤を吸収できるよう代謝を高めるための輸血を受ける。この解毒剤は、毒が最高潮に達するつらい思春期を軽々と跳び越《とこ》えさせるわけだ。おもしろいだろう？」

〈逃げおおせた人〉たちは第二の解決法がどう働き、どういう結果をもたらすのかをすべて理解できたか心もとなく、ただぼうぜんと沈黙していた。

「どうも疑っているようだな」オーソンはいかにも自信に満ちている。「わたしが提案しているのは、生か死かという簡単な選択以外の何ものでもないのだがね」

「あなたはどうかしてるわ」ドラゴミラがうめいた。

「きみの性格からすると、その寛大《かんだい》な血液提供者はミュルムというわけだな」

しゃがれた声でアバクムが言った。

オーソンは警戒《けいかい》するように目を細めてアバクムのほうを向き、あざけるように拍手をした。

「見事な推論だ」

「やっぱりそうなのか……」

「アバクム、どういうこと？　何がそうなの？」

オクサはおろおろしてたずねた。

21　卑劣《ひれつ》な代償《だいしょう》

妖精人間アバクムはオーソンの残忍《ざんにん》な視線をかわし、オクサと〈逃《に》げおおせた人〉たちのほうを向いた。

「エデフィアで聞いた話だが、ミュルムたちは著名な科学者を自分たちの秘密結社に無理やり参加させるため、恐《おそ》ろしい武器を完成させたのだそうだ。参加に消極的な科学者たちの子どもを標的にした武器で、単なる誘拐《ゆうかい》よりもずっと洗練されたものだ。その子どもたちを骸骨《がいこつ》コウモリに噛《か》ませる。毒は全身にまわるけれども、思春期までは潜伏《せんぷく》期間だ。思春期になると、あまりに苦痛がひどく、もう死しかなくなる。ところが、ミュルムたちは体の発育を早めることのできる解毒剤を持っている。つまり、思春期を跳《と》び越《こ》えることで苦痛から解放されるということだ。しかし、その代償はものすごく大きい。親も子どももミュルムになることを受け入れなければならない。みんなも知っている、ミュルムになることによるさまざまな影響もすべてふくめてね」

「おいおい、ミュルムになることには利点もあるじゃないか」オーソンがささやいた。

「たしかにな」アバクムは苦々しげに認めた。「しかし、その代償はどうだ？　他人の恋愛感情を半透明族《とうめいぞく》に売りわたすような人間になるわけだ。そんな犠牲《ぎせい》はエデフィア史上最悪のものじゃないか」

アバクムは再び仲間のほうを向いた。

「ミュルムたちはこうして長い間、子どもたちの生死をにぎることで必要な科学者を確保した」

「下劣だわ」

ドラゴミラが口ごもりながらつぶやいた。

「でも、どうしてギュスにミュルムの血を輸血しないといけないの？」

オクサがため息まじりに言った。

「解毒剤はミュルムにしか効かないからだ。考えればわかるだろう！」

オーソンはあざ笑った。

「どうして？　どうしてそんなひどいことを考え出したの？」

ドラゴミラは信じられないというように胸に手を当てた。

「思春期というのは人生のなかでいちばん不幸な時期だからだ。侮辱《ぶじょく》と恥ずかしさに満ちている」オーソンは冷たく答えた。

「それは普遍《ふへん》的な認識からはほど遠いな！」アバクムが言い返した。「きみにとっては不幸な時期だったかもしれないが……。きみが神経を病んでるからといって、そんな武器を使う理由にはならない。それに、まるで自分が作ったような言い方をしているが、きみ自身はこの胸くそ悪い武器の発明者じゃない。祖先のテミストックルだ。祖先が残してくれたものに異常に執着して使っているだけじゃないか」

アバクムの侮辱的な言葉でプライドが傷つけられ、オーソンの顔は引きつった。

「いずれにしても、この少年を救う解毒剤をいま持っているのはわたしだ。わたしだけだ！」と、意地悪そうに言い放った。

ピエールとジャンヌは哀願《あいがん》するようにアバクムとドラゴミラを見た。それ以上オーソンを挑《ちょう》発《はっ》しないように無言で訴《うった》えているのだ。ギュスの命は彼の手中にある。ささいなことがとりかえしのつかない悲劇を生むことをだれもが感じていた。

「あるいは、お望みなら第三の可能性もある」オーソンが冷たい声で宣言した。「解毒剤は二つある。ひとつはこの部屋にある。もうひとつは、父とわたしで、〈断崖山脈《だんがい》〉にある水晶でできた洞窟《どうくつ》の金庫室に保管している。わたしの助けがそんなにいやなら、その子をエデフィアに連れて行って第二の解毒剤を投与すればいい。ただし、その方法をとるにしても、骸骨コウモリによって引き起こされる痛みに耐《た》えるためにはミュルムの輸血は避《さ》けられない。結局、彼《かれ》は〈外の人〉にすぎない。体のつくりがちがうんだ」

オーソンは悪意のある笑いをもらした。

「ぐずぐずするのはやめよう！」ピエールがついに口をはさんだ。「つまり、きみが持っている解毒剤を投与するためには、まずミュルムがギュスに輸血しないといけないんだな。痛みがなくなる代わりに、いったいギュスはいくつ歳をとるんだ？」

「せいぜい二、三年だ」

「でも、〈外の人〉がどうやってミュルムになれるわけ？」

オクサが信じられないといった様子でつぶやいた。

オーソンは陰険《いんけん》な薄ら笑いを浮かべた。

「さすがはわたしの優秀な生徒だ！　〈外の人〉も〈内の人〉もミュルムの秘薬を飲まなければ、完全にはミュルムにはなれない」

「半透明族の鼻汁から作る気味の悪いあれね」

オーソンは驚いたようにオクサを見て、残忍そうにうなずいた。

「どこからそんな情報を聞いたのか知らないが、そのとおりだ。血だけでは十分ではない。秘薬を飲んで完全な変身をとげるまでは、仮の状態を維持できるだけだ」

「はったりだ！　血だけで十分だ」ナフタリが口をはさんだ。

「どうしてそんなことがわかるんだ？」オーソンが問い詰《つ》めた。

「わたしはミュルムになるのにその悪魔のような薬を飲む必要などなかった。母はわたしを妊娠したとき、血によってその遺伝子を伝えたんだ」

オーソンは引きつった笑い声をあげた。閉めきった部屋に陰気な笑い声がひびいた。

「気の毒に……おまえの母親は優秀な科学者だったが、気が弱かったんだな。たしかに、おまえがミュルムになるのには彼女《かのじょ》の血だけで十分だったはずだが、そのためにはおまえを妊娠したときに母親はすでにミュルムでなければならなかった。彼女がミュルムになるよりずっと前におまえを生んでいたことは聞いてなかったのか？　生まれたとき、おまえは単なる匠人《たくみびと》だった。知らなかったのか？　おまえの母親が自分でおまえにミュルムの秘薬を投与したから、おまえは完全なミュルムになったんだ。もちろん、わたしの親切な父親の助言にしたがってだがね……」

ナフタリの顔は青ざめ、体がふらついた。アバクムがナフタリをかかえるようにして支えた。

「おまえの母親は自分の弱さをうまく受け入れることができなかった」オーソンは皮肉をこめて続けた。「やましい気持ちや罪悪感でいっぱいだったんだ！　彼女はそうするしかなかったわけだ」

「オシウスが母を脅迫《きょうはく》したことを言ってるのか？　あいつは母にミュルムになるよう強制したのか？」ナフタリの口がわなないている。

「父のおかげで、おまえは比類なき力を持つ男になったわけだ。そんないやそうな顔をしないで、感謝してもいいんじゃないかな」

その事実は受け入れ難いものだった。誇《ほこ》り高い巨漢であるナフタリの体からがっくりと力が抜けた。

「そんな昔のことはいまは重要じゃない……」

ショックを受けているナフタリをかばってアバクムが口をはさんだ。

「ナフタリ、さっきのおまえが言ったことに話をもどすと、たしかに血は不可欠だが、この少年がミュルムになるには不十分なんだ。ミュルムの秘薬を飲んではじめて完全に回復するわけだ」

「どうしてさっさとそれをギュスにあげないの？」

苛立《いらだ》ったオクサが声をあげた。

オーソンはあきれたというように目を見開き、苛立ったような、それでいて楽しそうな様子でオクサを見つめた。

「だれか、ここで半透明族を見たかね？」オーソンは周りにいる反逆者《フェロン》たちに向かって問いかけた。「ミュルムの秘薬を作るのに必要な〈断崖山脈〉の石〈冷光〉がひとかけらでもあったかね？」

反逆者《フェロン》たちは首を横にふった。

「ミュルムの秘薬のことをずっと前から知っていた若いグラシューズならわかるだろうが、〈冷光〉もなく半透明族もいなければ、秘薬は作れない。そうじゃないかね？」

「気味の悪いあれを飲まなければ、ギュスは完全には助からないということなんだ」その決定的な論理にオクサはうろたえた。「つまり、だれかが自分の恋愛感情を永久に半透明族に餌《えさ》としてあたえない限りは、ということ……」

オーソンは答える代わりに、先祖から受け継いだどう猛な目を光らせ、せせら笑った。

22

拒否《きょひ》された申し出

青ざめた顔をした〈逃《に》げおおせた人〉たちはできるだけ冷静になろうとした。簡易ベッドに横たわり、死人のように表情のないギュスにみんなが心配そうな視線を向けた。大人に混じって、ゾエはショックに身をすくませていた。オクサはといえば、震《ふる》えを止めることができず、爪《つめ》をかんでいた。

「受け入れるしかない」

オクサはようやくそれだけ言った。

ギュスの両親はドラゴミラ、アバクムと二言三言、言葉を交わし、決断をくだした。

「同意しよう」アバクムが固い表情をして言った。「われわれの仲間のミュルムがギュスに血をあげるという条件でなら」

オーソンは驚いて首をかしげた。

「きみたちは交渉できる立場にあると思っているのか?」

そのとき、悲痛な叫《さけ》び声があがった。ギュスが意識を取りもどしたのだ。簡易ベッドの上で苦痛に体をよじっている。毒のために体がけいれんしているようだ。ギュスの両親は息子をベッドに押さえつけたが、ギュスの力のほうが強かった。彼《かれ》はベッドから飛び起き、ジャンヌの手をこっぴどく引っかいた。あまりに凶暴《きょうぼう》なので、ギュスが何かしでかすのではないかとみんなは後ずさった。アバクムだけが引っかかれたり、噛《か》まれたりする危険をものともせずに近づいた。ギュスの耳元に何かをささやきながら、彼の体を両腕《りょううで》でしっかりかかえた。オーソンはその様子を感心したように見守っている。

「なかなかうまい」

オーソンはゆっくりと拍手するような真似をした。

アバクムの腕の中で、ギュスの抵抗は少し弱まった。恐怖と苦痛で大きく見開いた目はオクサのところで一瞬止まった。オクサは雷《かみなり》に打たれたようなショックを受けた。

「おれがやるよ！」

とつぜん、テュグデュアルが袖《そで》をまくり上げながら前に進み出た。

ドラゴミラはテュグデュアルの肩《かた》に手をおいた。

「あなたの申し出はとてもうれしいけれど、できるだけ……ミュルムの起源に近い血筋のほうがいいと思うのよ」

テュグデュアルはがっかりしたようだ。

「本当にありがとう、テュグデュアル」今度はピエールが言った。「きみの申し出にはとても感謝するよ。でも、ドラゴミラの言うことは正しい。ギュスは〈外の人〉だから、なるべく可能性が高いほうがいい」

「きみは彼らの仲間としてふさわしくないということが、まだわからないのか?」オーソンがテュグデュアルに向かって言った。「わたしの側につけ。そうすれば、それ相応の評価を受けられるだろう。まだ遅くないんだ」

テュグデュアルは黒いマフラーの中に首を縮こまらせ、傷ついたようにオーソンをにらんだ。これまで示してくれた忠誠心《ちゅうせい》にもかかわらず、テュグデュアルがオーソンの誘《さそ》いに乗るのではないかと疑っている自分自身にオクサは驚いた。どうしてテュグデュアルのことを信用できないんだろう? 自分は卑怯者《ひきょうもの》だ。忠実でない人がいるとしたら、それはテュグデュアルではなく、あたしだ。

「わたしたちはテュグデュアルが想像する以上に彼を好きなのよ。しかも、それは彼が特殊《とくしゅ》な能力を持ってるからじゃないわ」

ドラゴミラがこう言い返したことに、テュグデュアルは驚いた。

「レミニサンスを呼んでくる!」ナフタリがさえぎった。

「わたしの申し出を断って、彼女を選択するというのかね?」オーソンが声をあげた。「笑わせるね! お忘れかもしれないが、わたしたちにはまったく同じ血が流れているんだ。わたしの血も彼女と同じ価値がある」

「たしかにそうだが、きみの心のなかにあるものに同じ価値はないね!」ナフタリが言い返した。

「この扉《とびら》をあけてくれ、オーソン」

オーソンはしぶしぶその言葉にしたがった。人差し指の先をまわすだけで、錠前《じょうまえ》がカチリと音を立て、扉が廊下に向けて開いた。ギュスの押し殺した叫び声がひびくなか、ナフタリの姿は廊下に消えた。

数分すると、レミニサンスが緊張の面持ちで部屋に入ってきた。反逆者《フェロン》たちのほうには見向きもせずに、再び気絶したギュスの枕元に駆《か》け寄った。そして、優しく額にキスをし、悲しそうにほおをなでた。そして、袖をまくってこぶしをにぎり、青っぽい血管を浮き出させた。上着の内ポケットから短剣を出して手首を切ろうとしたとき、オーソンが小ばかにしたような笑い声を立てた。

「おやおや！　騎士道時代の遺物を出すにはおよばないよ。いまは二十一世紀なんだぜ」

レミニサンスはかっとして兄のほうに目を向けた。オーソンは輸血に必要な医療器具のぶらさがった台を押してきた。

「さわらないで」レミニサンスは不機嫌につぶやいた。

オーソンは立ち止まった。

「とても協力的とは言えないね！」オーソンが嫌味《いやみ》を言った。「アニッキ！」と、廊下に向かって叫んだ。「だれかアニッキを連れてきてくれ！」

しばらくして、金髪の若い女性がやってきた。部屋に重要人物がそろっていることにとまどっているようだ。彼女は敬意をこめてレミニサンスに長椅子に座るよううながし、ビニールのバッグにつながった注射針を腕に刺した。すぐに血が流れてきてバッグがいっぱいになると、アニッキは輸血を始めた。こうして、ギュスは腕に差しこまれたカテーテルをとおして、レミニサンスの血をもらった。彼女は伝説のテミストックルの子孫であるうえに、グラシューズである母親の血とミュルムである父親の血を受け継いでいる。エデフィアのなかでも最も強力かつ不吉で栄光に満ちた血を持っているのだ。

23 悪化

オクサはギュスの生気のない顔を何時間も見守った。そして睡魔《すいま》に負けると、不吉でいやな夢をいくつか見た。最後に見た夢があまりにおぞましかったために、すっかり目が覚めてしまった。ギュスが陰険《いんけん》なカラスに変身し、オクサの顔を爪《つめ》でむちゃくちゃに引っかいたのだ。そして水平線の謎の光に向かってばたばたと羽ばたいて飛んでいってしまった。オクサはその残像を追いはらおうと頭をふった。そんな夢を見たことにとまどい、ため息をついた。同時に、自分がひどく空腹なことに気づいた。いつから食べてなかっただろう？　おなかが鳴った。オクサは自分が恥ずかしくなり身震《みぶる》いした。すぐ近くでギュスがこんな状態なのに、どうしておなかがすいたなんてことを考えられるんだろう？

オクサは周りを見回した。ギュスのそばには、眠っているテュグデュアルとゾエしかいない。

少し離れたところには、休んでいる大人たちがいる。子どものフォルダンゴはギュスの首に顔をうずめて寄り添い、いびきをかいている。なんて優しい子。オクサはフォルダンゴをなでながら、ひとり言をつぶやいた。それから、視線はテュグデュアルに向いた。足を組み、細い体を長々と伸ばしたテュグデュアルは、オクサの知らないひそかな苦悩を顔にきざんでいた。こんな状況を利用していることを恥じながらも、誘惑《ゆうわく》に勝てず、オクサはしばらくテュグデュアルをながめていた。

ギュスが軽いうめき声をあげ、虫を追いはらうように手をふった。オクサはぱっと立ち上がり、それから再びソファに腰《こし》かけた。ギュスは快方に向かっているようだ。表情がおだやかになり、呼吸も静かになっている。でも、この恐《おそ》ろしい輸血の結果はどうなるのだろう？　オクサは真っ赤な点滴装置とギュスの動かない体を交互に見た。ギュスは死ぬまで心の一部を占めるにちがいない親友なのだ。

広間の柱時計が弔《とむら》いの鐘のように屋敷じゅうに不気味にひびいた。六時だ。もうすぐ明るくなるだろう。始まったばかりのこの一日の終わりには、もうギュスは変わっているはずだ。身長も体の厚みも数センチ増すだろう。顔がもう少し角ばり、あごもたくましくなり、大人っぽい目つきになるんだろうか？　十六歳か十七歳の自信を持つようになるのだろうか？　新たな肉体と思春期のままの心のギャップをうまく埋《う》めることはできるだろうか？　自分とギュスの関係は変わるだろうか？　自分はギュスを前と同じように好きになれるだろうか？　まるでオクサの考えていることを読み取ったように、ゾエがつぶやいた。

「大事なのは、彼《かれ》がこの苦痛を乗り越えて生きのびることよ」

自分が見られていたことに気づいて、オクサははっとした。もちろん、大事なのはギュスが生きのびることだ。こんな状況にあって、自分がいちばん心配していたことは何か？　ギュスが二つか三つ年上になることだなんて。

「あたしって、どうしようもない。ほんと、どうしようもない」

オクサはそう言ってから、息を深く吸いこんで、ゾエを見つめた。土気色《つちけいろ》の顔、目は赤く、くちびるは心配のあまり色を失っている。〈逃《に》げおおせた人〉たちのなかで、いちばん弱っているのはゾエなのかもしれない。つらいことばかりが続いた一年だった。モーティマーとの再会もよい方向にはいかなかった。

「あいつ、ずいぶん変わったね？」オクサが口を開いた。

「だれ？」

ゾエはソファの中に丸まっていた。オクサと会話を続けるかどうか心が決まらないようだ。

「モーティマーよ。人が変わったみたい」

ゾエはため息をついた。オクサも知らないし、だれも気づかないことがある。それは、ゾエがひどくショックを受けていることだ。ゾエはそのことを打ち明けたい気持ちと、これまでのように沈黙を守るべきだという思いの間で揺《ゆ》れた。オクサはうながすようにゾエを見た。話すことで気持ちが楽になることもある。

「おばあちゃんが殺してしまうかと思った……」ゾエはほとんど聞こえない声でつぶやいた。

「怖《こわ》かったよ、オクサ。わたしはおばあちゃんのことをよく知らないんだってわかった。あんなことができるなんて……」

「すごく苦しんでるんだよ……」

「それは言い訳にならない。あの凶暴《きょうぼう》な復讐心《ふくしゅうしん》はオーソンに似てる。彼女《かのじょ》の内面にあるものが初めてわかってショックを受けたし、心が張《は》り裂《さ》けそう」

どうすることもできないでいるオクサの目の前でゾエは深く息を吸いこんだ。

「まるで悪循環の渦《うず》に巻きこまれているみたいに、悪の作用が強くなっていく感じ。パパはオーソンに殺された。それだけでも、わたしなら耐《た》えられない。でも、おばあちゃんにとっては、双子の兄に息子を殺されたのよ！　しかも、一人息子を！　わたしがそんな恐《おそ》ろしいことを知ったのは今日だけど、おばあちゃんはそのことをずっと前から心の奥底にしまっていたんだ。どうして、オーソンはパパを殺したんだろう？」

ゾエは両手で顔をおおった。オクサは動けないでいた。何が言えるだろう？　オクサにも、だれにも答えられない。ゾエの心の傷が開いて広がっていくのがわかったが、オクサは自分にはそれを食い止めることはできないと思った。オクサは立ち上がって、ゾエの横に無理やり場所を空けさせた。そして、肩《かた》からななめがけにしているポシェットの中をかきまわし、革《かわ》の編みひもで閉じるようになっている小さな財布をゾエにわたした。空から雲を取り除いてくれる、オクサのお守りだ。ゾエは頭をオクサの肩にもたせかけ、袖《そで》の折り返しで涙をふいた。

「ありがとう」ゾエがささやいた。

オクサはかすかに笑いかけた。オクサの空よりも、ゾエの空のほうが雲が厚いだろう。

「わたしもモーティマーは変わったと思った」ゾエが口を開いた。

「なんか、居心地《いごこち》が悪そうだったよね。まるで、あんたの側に来たかったのに、できなかったみたいな感じ」

ゾエは答えなかった。最後にハイドパークで会ったときからわかっていた。二人は別々の道を選んだのだ。

「あいつ、あんたのことをじっと見ていたよ」オクサが続けた。

ゾエはソファにどさりと体をしずませた。そうだ。モーティマーは自分から目を離さなかった。その目に浮かんだ光にうろたえた。自分が拒否《きょひ》したための落胆《らくたん》と恨《うら》み。悲しみも。それとも……この気持ちは同情なのだろうか？　心を閉ざすことができたらどんなにいいだろう。心にいいことだけを受け入れて、ほかのことを拒絶できれば……。そんなことはできないとわかっている。だが、さっきオクサに言ったように、いま大事なのはギュスが生きのびることだ。ギュスのことが大好きだ。そして、ギュスはオクサが大好き……。

「輸血が終わりました」

とつぜん、アニッキがやってきてささやいた。

彼女は用心しながらギュスの腕《うで》からカテーテルを抜いた。輸血している間、ギュスは微動だにしなかったし、動けないのだろうとみんな思っていた。だから、ギュスが瞳孔《どうこう》の開いた目を大きくあけて急に起き上がったのをみると、みんなが驚いた。アニッキは叫《さけ》び声をあげて後ずさった。オクサとゾエはソファから飛び起きた。

「気分はどう？」オクサはどきどきしながらたずねた。

ギュスはぼうっとオクサを見ている。

「変な感じ……何が起きたんだい？」アニッキが輸血の道具を持っていくのを見ながらたずねた。だれも返事をする時間はなかった。ギュスはそれまでよりずっとひどい発作におそわれたようだ。体が急にびくっとし、のどの奥《おく》から噴《ふ》き出すうなり声にオクサとゾエとテュグデュアルは凍りついた。オクサはさっと立ち上がって、ベッドの端に座った。

「オクサ……」ギュスの顔はゆがんでいる。

「だいじょうぶ！　あんたは治療してもらってるんだから」オクサは涙《なみだ》を流しながらつぶやいた。

「じゃあ、どうして泣いてるんだよ？」ギュスはけいれんで体を引きつらせた。「どうして、こんなに痛いんだ？」

意外なことが起きた。ギュスがオクサの手をとり、手首を噛《か》んだのだ。オクサはするどい叫び声をあげた。すぐにテュグデュアルがギュスに跳《と》びかかって押さえつけ、〈逃げおおせた人〉たちと反逆者《フェロン》たちが驚いてかけつけた。身動きできずにベッドに座ったままのオクサをパヴェルが離れた場所に連れて行った。腕をかけめぐるものすごい痛みよりショックだったのは、ギュスの行動がわけのわからないことだ。

「どうしてこんなことすんの、ギュス？　あたしが何をしたっていうの？」オクサはつぶやいた。

オクサの周りは大騒《おおさわ》ぎになった。反逆者《フェロン》たちですら心配そうだ。若いグラシューズがギュスに噛まれた。骸骨《がいこつ》コウモリの毒を大量に体内に持ち、細胞に大きな変化が起きている少年にだ。深刻な事態になるかもしれない。ピエールとアバクムに腕を押さえつけられたギュスは恥ずかしさと怒りのために暴れている。

「いったい何が起きたんだ？　こんなことしたくなかったんだ！　オクサ！　オクサ！　許してくれ！」

とつぜん、ギュスの頭がぐらりと揺れた。体がぐったりとして、再び意識がなくなった。部屋のすみでは、あまりのことに凍りつくゾエの目の前で、青ざめたテュグデュアルがクラッシュ・グラノックをしまっていた。

24　強烈な衝撃波《しょうげきは》

「何をしたの？　ギュスを……ギュスを殺したの？」

ゾエのくちびるはわななないている。

テュグデュアルはぎょっとしてゾエを見つめた。意外にも優しい仕草で、彼はゾエの顔を、自分のほうに向けさせた。

「ギュスはおれたちの仲間だ。彼を危険に陥《おとしい》れるようなことは絶対にしないよ。グラノックの〈睡眠弾《すいみんだん》〉を発射しただけさ。オクサを守り、ギュス自身を守るために。信用してくれよ、ゾエ。おれは絶対にやつらの仲間にはならない」

テュグデュアルは反逆者《フェロン》たちのほうを目で示した。

ゾエは身震《みぶる》いした。見かけによらず、テュグデュアルはゾエよりもずっと〈逃《に》げおおせた人〉たちに忠実だ。彼は迷ったことはないのだろうか？　たとえあったとしても、彼が迷った様子を見せたことは一度もない……。ゾエの考えていることを肯定するように、テュグデュアルはほとんど聞こえないぐらいの声で言った。

「おまえの選択は正しかったよ。やつらはおまえを利用したかっただけさ」

そして、わかってるよ、というような目つきでゾエを見て、オクサのところへ引っぱっていった。

〈逃げおおせた人〉たちに取り囲まれたオクサは、それまで経験したことがない苦痛を味わっていた。手足がひどく痛み、しだいにはれてきた。自分と仲間の呼吸や心臓の鼓動、そして島を囲む波の音、空を舞っているカモメたちの羽ばたき――。そういったものすべてが衝撃波となってオクサの体に伝わってきた。自分が感じているその責め苦を言葉に表現できるとしたら、脳みそと肺とあらゆる血管を焼きつくす灼熱の風にたとえただろう。オクサはその猛烈《もうれつ》な衝撃波をさえぎろうと耳をふさいだが、むだだった。その超低周波音の衝撃波は何ものもさえぎることはできない。オクサの体内に広がり、彼女を殺すのだ。反逆者《フェロン》たちも不安そうに〈逃げおおせた人〉たちの周りを取り囲んだ。オーソンは手下たちをかき分けるようにして、オクサに近づこうとしたが、ドラゴミラとレミニサンスにさえぎられた。

「自分の卑劣《ひれつ》な行いの結果が誇《ほこ》らしいでしょうね？」ドラゴミラは怒りに震えている。

オーソンはおびえた。本当に心配している顔だ。

「わたしの裁判は後回しにしよう」オーソンは冷たく言い放った。「ちょっとした緊急事態だろう？　解毒剤を必要とする人間は、いまやこの少年だけではなくなった」と、頭をかかえてうめいているオクサのほうに視線を向けた。

オーソンは小瓶《こびん》をふりかざしながら、妹たちを押しのけた。〈逃げおおせた人〉たちはギュスに近づくオーソンを拒絶《きょぜつ》できなかった。

「アニッキ！　ピペットを持ってこい！　それに輸血の器具だ！」

アニッキはすぐに命令に従った。みんなが緊張して見守るなか、オーソンはギュスの青ざめたくちびるのすきまに貴重な解毒剤を垂らした。

「これからどうなるの？」ドラゴミラがたずねた。

オーソンが片手で輸血台を指差すと、アニッキがすぐ準備にとりかかった。オーソンはもう一方の手で父親の腕《うで》のなかで震えているオクサを指した。だれもがこれから否応なく行われることを理解し、おののいた。

「ほかに方法はないのか？」パヴェルが狼狽《ろうばい》してつぶやいた。

ドラゴミラが重い足取りで近づいてきて、首を横にふった。息詰《いきづ》まるような静けさが部屋を支配した。しかし、オーソンが腕をまくり始めると、レミニサンスが飛んできた。

「じょうだんじゃないわ、オーソン！　オクサをあなたの血なんかでミュルムにはしないわ！」

オーソンははっと手を止めた。獲物《えもの》に跳《と》びかかる瞬間の獣《けもの》のように目を細めている。その目は残忍《ざんにん》さと憎《にく》しみに満ち満ちている。

「おまえはもう、たくさん輸血したじゃないか！　そのせいで体が弱っているんだ。そのうえにまた輸血をしたら、命取りになるかもしれない」

〈逃げおおせた人〉たちは不安そうにレミニサンスを見た。疲労と興奮のせいで顔は灰色っぽい。うるんだ目を濃《こ》い隈《くま》がふちどり、背中が丸まっているせいで細長いシルエットが縮んだようにみえる。しかし、必死に体をまっすぐに起こし、きっぱりと言った。

「オクサがこの化け物の血をもらわないですむなら私は死んでもいいわ！」

その激しい言葉にゾエは小さなうめき声をあげた。自分は祖母にとっては大事じゃないんだ。オクサを助けて自分を見捨てようとしている。悪夢だ。

「それほどまでに言うなら、親愛なる妹の言うとおりにするかね」オーソンはつっけんどんに言った。「アニッキ、やってくれ！」

アニッキは注意深く輸血台をセットした。この作業は重大な意味を持つ。

「数時間で解毒剤が効くだろう」オーソンが言った。「オクサとこの少年は一時的に救われる。

ただ、少し……変わるだろうがね」

「二人は苦しむのか？」

するどい調子でパヴェルがたずねた。

「そうだとも、そうでないとも言えるね。解毒剤は超低周波音や音波をさえぎる壁となって毒の効果を消す。しかし、急激な発育のために体が痛む恐《おそ》れはある。精神面での不都合もあるかもしれない」

「不都合とは？」ピエールがうなった。

オーソンはとげのある視線を向けた。

「何の影響もなしに数年歳をとることはないからな」

「おねがいだ！　早くしてくれ！」

パヴェルが口をはさんだ。

みんなの視線がパヴェルに集まった。彼の腕の中で、オクサはこん睡状態に陥《おちい》ってぐったりとしていた。

25　急成長

オクサが深い眠りから目覚めたときの最初の印象は、ものすごく気持ちがいいというものだった。気を失う前のおぞましい出来事や、生きたいという意志すら打ち砕《くだ》かれるような耐《た》えがたい苦痛もすべて覚えていた。死んだのだろうか？　ギュスに噛《か》まれたから？　まるで無重力状態にいるかのように体が軽い。呼吸はおだやかで、おなかまでぐるぐる鳴っている！　生きてるんだ！　うれしくて心のなかで叫《さけ》んだ。

でも、どこにいるんだろう？　最後に見た光景は、アニッキがレミニサンスのかぼそい腕《うで》に注射針を刺したのと、父親のものすごく心配そうなまなざしだった。痛みはなくなったのに、その記憶は生々しく残っている。でも、怖《こわ》くはない。怖くてしかたがなくても不思議はないはずなのに、オクサは気分がよかった。自信に満ち、落ち着いていた。

オクサは目を開けてみた。暖かい乳白色の霧《きり》に包まれている。自分がどこにいるのかも予想できた。手を伸ばしてみると、その考えが正しいことがわかった。指に触《ふ》れたのは癒《いや》しの球体、ナサンティアだった。双子のフォルダンゴの胎盤《たいばん》から作られた膜だ。葉脈《ようみゃく》のようなものが浮き出ている薄い膜はおだやかな心臓のようにかすかに震《ふる》えている。理科室での事件のときと同じように、オクサに力と気力をあたえてくれている。

耳をすますと、〈逃《に》げおおせた人〉たちのなつかしい声が聞こえてきた。オーソンの声も聞こえる。すっかり目は覚めていたが、出て行くにはまだ早い。背後に別の人の呼吸と心臓の鼓動《こどう》が聞こえるからだ。位置を変えようと体をひねり、後ろを向こうとした。ナサンティアが少し揺《ゆ》れて、外でほっとした声が上がるのが聞こえた。

やっと半回転すると、オクサの目の前には背中と、見覚えのある漆黒《しっこく》の髪《かみ》があった。ギュスだ！　ギュスが自分といっしょにナサンティアの中にいる！　そうか、当たり前だ。二人とも同じ処置を受けたんだから。二人とも同じ状況だったんだ。ほとんど……。基本的には〈外の人〉と〈内の人〉の血は互換性がある。でも、本当にそうだろうか？　オクサは不安になって、ギュスをじっと観察した。落ち着いて、オクサ！　と心のなかで叫んだ。ギュスは生きている。二人とも生きている。それ以外のことは大して重要じゃない。オクサはギュスをじっと観察した。髪が伸びているし、腕が長くなっている。肩幅《かたはば》も広くなっているようで、シャツの布がピンと張って縫《ぬ》い目が裂《さ》けそうだ。自分の服もきつくなっているのに気づいた。「ええーっ！」うろたえたオクサは自分にも起こったにちがいない変化のことを考えて恐《おそ》ろしくなった。

「ギュス、聞こえる？」

丸みをおびて大人っぽい自分の声を聞いてオクサはびくっとした。すると、ナサンティアの鼓動がさらにはっきりし、癒しの波長がゆっくりと規則的になるのがわかった。キュルビッタ・ペトの動きも加わって、心が落ち着いてくる。あらゆる不安が取り除かれ、悟《さと》りの境地にいるようだ。しかし、ギュスが自分のほうを向いたとき、心の準備ができていたとはいえ、おたがいの姿を見て、あぜんとした。

「わあ……」二人は同時に声をあげた。

ギュスの声は低くて優しかった。だが、その変化はほかに比べれば取るに足らないことだ。ほお骨が前より突き出し、顔の輪郭ががっしりしている。繊細《せんさい》な感じは変わっていないが、あごが以前よりやや角ばり、硬いヒゲが少し生えている。目の輝きも前とちがって見える。ハンサムなのは変わっていないが、その美しさは十四歳のときとはまったくちがうものだ。

「ウソみたい！」オクサは声をあげた。「あんただけど、あんたじゃないみたい」

ギュスは大きく目を見開いた。

「おまえだって、自分を見てないだろ」

オクサは自分の手を見てうなった。それから、おそるおそる顔に触れた。骨格が変わって、少しほっそりしたようだ。ほおも少し丸みがとれ、鼻が細くなったような気がする。

「あたしって、どうなった？」

オクサは不安げにたずねた。

「すごく醜《みにく》いよ」

ギュスは平然と答えた。

オクサがうめくと、ギュスはにっこりとほほえんだ。オクサはほっとした。

「じょうだんだよ。すごくきれいだよ！」

ギュスはブルーの目を伏《ふ》せた。

オクサは自分の全身を点検した。変わったのは顔だけではない。体もずいぶん成長していた。胸が大きくなっているのにとまどったオクサは体を調べるのをやめた。ギュスは恥ずかしそうに赤くなってうつむいている。そんな自分の欠点は残念ながら変わっていない、とギュスは内心思った。

「もう出てもいいと思う?」

ギュスがとまどいながら聞いてきた。

「怖いな」

「ぼくもだよ。でも、死ぬまでここにいるわけにもいかないだろ?」

「ここは気持ちがいいよね」

「でも、すごく狭《せま》いじゃん。ぼくたち大きくなったしさ。おまえ、一メートル七十センチはあるぜ」

「やめてよ! 不安になるじゃない!」

二人はしばらくの間、口をつぐんでじっとしていた。自分たちの新たな状況に心がひどく乱れていた。父親のことを考えた。心配でたまらないだろう。母親は? 早く会いたくてたまらない。それから、やっとテユグデュアルのことに思いがおよぶと、いっそううろたえた。彼は「新しいオクサ」を好きになってくれるだろうか? オクサが体を動かすと、球体が縦《たて》に揺れた。すると、膜の口が開き、優しい顔があらわれた。

「アバクム！」

オクサとギュスは同時に叫んだ。

「気分はどうだい？」

そうたずねたアバクムの顔は驚きつつも、ほっとしているようだ。

「缶詰のイワシみたいにきつきつよ！」と、オクサが答えた。

アバクムは思わずにっこりとした。それから感激したように二人をしばらくながめて、ナサンティアの口を大きく開けた。

「先に出てよ」

オクサはギュスを押した。

「どうもご親切に」

ギュスがすかさず答える。不安だったが、だいじょうぶだとオクサに示すことができるのがうれしそうだ。


精神的にも肉体的にもそこから出るのは簡単ではなかった。アバクムに助けられながら、ギュスは体をよじってナサンティアの外に出た。シャツはついに肩のところが裂けてしまった。ぼうぜんとしている〈逃げおおせた人〉たちや反逆者《フェロン》たちの前に立つと、ギュスは見物人の好奇心にさらされる品評会の家畜《かちく》のように、自分をみじめに感じた。みんなはざわついた。

「まあ！」

ドラゴミラは両手を胸に当てた。

「すばらしい」

オーソンは小声で叫んだ。

ジャンヌとピエールだけはショックを受けていないようだ。二人は駆《か》け寄ってギュスを抱《だ》きしめたので、シャツの破れがひどくなった。

「よかった！　生きてるのね！」

ジャンヌが叫んだ。

ギュスの身長は母親を追い越し、父親との差もぐっと縮んでいた。ギュスはとまどいながらも、抱きしめられたり、キスをされるままになっていた。以前はゆとりがあって履《は》き心地《ごこち》のいいズボンだったのに、ベルトが腹を切るくらい締《し》めつけてくる。いまにもちぎれるのではないかとハラハラして、そればかり気になった。シャツのほうはもう上半身の半分しかおおっていない。アバクムはギュスのとまどいを察して、自分のキルティングの上着をかけてやった。ギュスは少し気が楽になった。

「オクサを手伝ってやらなきゃ」みんなの注意をそらそうとギュスが言った。「ほら、出て来いよ！　おまえの番だ！」ギュスは頭をナサンティアの中に突っこんだ。

「外に出たいかどうか……わからない」

オクサはまごついた。

「いまさら、そんなこと言うなよ。みんな待ってるんだよ！」

ギュスはオクサの気がすすまない気持ちがよくわかった。

「だれがいるの？」

「ほら、早く！」

ギュスがオクサの手を取ると、びりっと衝撃《しょうげき》が走った。二人ともそのことはおくびにも出さなかったが、その感覚にはっとした。オクサはナサンティアの狭い口をまたいで外に出た。それからおずおずと目を上げると、うれしくて頭がくらくらした。

「ママ！」

車椅子《いす》に座った母親が目の前にいた。まぶしさに目がくらんだ。心臓がどきどきし、うれしさのあまり血がものすごいスピードで駆けめぐっていく。ママがいる。やっと会えた！　オクサは母親に飛びついた。

「わたしのかわいい子」

マリーは顔を娘の髪にうずめながら、ため息をついた。

「ママ、うれしい」

オクサは母親の体に腕を回した。

それから、急にオクサのグレーの目から涙《なみだ》があふれだした。この数ヵ月間続いた計り知れない恐怖が少しずつ心をむしばんでいたはずだが、いま、とつぜん影も形もなくなった。母親と永久に会えないかもしれないという不安を一度も口にすることはなかったが、心の奥底にはその思いが常にあった。肉体の苦しみや大きな危険よりも、両親を失うかもしれないという考えがオクサを何よりもおびえさせた。オクサは身を震わせて泣いていた。しばらくすると、毅然《きぜん》とした態度で涙をぬぐい、母親の肩のくぼみに顔を押しつけ、不安と喜びと安堵《あんど》で声を詰《つ》まらせた。

「具合はどう？」オクサは母親の耳元でささやいた。「歩けないのね」

「だいじょうぶよ、本当に。歩けはしないけれど、元気よ。とにかく、あなたに会えたから、ずっと気分がいいわ」

たしかにマリーの具合はよさそうだった。再会の興奮で目が輝き、ほおがバラ色になっているうえに、オクサが絵の中に入る直前、四ヵ月前よりも元気そうだった。栗色の長い髪はつやを失っていたが、ほおのこけ具合がましになり、手の動きも前よりたしかで、体つきもしっかりしている。ほっとすると同時に不思議でもある。反逆者《フェロン》たちはちゃんとママの世話をしてくれてたんだ！　乾いたパンと水だけをあたえて地下室に閉じこめていたわけじゃないんだ。

「これで、わたしたちが無慈悲《むじひ》な野蛮人《やばんじん》じゃないとわかっただろう！」オクサの心を読んだようにオーソンが口をはさんだ。「ちゃんと客人にふさわしいもてなしをしたわけだ」

「客人をもてなしたって？　何よ、ずうずうしい！」オクサが思わず叫んだ。

マリーはひらひらと手をふった。オーソンの言うことなどどうでもいい。

「ああ、ママ！」

オクサは再びマリーにすがりついた。

「もうだいじょうぶよ」マリーは娘の髪をなでながら、耳元にささやいた。「あなたがここにいて、ちゃんと生きてる。それ以外に何もいらないわ」

「ママ、あたしをどう思う?」

マリーはオクサの両肩をつかみ、よく見ようと少しだけ後ろに引かせた。目に涙がたまった。

「あなたはいつまでもわたしの娘よ。そのほかのことは重要じゃないわ」

とつぜん、オクサは父親の大きな手がほおに触れるのを感じた。パヴェルがそこにいた。パヴェルは内心うろたえていた。再会に感激する一方、自分のなかでは小さな子どものままでいるオクサを、目の前のすっかり成長した娘のなかに認めたからだ。パヴェルは腕の中に飛びこんできた娘をしっかりと抱きしめた。気持ちが高ぶってうまく呼吸できない。自分の体が女らしくなったことは気づいていたが、新たな自分を正面から見るのは勇気がなくて先延ばしにしていた。

いまではオクサのあごの位置にあるパヴェルの肩ごしに、ドラゴミラとレミニサンスの驚いた顔が見えた。ドラゴミラは泣いているようだ。オーソンとメルセディカはその少し後ろに立っている。この二人はさも満足そうにしている。ドラゴミラとレミニサンスのそばにはブルンとナフタリがひかえめな態度でたたずんでいるが、涙に濡《ぬ》れている目から容易に感情を読み取ることができた。

その横にいるゾエとテュグデュアルはオクサとギュスから目を離せないでいた。ゾエは大きく目を見開いて青くなっている。テュグデュアルはというと、ショックを受けたというより不思議そうに眉《まゆ》を寄せている。その目はオクサの頭のてっぺんからつま先までを遠慮《えんりょ》がちに観察していた。オクサはひどくとまどった。胸が服に締めつけられて息が苦しくなるし、自分がどうなっているのかまったくわからないまま、みんなの視線にさらされている。サイコーのシチュエーションかも……。

「すごくすてきだよ」パヴェルが言った。

「父親だから、そんなこと言うんだよ！」

パヴェルは目を見開いてため息をつき、オクサの手を引っぱって部屋の奥の大きな鏡の前に連れて行った。そのとちゅうで、オクサは普通に立っているギュスを初めて見た。すごく背が高い！　すごくハンサムだ！

「わかってるよ。まるで超人ハルク（米国のマンガのキャラクター。映画化もされている）だろ」

ギュスは破れた服と、ふくらはぎの半分までしかないズボンを指差しながらつぶやいた。

思わずオクサは笑った。ギュスはゆうに十五センチは背が伸びたけれど、ユーモアのセンスは変わっていない。変わらないギュスを見るのはうれしい！

「鏡の前に立つテストをいっしょにするか？」

ギュスは急にまじめな顔になった。

オクサは何も言わずにうなずいた。二人はそれぞれの親に付き添われ、こわごわと大きな姿見のほうへ向かった。

26　いがみ合う二人

ドラゴミラのガナリこぼしが、鏡の前で固まっているギュスとオクサの頭上にいた。昆虫のようにぶんぶんうなりながら、はっきりとした声で宣言した。

「現在、若いグラシューズ様の年齢は十六歳二ヵ月と十三日です。身長は一メートル七十二センチで、体重は五十六キロです。胴まわりは……」

「もういいったら、ガナリ！」オクサはガナリこぼしに先を言わせないようにあわててさえぎった。「ギュスの番よ」

ギュスはうめき声をあげた。

「かんべんしてくれよ！」

「承知いたしました、若いグラシューズ様！　若いグラシューズ様のご友人は十六歳七ヵ月と二十八日です。身長は一メートル七十九センチで、体重は六十二キロです。そのほかに情報をご希望でしょうか？」

「ううん、ガナリ。それで十分」

オクサはうつろな声でつぶやくと、ぼうぜんとして鏡に近づき、そこに映る自分の姿を指先でなぞった。なじみがあるようでないような感じ。自分だけど、自分じゃない。前より体の線ははっきりし、ふっくらしている。以前とちがってまなざしも深くなっている。いまでは肩《かた》に届いている栗色の髪《かみ》を片手でさっと後ろにやった。これまでも未来の自分を想像してみたことはあった。シミュレーションゲームのように、ブロンドか黒髪か、ぽっちゃりかスリムか、スポーティーか気取り屋か、というふうに。しかし、覚えている限り、いま目の前にあるような姿になるとは想像したことがなかった。鏡に映った自分の姿は気に入ったが、それが自分だとはまだピンとこなかった。あまりにも早すぎるし、唐突《とうとつ》すぎる。自分を見ているマリーに、鏡越しに恥ずかしげなほほえみを投げかけた。

「前からイカしてたけど……」

後ろでテュグデュアルの声が聞こえた。

オクサはふり返る勇気がなく、鏡の中のテュグデュアルを見つめると、彼が近づいてきた。

「ほとんど同じ身長だな！」

テュグデュアルはオクサの肩に両手をのせた。

うなじにテュグデュアルの息がかかった。なるべくそっとしておこうという心遣《こころづか》いなのか、それ以上なれなれしくはしてこなかったが、熱を帯びたまなざしが鏡の中でオクサをじっと見つめていた。肩に置かれた両手から不思議な熱がオクサの胸に伝わった。ふとギュスに目をやると、彼は怒りのこもった目でテュグデュアルをにらんでいた。

「きみって、そんなに大きくないよな」

ギュスは皮肉っぽく言った。

「そうだな、そんなに大きくはないよ。でも、身長ってそんなに大事なのか？」

テュグデュアルはそう言いながら、ぐっとオクサに近づいた。

ギュスはテュグデュアルをにらみつけながら、口の中で何かつぶやいた。

状況が変わったとオクサは感じていた。ギュスがあらゆる意味でテュグデュアルに追いつき、二人は対等になった。彼らの意思にかかわらず、二人とも同じ長所と短所を持っている。抗《あらが》いがたい魅力《みりょく》と陰険な性格、頭のよさ、暗い一面。そして、オクサの心を激しく揺《ゆ》さぶること。

「急すぎるのよ……」オクサはつぶやいた。

自分の外見が女らしく変わったことで、オクサ自身がとまどっていることはだれしも理解できた。体のいろんな部分、どう扱っていいかわからない自分のまなざし……。しかし、心の奥底ではそのショックはもっとずっと激しかった。胸のどきどきのしかたすら変わっていた。十四歳の子どもみたいなときめきとはまったくちがう。この瞬間、相反する二つの欲望がオクサのなかで渦《うず》まいていた。身も心もテュグデュアルにささげてしまいたいという欲望と、ギュスの胸に顔をうずめて何もかも忘れたいという欲望。どうして、そんなことが考えられるんだろう？　自分はどうなってしまったんだろう？

その様子を見てか、テュグデュアルはオクサの首のつけ根に、羽根のように軽いキスをした。オクサの全身がかあっと熱くなった。感情の激しさが以前の十倍に膨《ふく》れ上がった気がした。オクサの目は鏡の中でテュグデュアルをじっと見つめた。その激しい思いは感じられたし、理解できたが、それが自分のものだとまだはっきり認識できない。

「おまえはすばらしいよ、ちっちゃなグラシューズさん」

テュグデュアルが耳元でささやいた。

オクサがぶるっと身震《みぶる》いしたことが二人の男の子にわかった。肩におかれた手に力がこめられ、オクサは全身の血がわきあがるのを感じた。テュグデュアルは、少し離れたところにいるマリーのほうへオクサを引っぱっていった。オクサは思わずふり返った。

「自分のしてることをよく考えるんだな」

ギュスは苦しそうな目を向けた。

短剣が心に突き刺さり、真っ二つに切り裂かれる気がした。

「雷《かみなり》を起こすのはやめろよ！」ギュスの言葉は傷をえぐる短剣のようだ。「責任を持て！　もう子どもじゃないんだからな！」

27　寄せ集めの大家族

もうひとつの現実にもどらなければならなかった。〈逃《に》げおおせた人〉たちと二つの世界のことだ。オクサは窓の外に目を向けた。荒野《こうや》の上にどんよりとした空が広がっている。見晴らしがいい。つまり、オクサたちはいま、屋敷《やしき》の二階にいるということだ。風はやんでいるものの、空には開いた傷のような不吉な黒いすじがついている。岩に打ちつける波は灰色の水しぶきを勢いよく飛ばしている。少し離れたところでは、水しぶきで羽のさかだったジェリノットが凍《こご》えた足を温めていた。そこにいる人たちの気分もふくめ、すべてが重苦しかった。オーソンだけが異常に満足そうだ。

「おいしい昼食をみなさんにごちそうしよう」

とつぜん、オーソンが言った。

ドラゴミラは警戒《けいかい》するようにオーソンを見た。

「彼の言うとおりだ」アバクムが小声で言った。「昨夜は大変だったから、力をつけないといけない」

口にしなかったが、オクサの空腹はおさまるどころか、ひどくなっていた。おなかがすきすぎて、胃がよじれるようだ。ここ二年もの間、何も食べていなかったような感じだ。

「どうぞ、ご招待しますよ」オーソンが再び誘った。

「そんなに何度も言わなくてていいわよ」レミニサンスがいらいらと言い返した。

「まったくしつこいんだから」ドラゴミラもとげとげしく言った。

オーソンは挑発《ちょうはつ》するような笑みを浮かべて、部屋の扉《とびら》を開けた。彼はメルセディカをともなって石の廊下に進み出た。そのあとをマリーの車椅子《いす》を押すパヴェルと、オクサとギュスを囲む

〈逃げおおせた人〉たちが続いた。

服がひどくきついので、二人は〈逃げおおせた人〉たちのなかで同じような体格の人に服を借りねばならなかった。オクサはレオミドの孫娘のジーンズとショートブーツを身につけた。テュグデュアルが自分の黒いパーカーを貸すと申し出たが、ギュスはライバルの服を着るのは断固として拒否《きょひ》し、コックレルの息子のカーキ色のセーターとグレーのズボンを感謝して借りた。

二人は自分の体にまだ慣れていないせいか、節ぶしが痛む足を引きずりながらのろのろと進んだ。オクサは訴《うった》えるようなまなざしをギュスに向けたが、ギュスはほおを赤らめ、ひどくよそよそしい態度をくずさなかった。前を歩いているアバクムの背中をじっと見つめ、とりつくしまもないといった感じだ。一階へ下りながら、オクサは神経がぴりぴりするのを感じた。ギュスの見せかけの無関心がオクサを動揺《どうよう》させ、とりわけ苛立《いらだ》たせた。オクサはギュスをひじで突いたが、ギュスは平然としている。

「こっち向いてよ！」

「おまえはきれいだって、もう言っただろ」ギュスは前を向いたまま返事をした。「ほかに何を言ってほしいんだよ？」

「そんなことじゃない！」オクサは苛立った。「こっち向いてよ、おねがいだから……」

「ぼくたちの友情の思い出にか？」

オクサは腹が立ってため息をついた。

「ほっといてくれよ、オクサ。慣れるといいんだけどな。今回のことがぼくにとってどんなにつらいかわからないだろうな」

「わかってる……」

「わかってないよ」

ギュスはオクサの言葉をさえぎって、キッチンに入った。

このやり取りはオクサの心を押しつぶした。その様子を観察していたマリーはオクサに近づいて手を取った。

「つらいの？」

「どうしていいかわからない、ママ……」

「物事がきちんとするには時間がかかるわ。二人ともすごく急激な変化を経験したんですもの」

マリーは優しく言った。

「気持ちを集中させないと、オクサ」パヴェルが重々しく言った。「大変な試練が待ち受けているんだ。それに頭上にダモクレスの剣をぶらさげられている（古代ギリシャの故事より、常に戦々恐々としている状況の意）のは、いまじゃあ、ギュスとおまえとママの三人になったわけだ」


広々としたキッチンに入ったのはオクサたちが最後だった。そこには、湯気のあがるパテ、サラダ、チーズ、ブリオッシュや温かい飲み物が並んだテーブルが四つ並んでいた。

食事の温かさとは対照的に、室内の雰囲気は冷え切っていた。二つのグループは同じテーブルにつかないように用心して座り、押し黙《だま》って、食べるのに没頭《ぼっとう》しているふりをした。大きなかまどのうなる音だけが聞こえた。オクサがマリーの車椅子を押して入っていくと、みんなははっとした。数分前、先にギュスがキッチンに入ったので心の準備はできていたが、それでも衝撃《しょうげき》は大きかった。若いグラシューズの変身ぶりにみんなは驚きを隠さなかった。オクサはキッチンを見わたした。ギュスはホットココアに気をとられているふりをして自分を無視したので、テュグデュアルが合図を送ってくると、迷わなかった。どうしてだかわからないが、がっかりした自分がいる。オクサは母親の車椅子をテュグデュアルのいるほうへ向け、彼のとなりに座った。

「おれのちっちゃなグラシューズさんのご機嫌はいかが?」

コーヒーのように黒々とした紅茶をすすめながら、テュグデュアルは耳元にささやいた。

「ママと再会できてすごくうれしいみたいよ! あと、すごく変な気分みたい」

「体は痛むの?」

「ぜんぜん! それどころか、痛みもなしにこんなに速く大きくなれるなんて、なんか変。ちょっと筋肉痛がするぐらい。すごいでしょ! 小さいときの成長期の痛みに比べたら……ほんと不思議よね」

「ふつうの経験じゃないからな。いまのおまえは、おれより七ヵ月下なだけなんだぜ」

「それだけ?」オクサは驚いた。

「十六歳二ヵ月と十三日から見ると、未来はどんな感じだい?」

「正直なところ、悪夢だよね。あたしたちを待ち受けているものや、とくに、失敗したらどうなるかを考えたらね。エデフィアの場所を探さないといけないけど、わらの中から針を探すみたいなものじゃない。たとえ見つかったとしても、入るのに成功しないといけないわけだし。それから、半透明族《とうめいぞく》を捕《つか》まえてギュスとあたしが完全にミュルムになるようにしないといけない。その前にひどい苦痛で死んでなければの話だけどね。それから、〈近づけない土地〉に行ってママのためにトシャリーヌを摘《つ》んでこなきゃ。〈近づけない土地〉っていうことは、近づくのが難しいということよね……。そのうえ、オーソンより先に〈ケープの間〉を見つけて二つの世界を救うのよね。すごいスケジュールだよね？」オクサは眉《まゆ》をひそめてつぶやいた。

「〈逃げおおせた人〉に関しては、シンプルなことなんてないんだよ。ポロック家がその筆頭じゃないか！」

「そうだよね」

オクサは泣きたい気持ちを隠すために、砂糖をまぶした大きなブリオッシュにかぶりついた。キッチンは再び静かになった。オクサの周りでは、敵の様子をこっそりうかがうほかは、各自が自分の昼食に専念していた。プチシュキーヌがドラゴミラの頭上で宙返りしながらピイピイ鳴いていることだけが唯一、明るい要素だ。かまどの周りでは、フォルダンゴたちがほかの生き物たちの助けを借りて、召使いとしての役割を立派に果たしていた。

「この温かさ、なんて幸せ！」

ドヴィナイユはトースターにへばりついている。

「羽がこげるぜ！」ジェトリックスが笑った。「羽のないドヴィナイユなんて笑えるよな。ハッハッハ！」

ドヴィナイユは怒りで体を震《ふる》わせた。

「あなたの言葉は嘲笑《ちょうしょう》の詰《つ》まった性質を想起させます」

ドラゴミラのフォルダンゴがオレンジを絞《しぼ》りながら言った。

「そのとおり」

ジェトリックスはぴょんぴょん跳《と》びはねながら言った。

フォルダンゴは急に動作を止めた。オクサのところからも、フォルダンゴが布巾《ふきん》を手に持ったまま、とつぜん固まったのが見えた。もう二人のフォルダンゴたちは不思議そうにドラゴミラのフォルダンゴを見つめ、ジェトリックスは気をしっかりさせようとフォルダンゴのエプロンを引っぱった。目を大きく開いたドラゴミラのフォルダンゴは足を引きずるようにして主人の元へ歩いていった。

「どうしたの、フォルダンゴ？」

顔色を失って真っ白になっているのを見て、ドラゴミラが心配そうにたずねた。

沈黙がいっそう重苦しく感じられた。

「古いグラシューズ様とそのご友人ならびに敵の方々は重大性の詰まった情報を受け取られなければなりません」と、フォルダンゴが宣言した。

彼が迷っているのを見て、ドラゴミラが先をうながした。

「あなた様の召使いの精神に、指示がその発露《はつろ》を行いました。古いグラシューズ様、目印が明らかにされました」

〈逃げおおせた人〉たちの間に小さなざわめきが起こった。反逆者《フェロン》の側には不信の声があがった。

「〈エデフィアの門〉がそのアクセス権の配達をいたしました。あなた様の召使いはいまや、地理的な詳細の詰まった場所の知識を有しております」

ドラゴミラの顔が青ざめ、その動揺した様子にオクサをはじめ、〈逃げおおせた人〉たちは驚いた。アバクムはドラゴミラのほうにかがみこんで、その目をじっと見つめた。ドラゴミラは重々しくうなずいた。それから、ふらふらと立ち上がり、しゃがれた声で宣言した。

「〈究極の目印の守護者《しゅごしゃ》〉が言いました。門が現われました。エデフィアと〈内の人〉がわたしたちを待っています」

28　十二日と十二夜

「みじめな従僕《じゅうぼく》のようにおまえたちのあとについていくなんてまっぴらだ！」

オーソンがどなった。

「あなたたちがわたしたちより、少しでも先に行くのだって許せないわ！」ドラゴミラが言い返した。「いずれにしても、わたしたちの運命はつながっているのよ。わかってるでしょう？　侮《ぶ》辱《じょく》された君主みたいに体裁にこだわるのはやめなさいよ！　あなたたちにはついてきてもらうしかない。交渉の余地なんかないわ」

　ドラゴミラは怒り狂っているオーソンの前のテーブルをこぶしでドンとたたいた。二人は長い間にらみ合った。

「おまえのことはまったく信用していない」

「言っておくけど、わたしだってしていないわよ。どっちにしても、わたしたちは対等なのよ。あなたがロケットペンダントを持っているのだから」

　オーソンは顔をしかめた。

「たしかに……だが、もうひとつ保証がほしいものだな、親愛なる妹よ」

　そう言うと、目にも止まらぬ速さでフォルダンゴをつかんだ。フォルダンゴはびっくりして顔色をすっかり失った。パヴェルとナフタリがオーソンに跳《と》びかかろうとしたが、グレゴールとアガフォンが前に立ちはだかった。すぐに〈逃《に》げおおせた人〉たちはクラッシュ・グラノックを取り出した。正面に集まった反逆者《フェロン》たちも同じように身構えた。

　そのとき、テュグデュアルが獲物《えもの》におそいかかるチーターのようなすばやさでオーソンに跳びかかった。はずみでモーティマーがひっくり返った。テュグデュアルはフォルダンゴの体に両《りょう》腕《うで》をまわしてドラゴミラのもとに連れもどした。

「時間をむだにしてくれたわね」ドラゴミラはオーソンをにらみつけた。「わたしたちに対抗してもむだなことがいつになったらわかるの？　わたしたちの力は対等なのよ。いいかげんに認めたほうがいいわよ」

ドラゴミラはそう言うと、全身わなないているフォルダンゴを腕に抱《だ》き、怒りのあまり顔面蒼《そう》白《はく》になっているオーソンを残してきびすを返した。

「ねえ、ドラゴミラ。目印はどこなんだい？」アバクムがたずねた。

「わたしもまだわからないのよ。でも、もうすぐフォルダンゴが教えてくれるはずよ」

〈逃げおおせた人〉たちの主なメンバーは、屋根に突き出している塔《とう》に集まっていた。コックレルとオロフが塔に続く階段の下で見張りに立っている。

「フォルダンゴ、言ってごらん」

フォルダンゴは目を大きく見開き、息を詰《つ》まらせそうになりながら、ついに貴重な情報を小声で明かした。

「目印が〈エデフィアの門〉の場所を伝達しました。古いグラシューズ様と若いグラシューズ様、そして〈逃げおおせた人〉たちのお仲間と敵の反逆者《フェロン》たちはゴビ砂漠の北緯四十二度、東経百一度の地点まで移動を行わなければなりません。門は嘎順諾爾《ガシュン・ノール》（中国名は居延海）西岸に場所の固定をいたしました」

すぐにテュグデュアルが携帯電話で検索《けんさく》し、数秒のうちに追加情報を手に入れた。

「嘎順諾爾《ガシュン・ノール》は中国とモンゴルの国境からおよそ二十キロメートル南に位置する湖。西河の水が注ぎこんでいて、小さな道路が周りを囲んでいる」

〈逃げおおせた人〉たちは不安が半分、安堵《あんど》が半分のどっちつかずの気持ちになった。門の場所がついにわかった！　しかし、そこに至るまでの道のりは容易ではなさそうだ。

「ちょっと遠いよね」オクサが心配そうにつぶやいた。

「ここから七千八十四キロメートルだ」テュグデュアルが画面を見ながら答えた。

オクサはヒューと口笛を吹いた。

「門に着くのが間に合うかな？　それに、フォルダンゴ、門を見つけるための目印は移動するって言ってたよね。あたしたちが着く前に場所が変わってしまうことはない？」

フォルダンゴは咳《せき》ばらいをし、体を左右に揺《ゆ》らせた。

「エデフィアは世界の端にあり、目印は移動性を持っています。その肯定は完全です。しかし、あなたがたの召使いは確認を差し上げます。あなた様の召使いが指示しました正確に満ちた場所、つまりゴビ砂漠の北緯四十二度、東経百一度の地点の嘎順諾爾《ガシュン・ノール》西岸で、不死鳥が二人のグラシューズ様の到着を待っています。不死鳥は十二日、十二夜の期間、忍耐《にんたい》を持っています。この期間を消費すると、門は目印の消去を行い、不死鳥は二つの世界とともに永久の消滅《しょうめつ》を行います」

パヴェルが小さな声で悪態をつき、ほかの人たちはみんな、一様にパニックにおそわれた。未来が形をなしてきた……。

「そう……じゃあ、もう出発しないといけないよね？」

長い沈黙をオクサが破った。

「幸運を祈ろうじゃないか。われわれには運が必要だからな」

アバクムが感きわまった声で言った。

ドラゴミラを中心にして、一方に〈逃げおおせた人〉たち、もう一方に反逆者《フェロン》たちが集まり、今後に関する重要な情報に聞き入った。

「ということは、七千キロ離れたところに行って門を見つけるのに十二日間あるということなんだな？」ドラゴミラが説明したあとの重い沈黙を破ってアガフォンがたずねた。

ドラゴミラは眉《まゆ》ひとつ動かさずにうなずいた。

「それ以上くわしい情報がないとは言わせないぞ！」オーソンが割って入った。

「必要なことはすべて知っているわ」ドラゴミラはかたくなに答えた。「でも、あなたに教えるなんて期待しないでちょうだい。しかるべきときにすべて知ることになるわ」

オーソンは両手のこぶしをにぎってドラゴミラをにらんだ。そして、手のひらをメルセディカのほうへ向け、彼女の顔も見ずに命令した。

「ロケットペンダントを持ってきてくれ！」

メルセディカは動かない。苛立《いらだ》ったオーソンは彼女のほうに向き直った。

「メルセディカ、ロケットだ！」冷たい声で繰り返した。

メルセディカはつんとすまして、あごをぐっと上げた。

「ロケットはもうあなたのものじゃないのよ、オーソン！　これからはわたし一人のものよ！」

29　メルセディカの告白

「ロケットペンダントはどこにあるんだ？　何をしたんだ？」

オーソンの顔はこわばり、目は怒りに燃えている。メルセディカが頑《がん》として沈黙しているので、オーソンは自分に敵意をむき出しにする彼女のほおをたたこうと手をふり上げた。メルセディカがそれに抵抗したので、よけいにオーソンの怒りを買った。

「何度も言わせるんじゃない！　ロケットペンダントはどこだ、裏切り者め！」

周りはみんな沈痛《ちんつう》な面持ちだ。動揺《どうよう》が広がるなか、オクサはいらいらと体を動かした。

「反逆者《フェロン》の首領《しゅりょう》に裏切り者あつかいされるなんて、どっちかっていうと名誉だよね」

ぼそぼそとひとり言をもらしたことにオクサは自分自身驚いた。

彼女はうろたえていた。ロケットペンダントがなければ、エデフィアは永久に失われた土地になる。ギュスと自分は死ぬまでひどい苦しみにさいなまれ、母親をむしばむ苦痛も死ぬまで続くんだ。でも、そんなことはあまり重要ではない。なぜなら、二つの世界も消滅してしまうのだから。あのロケットペンダントといやなメルセディカのせいで……。

「あなたに再会した日から、わたしはずっとあなたに忠実だったわ」とつぜん、メルセディカが居丈高《いたけだか》にしゃべり始めた。「ポンピニャックにいた八年間、あなたのお父さんに忠実だったようにね。でも、なぜわたしが今日こういう行動に出たのか、そのわけをすべて知ってほしいわね」

メルセディカは全員をじろりと見まわしてから、さっきまでオーソンが座っていた中央のソファに腰《こし》をかけた。オーソンは凶暴《きょうぼう》な目つきで彼女をにらみ、こぶしをにぎりしめて立っていた。

「あなたとわたしはいつも、同じ欲望と野心のままに動いていた。権力への欲望につき動かされていたのよ。〈外界〉に来たとき、支配欲のおかげでわたしは生きのびることができたし、その目的のために自分の能力のすべてを使った。まずは、金融界で大きな役割を果たした。この〈外界〉では権力はお金しだいだとすぐに気づいたからよ。面食らうほど容易に莫大《ばくだい》な財産をなしたあと、国際関係のほうで力を試してみたわ。とりわけ南米や中東の政府を裏で動かすことは楽しかったわね。まったく不誠実な合意によって牛耳《ぎゅうじ》られている、さまざまな紛争を見て、人間の弱さについてわたしが考えたことは正しいとわかった。二十年間というもの、人間を操作するということがわたしの活動の中心だったけれど、楽しんでやっていたわ」

「だれもそれを疑っていないわ」ドラゴミラが苦々しげにつぶやいた。

「それから、偶然にもわたしは一九七八年の春にCIAの廊下でオーソンと出会ったのよ。たくさんの男に言い寄られたけれど、わたしの人生で本当に愛した男は二人しかいない。カタリーナの父親とオーソンよ」

メルセディカの声は少し震《ふる》えた。みんなはあぜんとしていた。オーソンはどう猛なコブラのように目を細めた。

「十年間会っていなかったけれど、わたしはすぐにあなたに協力することにした。その瞬間から、わたしは身も心もあなたにささげてきたのよ。どうしてかって？　それは単にあなたを愛していたからよ」

「権力への愛だろう！」オーソンが言い放った。

「そうね。それは否定しないわ。でも、いちばんは、あなたへの愛からよ。この世でいちばん権力を持つ人たちのために働けば、自分もより大きな権力をにぎることができると思わない？　彼らのそばで策略をめぐらせたほうが興奮するし、満足感が得られると思わない？　南米では最も腐敗した政府からひどく感謝されたけれど、あなたにはそんなに感謝されたことはなかったわね。あなたのそばですごしたこの三十年間はどうだったの？　わたしに何か欠けていることがあったかしら？　失望させたことがあったかしら？　この忠実さはどういう意味だと思っていたの？いま、わたしは八十歳をすぎている。長い間あなたにささげた愛は、あなたの自己中心的な野心のエスカレートという代償《だいしょう》しかもたらさなかった。この愛が限界に来たのよ、オーソン。あなたに盲従《もうじゅう》している人たちを利用したのと同じように、わたしのことも利用したのね」

「それはまちがいだ！」アガフォンがどなった。「わたしたちがオーソンの側についているのは信念からだ！」

「まあいいわ」メルセディカは冷たく言った。「でも、わたしはむごい犠牲《ぎせい》をはらったわ。まず、マロラーヌを裏切り、そして、やっとのことで再会できたドラゴミラや〈逃《に》げおおせた人〉たちを裏切った」

　その言葉を聞くと、ドラゴミラは怒りのあまりはっと息をのんだ。彼女のほうを向いたメルセディカのいじわるな目つきに悲しげな影が浮かんだ。

「そうよ、ドラゴミラ。信じてくれないかもしれないけど、無慈悲《むじひ》で陰謀《いんぼう》に長けたわたしでも、あなたに再会できたのは人生最大の喜びのひとつだったわ。あの日のことは忘れないわ。何年か前、オーソンがあなたの家族の消息を聞きつけて、あなたたちに近づくためにわたしをパリに送ったのよ。薬草販売店のウィンドウごしにあなたを見たときは……感動するのはわたしの柄《がら》じゃないけれど……すごくショックを受けたわ。あなたは大人の女性になっていたけれど、すぐにわかった。ずっとあなたの後見人だったアバクムがそばにいたもの。もちろん、あなたたちは喜んでわたしを受け入れてくれた。あなたたちをつなぐ絆《きずな》に心を打たれたけれど、わたしの性格や自分のオーソンへの執着を変えることはできなかった。だから、裏切った。残念な気持ちはあったけれど、躊躇《ちゅうちょ》はしなかった。だって、愛より強いものはないもの。でも、踏みつけられた愛ほど人を破滅《はめつ》させるものはないわ」

　メルセディカは口をつぐんだ。だれもがその告白にとまどいを隠せなかった。それから彼女は優雅《ゆうが》に立ち上がった。

「わたしはあなたにささげた愛の見返りを人生の半分をかけて待っていたのよ、オーソン。あなたのために殺人すら犯した。でも、あなたは、わたしに感謝を示すために何をしたというの？　ほかの人たちを利用するように――アガフォンには悪いけれど――わたしを利用しただけじゃないの。わたしたちはすばらしいカップルになれたでしょうに。いっしょに世界を征服することもできた。なのに、わたしをただの手下としてしかあつかわなかった。でも、いま、あなたに欠けている鍵《かぎ》を持っているのは、このわたしよ。立場が逆転したわね、オーソン。わたししか知らないところにロケットペンダントは隠してあるのよ」

「だれを殺したの？」レミニサンスがしゃがれた声で問い詰《つ》めた。

二回の輸血で弱りきっていたレミニサンスは、ソファの背で体を支えて、かろうじて立っていた。体が震えていた。アバクムとナフタリは不吉な予感にかられてレミニサンスの両脇に立った。メルセディカはレミニサンスの涙《なみだ》のたまった目を見つめ返した。

「オーソンの命令で、わたしがあなたの息子とその妻を殺したのよ、レミニサンス。オーソンへの愛のためにね！」メルセディカはオーソンを指差しながら叫《さけ》んだ。

アバクムとナフタリはどうすることもできなかった。レミニサンスは稲妻《いなずま》のようなすばやさでクラッシュ・グラノックを取り出して息を吹きこんだ。メルセディカは大きく目を見開いて、床に倒れた。

30　不和

「何てことをしてくれたんだ！」オーソンはレミニサンスをどなりつけた。「おまえはエデフィアに帰る最後のチャンスを台無しにしたんだぞ！」

アバクムとナフタリはぼうぜんとしながらも、レミニサンスの腕《うで》をつかんで押さえた。反逆者《フェロン》のいく人かは動かなくなったメルセディカにかけ寄った。大きなシニョンはほどけ、髪《かみ》が葬式のヴェールのように顔の周りに広がっている。その顔は、レミニサンスが発射したグラノック、〈窒息弾《ちっそくだん》〉を受け、青くなっていた。ほかの人たちはなすすべもなく、ただ泣いていた。オクサも泣きながら、破滅《はめつ》が迫っているのを感じた。ドラゴミラは用心深くレミニサンスに近寄り、声を詰《つ》まらせながらささやいた。

「どうしてこんなことをしたの？」

「この女は息子を殺したのよ、ドラゴミラ。息子とその妻を何のためらいもなく殺したのよ。この女がパヴェルとマリーに同じことをしたとしたら、あなたはどうする？」

ドラゴミラは恐《おそ》ろしさに身をすくませた。この問いにどう答えることができるだろう？　そんなことは想像すらできない。悪夢だ。ドラゴミラはレミニサンスをじっと見つめ、それから〈逃《に》げおおせた人〉たち全員、そして最後にオクサに目を向けた。

「あなたが復讐《ふくしゅう》したい気持ちはわかるわ。でも、それはわたしたちみんなに死の宣告をしたも同然よ」やっとそれだけ言うと、ドラゴミラはソファにどさりと腰《こし》をおろした。


「生きてるわ！」

とつぜん、メルセディカのそばにひざまずいていたカタリーナが叫《さけ》んだ。

最初に跳《と》び出したのはオーソンだ。メルセディカの周りにいる人を乱暴に押しのけ、カタリーナを突き飛ばしてひざまずき、メルセディカの顔に自分の顔を近づけた。

「まだ息がある……ロケットペンダントはどこだ？」

メルセディカの肩《かた》をゆすりながら、うめくように問い詰めた。

「そんなやり方でうまくいくとは思えないわね」ドラゴミラが近寄りながら言った。「わずかな希望を台無しにしないでくれるとありがたいわね！」

「その女が行動を起こす前に、おまえが止めるべきだったんだ！」

オーソンはこぶしをふり上げながらわめいた。

「どいてよ！」

ドラゴミラはオーソンを押しのけて、袋《ふくろ》から小瓶《こびん》を取り出した。

オーソンは動かない。

「知らないかもしれないけれど、〈窒息弾〉を作ったのはアバクムとレオミドなのよ。つまり、作り方を知っているわけだから、解毒剤も開発できたのよ」

オーソンはすぐにドラゴミラに場所を譲《ゆず》った。ドラゴミラは言葉ほどには自信がないようにみえたが、それは彼女《かのじょ》をよく知る人だけにしかわからなかった。彼女はまばたきもせず黒い目でじっと自分を見つめているメルセディカのそばにひざまずいた。頭は、取り乱しているカタリーナのひざの上に乗っていた。ドラゴミラは小瓶のふたを開けた。黒っぽいガスと腐《くさ》った植物の臭《にお》いがただよい、メルセディカの鼻に届いた。目はひきつり、体は強いひきつけを起こしたので、死ぬのではないかとみんなは恐れた。

「それって、何?」オクサはうめくように言った。

その光景に凍りついたのはオクサだけではない。メルセディカの鼻と口からごく小さな昆虫の群れが出てきた。黒い羽と甲殻がうごめく何百という虫の大群だ。それらは恐怖に目を見開いたメルセディカの体の上でしばらくうごめいていたが、小さな爆発を起こして消えてしまった。

「間に合ったわ」ドラゴミラは小瓶のふたをしめながら、ほっとため息をついた。

「何もしなかったら、あのおぞましい虫がメルセディカの体の中で爆発したかもしれないってこと?」オクサは目をみはった。

「そうよ。正確にいえば、のどでね」

治療はなんとか間に合ったが、メルセディカの具合はよくならなかった。顔はしだいに土気色《つちけいろ》になり、息をするたびに胸が苦しげに上下した。やっとのことで手を上げると、ドラゴミラをそばに来させた。オーソンは彼女がついに秘密を打ち明けるのだと思い、カタリーナに跳びかかり、乱暴に腕を引っぱって抱《だ》きかかえた。そして、カタリーナを捕《と》らえていることをことさらメルセディカにわからせようとした。

「わたしを出し抜こうとするんじゃないぞ」

「この人は死にそうなのよ！」ドラゴミラはどなった。

「そうさ！　だからもう失うものはないんだ。自分の娘を道連れにしたいなら別だがな」

「卑劣《ひれつ》よ！」ドラゴミラは顔をゆがめた。「ロケットペンダントがどこにあるか教えてちょうだい、メルセディカ」苦しむ旧友のほうに向き直って必死にたのんだ。「彼《かれ》のために教えたくないなら、わたしたちのために教えてちょうだい。長年、わたしたちが仲間だったことに免じて……おねがい！」

　メルセディカの体がびくっと動いた。うめき声をあげ、オーソンの腕に押さえつけられた娘を見つめ、口を開いたが、言葉は出てこない。泣きながらもがく娘を見つめたまま、かっと目を見開いた。そして、ゆっくりと頭が横を向いた。最後の息が胸をへこませ、顔がおだやかになった。

「心臓がもたなかったわ」ドラゴミラは打ちひしがれていた。「死んだわ……」

31 鍵《かぎ》

メルセディカの遺体は屋敷《やしき》の裏に埋葬《まいそう》された。墓《はか》は低くうなる海を臨む場所にある。彼女《かのじょ》は裏切り者ではあったが、ガリナの夫で牧師のアンドリューが執《と》りおこなう短い葬儀にドラゴミラとアバクムが参列した。二階の寝室に引き上げたレミニサンス以外の〈逃《に》げおおせた人〉たちもみんな、その場に立ち会った。メルセディカがかつて仲間だったことはだれも忘れていなかった。最後に告白したからといって彼女のおぞましい行為が許されるわけではないが、彼女を破滅《はめつ》に導いたいきさつは哀れみを誘った。

平べったい小石でおおわれた墓の周りにたたずむ〈逃げおおせた人〉たちは、メルセディカがいやがるとわかっていながら、だれもが深く同情した。「同情されるより妬《ねた》まれるほうがいい」というのが彼女のモットーだったし、亡くなったいまでもその考えは変わらないだろうが、そうせずにはいられなかった。反逆者《フェロン》たちのほうは、オーソンの命令でアガフォンとルーカスに付き添われたカタリーナだけが参列した。

「反逆者《フェロン》たちは裏切りを許せないみたいだな」

テユグデュアルがオクサの耳元でささやいた。

オクサは涙《なみだ》のたまった目でテュグデュアルを見た。テュグデュアルは人差し指でオクサの涙をぬぐってやり、うっすらとほほえんだ。人が死ぬのを見たのは初めてではなかったが、オクサは苦しんでいた。それが自分の家族を苦しめたメルセディカであっても、不思議と気持ちは軽くならなかった。ショックの連続だ。どこまで耐《た》えることができるだろう？


メルセディカに最後の別れを告げて広間にもどると、ドラゴミラが指揮《しき》をとった。

「あなたたちは嘎順諾爾《ガシュン・ノール》に十二日以内で行ける旅程を立ててちょうだい」と、テュグデュアル、オクサ、ギュスに向かって言った。「それには二つの大きな条件があるわ。ひとつは全員で五十八人だということ、もうひとつは全員が絶対に離れ離れになってはいけないということよ」

「お安い御用だ！」テュグデュアルは携帯電話を取り出しながら、平然と言ってのけた。

「ロケットペンダントはどうするの、バーバ？」オクサが問いかけた。

「まかせておいて」謎めいた調子でドラゴミラは答えた。

オクサたち三人はほかの人から離れて、本がぎっしり詰《つ》まった巨大な本棚のそばに陣取った。

「なんて大きくなったこと……」

オクサとギュスの様子を見てドラゴミラの胸は締《し》めつけられた。

「さあ、わたしたちの番よ！」

打ちひしがれたように背を丸めているカタリーナに向かってドラゴミラが言った。

「あの裏切り者のメルセディカの部屋はしらみつぶしに探した」オーソンが言った。

「だからどうだって言うの？　ロケットペンダントは見つからなかったんでしょう？」

「ああ。だが、この金庫の中にあるはずだ」

旅行かばんくらいの大きさの箱を指しながらオーソンが答えた。

「あければいいじゃない！」

ドラゴミラがつっけんどんに言った。

オーソンの顔がくもった。

「あらゆる方法を試したが、魔法でも力ずくでも鍵が開かないんだ」

オーソンの長男、グレゴールが答えた。

「だが、すばらしい方法がある」

オーソンはそう言いながら、クラッシュ・グラノックを取り出してカタリーナに向けた。

「わたしは知らないわよ！　母は何も言わなかったわ。本当よ、オーソン！」

カタリーナは恐怖におびえた。

「わたしたちを混乱させたまま死んだって言うのか？　死ぬ直前におまえを見ていたじゃないか」

オーソンは首をかしげながら意地悪そうにカタリーナを見返した。

「それはわたしが娘だからじゃないの！」

カタリーナは恐《おそ》れと悲しみの混じった長いうめき声をあげた。

オーソンは自分のクラッシュ・グラノックをわざと悪意に満ちた目でしげしげとながめ、そして必死に恐怖を隠そうとしているカタリーナをにらんだ。ドラゴミラが怒りをこめた目をして前に進み出た。

「あなたが乱暴なやり方をしたいのはもうわかったわよ、オーソン！　もっと簡単で有効な方法があるのを知らないのかしら」

ドラゴミラは上着の折り返しに手をつっこみ、頭の毛がぼさぼさで興奮気味のドヴィナイユを取り出した。

「この部屋の温度は受け入れられるけど、外の気候条件はまったくおぞましいわ！」

ドヴィナイユはわめいた。


オクサはその様子をみてほほえんだ。

「ゴビ砂漠を横断することは言わないほうがいいかもね」

「問題は、ドヴィナイユには何も隠せないことだよな」

調べていた地図帳からギュスが目を上げた。

「ゴビ砂漠のことがわかったら、大騒《おおさわ》ぎになるぜ！」

携帯電話に何かを入力しているテュグデュアルが言い足した。

この任務が三人にまかせられたとき、オクサは厄介《やっかい》なことになるのではないかと不安だった。

オクサはソファの両端に離れて座っているギュスとテュグデュアルの間に座った。二人は目を合わせるのを避け、しばらく緊張が続いていた。しかし、この緊急事態に、二人とも休戦することにしたようだ。その状態は長くは続かないだろうが……。

「手伝おうか?」とつぜん、クッカがギュスのそばにやってきた。

オクサはクッカをちらりと盗み見た。長いブロンドの髪《かみ》が無造作《むぞうさ》にギュスの手をなでている。痛いところを突かれた気がした。なんてずうずうしい女だろう!

「自分がだれにも負けない魅力《みりょく》を持ってると思わせておけよ」不愉快《ふゆかい》そうに顔をくもらせるオクサにテュグデュアルがささやいた。「それにさ、おまえが思ってるほどあいつは美人じゃないさ」

クッカはギュスにすり寄り、耳もとで何かささやいている。ギュスは驚いたようにクッカを見つめた。

「よし、魅力的ないとこがあいつに言い寄るのをやめるかどうか見てやろう」と、テュグデュアルは携帯電話をにらみながら、オクサにささやいた。「おい、それより、おれたちには大事な仕事があるんだぜ!」

わざと甲高《かんだか》い笑い声を立てたクッカを無視して、「ドヴィナイユの話を聞こうよ」とオクサはいらいらを隠すように言った。

ドヴィナイユは小さなくちばしを広間の四すみに順に向けながら、ドラゴミラの肩《かた》の上で固くなっていた。

「気温摂氏六度、湿度九十パーセント、風は時速八十五キロメートルで吹いているわ。これが温暖な気候だなんて言えないわね。また、だまそうとしているのね。でも、わたしはだまされないわよ！」

「ドヴィナイユ、あなたにたのみがあるのよ」

この寒がりの鶏《にわとり》を脱脂綿でくるみながらドラゴミラが言った。

「何でしょう、古いグラシューズ様。このドヴィナイユの繊細《せんさい》な感覚に同情してくださってありがとうございます。でも、わたしの生存はこういう非友好的な国で日に日に危険にさらされています」

「ロケットペンダントがどこにあるかわかるかしら？」

ドヴィナイユはしばらく綿の中にもぐってから、また頭を出した。羽がぼさぼさになっている。

「もちろん、知っていますよ！」ドヴィナイユは声をからして答えた。「わたしはドヴィナイユですよ！　どんな隠された秘密でも知らないことはないんです。それはわたしがひよこのころからの役目ですよ、ご存知でしょう？」

ドヴィナイユは腹立たしそうに騒がしく鳴き始めた。反逆者《フェロン》たちは驚きの表情で顔を見合わせている。このなかの年長者でさえ、エデフィアを脱出して以来、ドヴィナイユを見ていないし、その子孫たちにしても話に聞いたことはあるが、もちろん見たことはない。

「機嫌が悪いな」テュグデュアルがささやいた。

「ちょっと気難しいだけじゃない」オクサはほほえみながら答えた。

「この部屋にはまったくひどい北北西の風が入ってきます」みんなが言葉を失っているので、ドヴィナイユがしゃべり続けた。「扉《とびら》と窓を断熱することをだれも考えつかなかったのかしら？」

「ドヴィナイユ……さっき、質問したでしょう？」

ドラゴミラが優しく問いただした。

「ええ、ええ、わかってますとも！　寒さで死にそうだわ！」

すると、アバクムが笑いをこらえながら綿をできるだけ慎重につかみ、暖炉《だんろ》のそばに移動した。

「やっと、わかってくれる人がいたわ！」

「ドヴィナイユ、時間がないんだよ」アバクムが哀願した。

「うーっ」ドヴィナイユはぶるっと震《ふる》えた。「ロケットペンダントはメルセディカが隠したところにありますよ！」

「何という貴重な指摘だろう！」オーソンが皮肉った。

「この部屋にいる女の人がその隠し場所を知っています」

オーソンはうなり声をあげながらカタリーナの腕《うで》を乱暴につかんだ。

「嘘《うそ》よ！　わたしじゃないわ！」カタリーナがうめいた。

「侮辱《ぶじょく》だわ！　ドヴィナイユというのはぜったいに嘘をつかないのよ。それは嘘がつけないからよ。女の人がその隠し場所を知っているとわたしが言ったなら、女の人がその隠し場所を知っているということよ！　あなたがそうだ、なんて言っていないわ」

その場にいた全員がどよめいた。ただひとりを除いて……。

「その鍵をこわすのはやめてください！」

とつぜん、マリーが毅然《きぜん》とした口調で声をあげた。

みんなはあぜんとした。金庫の周りに集まっていた反逆者《フェロン》たちは鍵をこわそうとするのを止めた。みんなの視線がいっせいに、車椅子《いす》に姿勢を正して座り、オーソンをにらみつけているマリーに集中した。

「そうよ、オーソン。金庫の秘密を知っているのはわたしよ」

「ほらね。まだわたしが嘘つきだって言う人がいる？　あやまってよ！　許しを請《こ》いなさい！　わたしの足元にひれ伏《ふ》しなさい！」

ドヴィナイユは不満そうに羽をふくらませた。

ドラゴミラはこの鶏を黙《だま》らせるためにポケットに入れた。ドヴィナイユの文句を言う声はだんだん小さくなり、しばらくするとやんだ。

「わたしをなんだと思っていたの？」マリーはオーソンに向けて言い放った。「能力のない、体の不自由な、かわいそうな女が部屋にこもっておとなしくしているとでも思っていたの？　いいえ、オーソン。取るに足らない力しかなくても、この長かった監禁《かんきん》期間を利用して、観察したり、聞き耳を立てたりして、いろんなことを理解したわ。とくに、メルセディカがロケットペンダントを盗んでいる現場にたまたま居合わせた日にはね。あの人はとても残酷《ざんこく》な人だし、良心が咎《とが》めるっていうタイプじゃなかったけど、心はあなたほど腐《くさ》っていなかった。だいたい、あなたは心というものが何なのか、わかっているの、オーソン？」

オーソンは腹立たしげに舌打ちをした。マリーはドラゴミラとアバクムのほうをふり向いた。

「メルセディカは最も下劣《げれつ》な方法であなたたちを裏切りました。でも、矛盾《むじゅん》するかもしれないけれど、あなたがたとパリで再会したときの喜びを話していた彼女も本当の彼女だったの。その友情の証《あかし》に、万が一のときにロケットペンダントをどうやって見つけたらいいかをわたしにだけ打ち明けてくれたんです」

オーソンは勝ち誇ったようにマリーに近づいてきた。

「わたしに暴力をふるってもむだよ！」すぐさまマリーが叫《さけ》んだ。「まさか、そんな簡単なことだと思っているんじゃないでしょうね？　メルセディカは用意周到《よういしゅうとう》な人よ。彼女はどこにロケットペンダントを隠したかを教えてくれたけれど、それだけじゃ不十分なのよ。いまにわかるわ」

「どうやれば、この金庫を開けられるんだ？」オーソンがどなった。

「どなったってしかたがないのよ。パスワードがあるの」

オーソンの怒りは爆発しそうだった。首すじの血管が浮き上がり、目には閃光《せんこう》が走っていたが、なんとか冷静なふりを装っていた。

「カタリーナ、あなたのお父さんはみんなからルパートと呼ばれていたのよね」マリーはメルセディカの娘に話しかけた。「でも、それはナチスから逃《のが》れるために変えた名前だったのよね？　メルセディカとあなただけが彼《かれ》の本当の名前を知っていたのでしょう」

カタリーナは驚いてマリーを見た。

「サミュエルです」

オーソンはすぐに金庫の鍵穴のそばでその名前を唱えた。何も起きない。

「あなたって人は、驚くほどばか正直なのね」マリーがからかった。「メルセディカはわたしに解決法を打ち明けたの、あなたにじゃないのよ。サミュエル！」

金庫が開き、大量のネックレスやイヤリングやブレスレットが見えた。

「話者認識ね」オクサは感心しながら母親を見た。「すごいじゃない！」

オーソンはアクセサリーがどっさり入った金庫に手をつっこんだ。メルセディカのアクセサリーはダイヤモンド、エメラルド、ルビーなどでできた、ひとつひとつが最高の芸術品だった。オーソンはいらいらしてうなり声をあげた。

「解決法の第二の要素は〝鍵という言葉〟よ」マリーが続けた。

オーソンは必死になって金庫をかき混ぜ始め、二人の息子がそれに続いた。アガフォンとルーカスはオーソンたちのそばで、小さな鍵すら入りそうにないアクセサリーをわきによけた。最後に大きなダイヤモンドの付いたすばらしい指輪だけが残ると、オーソンの怒りは絶頂に達した。アクセサリーをひとつかみすると、壁に向かって投げつけた。その場のみんなが凍りつき、次に何が起こるのかをただ待っていた。

とつぜん、ギュスが立ち上がってマリーに近づいた。オーソンの威嚇《いかく》するような視線にもかかわらず、ギュスはマリーの車椅子を押して少し離れた場所に移動した。

「解決法は〝鍵という言葉〟だと言いましたね。〝言葉〟だと……」

ギュスはマリーの耳元にささやいた。

マリーは思案顔でうなずいた。それから、顔がぱっと輝いた。彼女にもわかったのだ！

「ちょっとすみません」マリーはオーソンを車椅子で押しやりながら言った。「部屋の奥まで下がってください。あなたとあなたの手下は」

オーソンはしぶしぶ言うとおりにした。マリーはギュスに手伝ってもらって、アクセサリーの山を細心の注意をはらってひとつひとつ調べ、ついにギュスがひとつの懐中時計《かいちゅうどけい》をふりかざした。反逆者《フェロン》の負けだ。

「その時計は父のものです」カタリーナが言った。「わたしが生まれたときに、父が母にプレゼントしたんです。ふたにきざんである文字を見てください」

〈逃げおおせた人〉たちは時計をじっくりと観察した。古いもので、きれいな細工《さいく》のほどこしてあるすばらしい品だ。ふたにごく小さな宝石のかけらで文字が形づくられている。カタリーナの父親から愛するメルセディカへの短い賛辞だ。

わたしのすべての秘密の鍵を
永久に持っているおまえに
S

懐中時計を受け取ったドラゴミラが〝鍵〟という文字をそっと押すと、ふたが開き、時計の針が現われた。ほとんど聞こえないがチクタクと音がして秒をきざんでいる。ドラゴミラは人差し指で針を十二の文字に合わせた。カチッという軽い音がした。すると、文字盤《もじばん》が二つに割れて開き、グラシューズのあのロケットペンダントがきらきらと光っているのが見えた。

「すごい！　ギュス、あんたは天才よ！」

オクサが思わず叫んだ。

しかし、ギュスが答える前に、オーソンとその仲間がこの瞬間を利用して、〈逃げおおせた人〉たちに近づいた。

「気をつけろ！」

テュグデュアルが叫んだ。

一瞬のすきに、オーソンはドラゴミラの手からロケットペンダントを乱暴に奪い取った。だれも抵抗する時間はなかった。時計は床に落ち、オーソンの足元でばらばらに砕《くだ》け散った。

「どうも、みなさん、お礼の言いようもありません」

オーソンは得意げに言うと、〈逃げおおせた人〉たちをじろりとにらんだ。暗い目でドラゴミラをじっと見つめながら、ロケットペンダントを首にかけた。

「さて、わたしの優しい妹よ、このちょっとした事件に中断される前、いったいどこまで話は進んでいたかね？」

ドラゴミラはくるりときびすを返して広間を出て行った。

「この小競り合いには負けたわ、オーソン！」入り口ホールの階段からドラゴミラは叫んだ。

「でも、戦いには負けていないわよ！」

32　恐《おそ》ろしい波

「海の狼《おおかみ》」は順風にのって南へまっすぐに海をすべっていた。反逆者《フェロン》たちの船「闇《やみ》の鷲《わし》」がそのあとを追っていた。二そうの船の周囲はすでに暗く、スコットランドの海岸は陰鬱《いんうつ》なもやにおおわれている。反逆者《フェロン》たちの島は水平線の向こうにすっかり消えた。新たな冒険が始まったのだ。ドラゴミラがビッグトウ広場の家やレオミドの屋敷《やしき》でしたように、オーソンもまた灰色の石造りの屋敷の扉《とびら》を閉めた。メルセディカの墓をふり返りもせず、「闇の鷲」を停泊させていた入り江に急ぎ、仲間も黙《だま》って彼に続いた。

「アイルランドも、おそらくひどい状態だろうな」

とつぜん、空をにらみながらパヴェルが言った。

軍用機の小隊がいくつか、すさまじい音を立てて西に向かって飛んでいった。

「ダブリン周辺で地震。マグニチュード八」

常に携帯電話で世界とつながっているテュグデュアルが情報を伝えた。

「なんてこと……気の毒なアイルランドの人……かわいそうな地球」

ドラゴミラは悲しそうにため息をついた。

「しっかりつかまって！」

陸のほうに舵《かじ》を取りながら、パヴェルがとつぜん叫《さけ》んだ。

「どうしたの？」オクサが大きな声をあげた。

ギュスは震《ふる》える人差し指で船の後ろを指した。夕日と「海の狼」のライトに照らされながら、反逆者《フェロン》たちの船が同じ航跡《こうせき》をたどっている。しかし、パヴェルが注意したのは、敵の船のことではなくて、もっと恐ろしい敵のことだった。巨大な波が水平線から異様に盛り上がっているのが見える。二そうともエンジンは頑強だが、引き波の強さに後方に引きずられた。容赦《ようしゃ》ない力に負けそうになりエンジンがうなり声をあげた。

「津波だ！　地震で津波が起きたんだ！」ギュスが叫んだ。

操縦《そうじゅう》をアバクムにまかせ、パヴェルは外に飛び出し、デッキで闇のドラゴンになって飛び上がった。ナフタリとピエールがすぐに続いた。パヴェルはエデフィアに入るための鍵《かぎ》をひとつ持っている「闇の鷲」のほうを心配そうにちらりと見た。もしロケットペンダントがなくなったら、すべてが終わりだ。ドラゴンは長い炎を吐き出し、怒りと恐怖の叫び声をあげた。

「見ろよ！」ピエールが叫んだ。

反逆者《フェロン》たちも〈逃《に》げおおせた人〉たちと同じ考えのようだ。十人くらいの人が〈浮遊術《ふゆう》〉を使って宙に浮き、黒い船体を取り囲んでいた。パヴェルはそれを見ると、希望がわいてくるのを感じた。水の壁のような巨大な波は数百メートルのところに迫《せま》っている。そのうなり声がみんなの耳に届いた。あたりは急に薄暗《うすぐら》くなり、この世の終末が迫ってきているかのようだ。

「なんとかしないと！」おびえたオクサがどなった。

父親のところに行こうとするオクサをドラゴミラが止めた。

「バーバ！　あたしはグラシューズよ。きっと役に立つと思うわ！」

「オクサ！　おばあちゃんの言うことを聞きなさい！」

どんな反論も受けつけないぴしゃりとした調子でマリーが叫んだ。

オクサは血がにじむほどくちびるをかんだ。巨大な波の圧力で二そうの船はいまにも砕《くだ》けそうだ。アバクムは必死に操縦しているが、自然の破壊力に抵抗するのはむだなことだとわかっていた。水の壁が近づくのが見え、続いて空が見えた。操縦室に集まっていたオクサと〈逃げおおせた人〉たちはアバクムの視線を追った。なじみのある金色の光が彼らの船をおおった。最悪の事態を予感させるぎしぎしという音が船体からもれた。

そのとき、「海の狼」が荒れる海面から浮き上がった。パヴェルとその仲間が不老妖精の力を借りて持ち上げたのだ。後方の「闇の鷲」も同じように、不老妖精と反逆者《フェロン》たちが協力して死の波から船を引き上げていた。二そうの船は黒い海面から数十メートル上にあった。数秒後、〈逃げおおせた人〉たちと反逆者《フェロン》たちは、船体の下をとてつもない大波が通りすぎていくのを見た。海水はわき立ちながらぶつかり、近くの海岸に向けてものすごい勢いで駆《か》け上がっていった。沿岸の村々の緊急サイレンが鳴りひびくのが聞こえ、飛行機の小隊が空に再びあらわれた。

まさにパヴェルが数日前に心配していたことが起きた。目のよい四人のパイロットが金色の光に包まれた二そうの船が宙に浮かんでいるのに気づいたのだ。しかも、そのうちの一そうはドラゴンの爪《つめ》に支えられている！　四機の飛行機は大波と同じくらい恐ろしい大音響を上げながら近づいてきた。

「もうダメだ！」飛行機がまっしぐらに近づいてくるのを見てオクサはうめいた。「あたしたちが宇宙人で、この災害を起こしてる張本人だと思うよね！　撃《う》たれるわ、ぜったい！」

全員がおびえながら顔を見合わせた。この世よ、さようなら。今度こそ、おしまい、とオクサが心の中でつぶやいたとき、とつぜん、うろたえて、顔色がほとんど真っ白になった子どものフォルダンゴがするどい口笛を吹いた。

すると、不思議な現象が起きた。ゴムを伸ばすように、一秒が長く感じられ、〈逃げおおせた人〉たちの手足の動きがべたべたした糊《のり》の中にいるように減速した。しかも、〈外の人〉たちにとっての影響はさらに大きいようだ。彼らの思考も動作も中断されて、固まったようにみえる。オクサは思わずギュスを見た。オクサを見つめたまま固まっている。マリーやほかの〈外の人〉たちも同じ状態だ。四機の飛行機のパイロットも同様に攻撃のとちゅうで動きが止まっている。

「じーかーんーをーとーめーたーのー？」

オクサは子どものフォルダンゴをふり返りながら、間延びした言い方でたずねた。

精神を集中しているのか、フォルダンゴは答えない。

「この子はまだ子どもだから、自分の恐怖をどう扱ったらいいか、わからないんだよ」アバクムは必死に努力をしてなるべくふつうにしゃべろうとしていた。「われわれに都合のいいことに、そのために時間のゆがみが起きたわけだ」

「ぐーにゃりーしているー感じがしーまーすー」ヤクタタズが言った。

「そおーかーいー」ジェトリックスの声がひびいた。

時が動かないので、言葉がゆっくりとひびくように聞こえる。切羽詰《せっぱつ》まっているのに、オクサは吹き出さずにはいられなかった。

「うーそーみーたーい」オクサの声も間延びしている。

このすきを利用して、〈逃げおおせた人〉たちと反逆者《フェロン》たち、そして不老妖精たちは二そうの船を海面にもどした。黄金の光はすぐに薄れ――不老妖精の仕事は終わったからだ――浮遊していた人たちも最悪の事態を免れたことにほっとして船にもどってきた。

助かった！　すべてが元にもどったとき、子どものフォルダンゴも緊張を解いた。ほおは子どもらしいバラ色にもどり、時間がふつうの速さに少しずつもどり、みんなの体も元どおりになった。四機の飛行機は船の周りをしばらく旋回《せんかい》していたが、奇妙な光景を見たことに自信がもてなくなって、引き返していった。

「危ないところだったね」オクサは青ざめた顔をしてつぶやいた。「ありがとう、ちっちゃなフォルダンゴ！」

オクサはフォルダンゴを優しく胸に抱《だ》いた。

フォルダンゴは片言で何か言いながらオクサの肩《かた》に頭を乗せ、それからいつもいっしょにいるギュスのところにもどった。

「〈永久に絵画内幽閉《ゆうへい》されたご主人様〉の召使いとその子孫は貢献できまして幸福です」

「すばらしい貢献だ」アバクムは感謝のまなざしで言った。「おまえはすばらしかったよ、小さなフォルダンゴ！」

〈逃げおおせた人〉たちは感動で目をうるませながら拍手をした。

パヴェルはオクサを抱きしめてから、沈痛な面持ちで言った。

「今度ばかりは死ぬところだったな……」

「〈外界〉はまさに危機に瀕《ひん》しているようね」ドラゴミラがつぶやいた。

「だからよけいに急がないと」アバクムがうなずいた。「急ごう！　飛行機に乗らないといけないしな」

33　観察

オクサは操縦室にぶらさがっているハンモックに寝そべって波を見つめていた。そこから遠くないところで、ギュスは木のケースの上に横になっている。頭の後ろに両手を組み、オクサをじっと見つめている。キャスター付きの椅子《いす》にまたがって時々ゴロゴロと動いているテュグデュアルもオクサを見つめている。

「その椅子でぐるぐるまわるのはやめてくれないか？」ギュスがいらいらした調子で言った。

「どうして？」

「いらいらするからさ」

「そんなやわな神経してたら、おれたちをこれから待ち受けているものに耐《た》えられるかなあ」

「あんがいきみを驚かしてやれるかもしれないぜ」

「楽しみにしてるよ！」

「そんなにいつも言い合いばっかりして、飽《あ》きないの？」オクサが割って入った。

「難癖をつけてるのは、おまえの友だちのほうだぜ！」テュグデュアルが言い返した。

「ぼくを挑発《ちょうはつ》するのはおまえのカレシのほうだよ！」ギュスも負けずに言い返した。

オクサは息を深く吸いこんだ。

「いまは友だちもカレシもいないわよ！　すっごくイラつくガキが二人いるだけじゃない！」

テュグデュアルは笑い出し、ギュスは口の中で捨て台詞をもごもご言った。そして、頭の奥のほうに感じる頭痛を和らげるためにこめかみをもんだ。〝変身〟してからは、骸骨《がいこつ》コウモリの噛《か》み傷が引き起こすすさまじい痛みは消えた。しかし、問題はまだ残っていることをギュスは知っていた。痛みは体の奥底にひそみ、攻撃をしかける瞬間をうかがう野獣《やじゅう》のようにうずくまっている。オクサも同じように感じているのだろうか？　そういうことを彼女《かのじょ》と話す時間――むしろ勇気か——はなかった。二人とも同じ状況にある。こんなにじっと、大胆に彼女を見つめることができるなんて思わなかった。ドラゴミラにたのまれて作った旅程のメモを、額にしわを寄せて熱心に読んでいるオクサはきれいだ。テュグデュアルを見るときのように自分を見てほしいと心から思った。

テュグデュアルのほうは周りの状況に平然とし、自信ありげに見える。しかし、心はちくちく痛んでいた。母親のヘレナは自分を避けているようだ。もっと悪いのは、その気持ちがよくわかることだ。自分のせいで家族がばらばらになった。父親は逃《に》げた。世界じゅうの海で発生している津波や高波に飲まれて死んだかもしれない。さっき見たインターネットの情報では、北海で起きた一連の異常な高波のために、ほとんどの石油プラットフォームが波にさらわれたということだ。だれにも言わなかったが、不安がしだいに悲しみに、そして刺すような後悔《こうかい》の念に変わっていた。父親は〈外の人〉だ。そんな災害のなかで生き延びる可能性は低いだろう。家族といっしょにいたら、その可能性もあったのに……。

テュグデュアルのかかえる苦悩の原因の一端はクッカにもあった。できる限り陰険《いんけん》ないとこを避けようとしたが、オクサのそばにいるギュスの周りをうろついているものだから、必然的に目に入ってくる。結局、奇妙な四人組を形成することになり、そこに悲しそうに押し黙《だま》っているゾエが加わった。

ゾエはテュグデュアルを嫌っている。というよりも、彼を信用するには警戒《けいかい》心が強すぎるのだ。テュグデュアルにはそのことがわかっていたし、理解もできた。自分が人にあたえるイメージ

——故意であるにしろないにしろ——がどういうものかわかっていた。だから、他人に嫌われることは不思議ではない。自分の見かけや態度が他人にどう思われても受けとめているし、クッカの陰険さよりはゾエの率直な不信感のほうがずっといいと思った。クッカは自分を罠《わな》にかける。悪意に満ちた攻撃に対抗するには莫大《ばくだい》なエネルギーが必要だ。毎回、うわべでは冷静なふりをしているが、心の中では怒りがふつふつと煮えたぎっていた。クッカといがみ合うことでじわじわと心がむしばまれるような気がする。衝動《しょうどう》を抑《おさ》えるのは大嫌いだ。

それにオクサがいる。彼女はだれよりも死ととなり合わせにいた。そのことを彼女はわかっているのだろうか？　ギュスに噛まれて伝染した骸骨コウモリの毒が若いグラシューズにとって致命傷にならないかと話すオーソンとアガフォンの会話をたまたま聞いてしまったのだ。あらゆることに冷淡な二人は、〈ケープの間〉に入る前にオクサに死なれたら自分たちの計画が台無しになると心配していた。テュグデュアルは怒りにわななないた。

テュグデュアルは注意深く冷静にオクサを見つめた。残された道はただひとつ。何も表に出さないこと。オクサは彼女を真剣に見つめているギュスのほうを向いた。ギュスは彼女に夢中だ。丸わかり……。どうしてあんなにわかりやすくしていられるんだろう？　そのことが自分を弱い立場に追いこんでいることがわからないのだろうか？　テュグデュアルにとっては、ギュスのあからさまな態度や視線はほとんど悲愴《ひそう》といってもいい。滑稽《こっけい》に近い。しかし、心の底では、ギュスのように自然で素直になれたらどんなにいいだろうとも思っていた。

「ちょっと、二人ともなんにも聞いてないでしょ！」オクサの声がひびいた。

考えごとを中断されて、二人はびくっとした。

「ぜんぶ、見直さなきゃ！　エジンバラの空港は使えないんだって、いま、ガナリこぼしが教えてくれたところ！」

すぐにテュグデュアルが携帯電話をいじった。

「まだインターネットが使えるの？」

「ああ、だいじょうぶだ」

「グラスゴーはどうか見てみろよ」ギュスが提案した。

数秒後に審判が下った。

「よし！　グラスゴー発ウルムチ行きの便なら今日いける！」

「ふうっ！」三人のところにやってきたドラゴミラがため息をもらした。

「それで旅行のスケジュールが変わってくるかい？」パヴェルがたずねた。

「ううん」テュグデュアルの肩越しに画面を見ていたオクサが答えた。「ウルムチに着いたら、清水《チンシュイ》に列車で行くから。十二時間くらいかかるけど、毎日走ってるみたい。それから、清水《チンシュイ》に着いたら別の鉄道線で賽漢陶来《サイハンタオライ》に行くの。あとはゴビ砂漠を百キロ行ったら嘎順諾爾《ガシュン・ノール》に着くよ」

「すばらしいわ！」ドラゴミラが歓声をあげた。「これから先はおだやかに旅が続くといいんだけれどね」

「前もってなにもかもわかっているっていうのは無理ですよ」テュグデュアルが言った。「世界じゅうで災害が起きているようだから。沿岸や火山から人が逃げている。ウルムチと嘎順諾爾《ガシュン・ノール》の間でも地震が何回かあったようだけど、大きな被害はなかったみたいです。鉄道は無事みたいです。おれたちが嘎順諾爾《ガシュン・ノール》に着くまで、大きな被害が起きないのを祈るばかりですね」

「あと、いまの時期には、ゴビ砂漠は雪が降る可能性があるから、予定どおりにいかないかもしれない。とにかく、列車が動けばいいけど。そうじゃなかったら……」

ギュスがそう言って、オクサをちらりと見た。

「そうじゃなかったら、自分たちでなんとかしなくちゃね。魔法とか……」

オクサがギュスの言葉を引き取った。

34 痛ましい傷跡《きずあと》

一晩じゅう続いた激しい風やどしゃぶりのおかげで船足がにぶくなったが、なんとか明け方には二そうの船がクライド川の河口に着いた。「海の狼《おおかみ》」と「闇《やみ》の鷲《わし》」に乗りこんだ人たちは驚きのあまり言葉を失い、船室やデッキから目の前の岸をぼうっとながめた。大波の危機以来、みんなはほとんど眠っていない。ぐったり疲れ、気が立っていた。目の前にはただ荒涼《こうりょう》とした光景が広がっていた。

クライド川の氾濫《はんらん》は、まだ眠っていた街の人々に不意打ちをかけたようだ。水が引いたあとには、その傷跡が生々しく残っていた。破壊を免れた家でも氾濫の痕跡《こんせき》はすさまじい。家具や自動車、そのほかにもこわれて泥まみれになった無数の物が、もとは通りだったと思われる場所をおおっていた。判別できないものが堆積《たいせき》し、人々の生活と思い出が無惨な小山になっている。そのショックでゾンビのように人々がさまよっていた。そのわきで、せわしなく動きまわっている人もいる。

「〈外界〉よ、さようなら……」

ドラゴミラが目に涙《なみだ》を浮かべてつぶやいた。

「うまくいくわよ、バーバ！」オクサがなぐさめた。

ドラゴミラはぶるっと震《ふる》えた。顔を隠すようにプラム色のモヘアの上着のえりを立て、デッキの手すりにしっかりとつかまった。

「だいじょうぶ、バーバ？」

ドラゴミラは返事を避けるように顔をそむけた。そんな祖母をオクサは心配そうに見つめた。

「おまえのおばあちゃんはちょっと疲れているんだよ」

ドラゴミラを心配そうに見ながらアバクムが言った。

それから、オクサの肩《かた》をかかえ、操縦室に連れて行った。

「もうすぐグラスゴーに着く。集合をかけようか？」

「あたしたちの行き先のこと、反逆者《フェロン》たちは知ってるの?」

「ほとんど知らないだろう。だから、オーソンは怒り狂っているんだ」

「誇大妄想狂《こだいもうそうきょう》のプライドが許さないわけね!」

「そうだ。個人的にはいい気味だと思うがね」

「アバクムおじさん! 賢明《けんめい》で公平なおじさんみたいな人がそんなこと言っていいのかなあ」

オクサはわざと怒ったように言った。

「妖精人間だって、人間なんだから、ちょっとした楽しみも必要なんだよ」アバクムは笑いながら告白した。「わたしたちにたよらざるをえないのが悔《くや》しくて、あの立派な船の上で地団駄《じだんだ》踏んでいるのかと思うと気が晴れるよ」

「きっと、真っ青だよ!」

アバクムはオクサにほほえみかけた。この機会に、オクサは様子のおかしい祖母のことについてたずねてみたくなった。

「あたしだって十六歳よ。だからもう、いろんなことがわかるのよ。バーバは自信がないのかな? 失敗すると思ってるのかな?」

「みんな、この数日間、ひどいショックが続いていたからな」

アバクムは落ち着いた様子で答えた。

それから、ミニチュアボックスとグラノックのケースをいそがしげに片づけ始め、それらをベルトできつく締めた。話は終わり、ということだ。

「三十分でグラスゴーに着きます！」パヴェルがスピーカーで知らせた。

オクサは息を深く吸いこんでから、不気味な空を見上げ、ぶるっと武者震《むしゃぶる》いした。〈逃《に》げおおせた人〉たちにはこの試練ばかりの運命に立ち向かう力があるだろうか？


グラスゴーの洪水はそれほどひどくなかったようで、市のいちばん低地にある地区だけがまだ泥水につかっている状態だった。それでも、人々の動揺《どうよう》は十分に感じられた。商店や薬局の前には長い列ができ、がらくた置き場のようになった通りを行き来するのは容易ではなさそうだ。

前夜の高波でグラスゴー港には十そうほどの船が流されてきていた。「海の狼」と「闇の鷲」は、それらをなんとかかきわけて進んだ。〈逃げおおせた人〉たちと反逆者《フェロン》たちは、それぞれの小舟を浮き桟橋のひとつにロープでつなぎ、おたがいが接触しないように用心しながら岸に降りた。それでも、アニッキはマリーが元気かどうかを確認するために〈逃げおおせた人〉たちのグループに近づいてきた。その顔には優しさと敬意があらわれていたので、オクサは驚いた。まるでマリーのことを大事に思っているかのようだ。アニッキは自分の信義にかけて病人を守ろうとしているようだった。

「さあ、行こう」アバクムがかけ声をかけた。

〈逃げおおせた人〉たちは後ろをふり向かず、豪雨《ごうう》に痛めつけられた町のなかに入っていった。

「空港に行く手立てを考えないとね」ドラゴミラが口を開いた。

「飛行機に乗らないといけないのか?」オーソンが腹立たしげにたずねた。

「ウルムチまで十一時間も飛ばないといけないのよ」ドラゴミラが冷たい口調で答えた。「つまり、空港に行くのに二時間足らずしか時間がない。ぐずぐずしてはいられないわ」

反逆者《フエロン》たちは怒っているようだ。旅の主導権をにぎれないことは、とくにオーソンにとって我慢のならないことなのだ。

「門の印はウルムチにあるのか?」

ドラゴミラの肩をつかみながらオーソンがどなった。ドラゴミラはさっと身をかわし、アバクムとパヴェルが威嚇《いかく》するように近づいてきた。

「ウルムチはグラスゴーのあとの第二のステップでしかないわ」ドラゴミラはつんつんしながら答えた。「まったく、オーソン、わたしがそれ以上、あなたに何か教えるとでも思ってるの?」

そう言うと、くるりと背を向けた。

「あと十分で空港行きのリムジンバスが出ますよ」携帯電話を耳に当てたテュグデュアルが知らせた。「バス停はここから二百メートルです」

「ありがとう!」ドラゴミラがほめた。「少なくともあなたは役に立つわね!」オーソンをにらみながら言った。

「だれのおかげだろうね?」ギュスがぶつくさ言った。「怪傑《かいけつ》ゾロのおかげだ!」

オクサはギュスをにらんだ。

「また張り合ってる。同じことを何回もするのがいやになったら、教えてよね」

みんなはバス停まで歩いた。そこに着くと、とつぜんギュスがへなへなとしゃがみこんだ。長い脚を折りたたむようにして、頭をかかえている。その数秒後、オクサもとつぜん痛みにおそわれて同じようにうずくまった。

「どうしたんだ？　具合が悪いのかい？」パヴェルがあわてて駆《か》け寄った。

オクサは父親にうつろな目を向けた。

「すごく頭が痛いのよ」オクサはこめかみをしきりにもんだ。

「まるで、だれかが頭蓋骨《ずがいこつ》に穴を開けてるみたいだ！」ギュスがうめいた。

「ほんと！」

すぐにドラゴミラはずだ袋《ぶくろ》の中をかきまわし、キャパピルケースを取り出した。そして、銀色の小さな粒をギュスとオクサに飲むようにわたした。

「親愛なる妹は薬剤師か……」オーソンが皮肉たっぷりに言った。

「あなたの祖先が悪魔のような発明をしなかったら、こんなことにはなっていないわ！」ドラゴミラが言い返した。「わたしたちの未来がこの二人の肩にかかっているのを忘れていないでしょうね」

「ぼくは放っておいてもらってここで死んでもかまいません。何も変わりはしないでしょ」ギュスがぶつぶつ言った。

オクサは思い切りギュスをひじで突いた。

「黙《だま》りなさいよ、ギュス。あたしのようにしててよ。黙って苦しんでたらいいのよ！」

ドラゴミラがくれた銀色の錠剤はひどい痛みを少しずつ和らげたが、代わりに吐《は》き気がして視界がぼやけ、頭がぼうっとしてきた。二人の周りでは、〈逃げおおせた人〉たちと反逆者《フェロン》たちがいらいらとバスを待っていた。びしょぬれの建物の壁に寄りかかっている者もいれば、うろうろ歩きまわっている者もいる。いずれにせよ、みんな緊張していた。

オクサは足のしびれを取るために立ち上がったが、ショーウインドーに映る自分の姿を見て、よけいに頭がくらくらした。「これが、あたし？」ガラスに鼻をこすりつけんばかりにして自分の姿に見入った。その姿に驚き、同時にみとれた。思わず顔をさわった。自分の姿を見ないでいれば、変身したことはあまり問題ではなかった。身長と体形に慣れさえすればよかったから。成長した自分の顔と体形のほうは、自分でも気に入ったから慣れることもできた。

だが、心の動きをコントロールするのは難しい。感情は前より激しく、揺《ゆ》れも大きかった。ギュスの存在やテュグデュアルの視線に心がかき乱される度合いが、一日で二歳も歳をとる前とはまったくちがっていた。まるでその存在を思い出させるかのように、ショーウインドーにくっきりとテュグデュアルの姿が浮かび上がっている。どうしたら逃《のが》れられるのだろう？ 彼《かれ》しか見えない！

ブロンドのクッカの完璧《かんぺき》な姿が堂々と自信ありげに二人の間に割りこんできた。オクサがふり向くと、彼女《かのじょ》がテュグデュアルに近づくのが見えた。彼も意地悪ないとこを避けようとしていないように見える。「彼をそっとしといてよ……」オクサは嫉妬《しっと》にたたきのめされながら舌打ちした。「どうしてテュグデュアルはクッカを近寄らせるんだろう？ 嫌ってるのに！」オクサはむっつりと黙りこんだまま歩道の端のギュスの横にもどり、いやな思いをはらいのけられれば、というむだな期待をこめてこめかみをもんだ。

二十分たってもバスは来なかった。じりじりとする思いがしだいに募《つの》ってきた。待ってもしようがないと見切りをつけ、ほかの解決策を見つけることにした。

「〈浮遊術《ふゆう》〉を使おう！」グレゴールが言った。

「また軍の注意を引こうっていうのか。ご免こうむるね！」パヴェルはすぐに反対した。

「おれたちは、どんな装備の優れた軍隊だって抑える力があるじゃないか」

グレゴールが主張した。

「たしかにそうだが……人間的な価値観から外れてないかな？　ぼくたちはそうじゃない」

オーソンが皮肉な拍手をした。

「それもいいだろう。だが、われわれを成功に導くのはそんな価値観ではないがね！」

「市バスの車庫がすぐそこなんだ」肩にガナリこぼしをのせたテュグデュアルが口をはさんだ。

「バスを一台借りられるんじゃないかな？」

みんなはきょとんとして顔を見合わせた。解決策はそんなに簡単なことだったのだ！

「それはいい考えだ！」アバクムが叫《さけ》んだ。「急ごう。時間がない！」

整備工は六十人近い集団が車庫に入ってくるのに気づいたが、何もできなかった。ドラゴミラが〈記憶消しゴム〉のグラノックを発射したからだ。彼は道具箱を前にうつろな目をして固まっていた。

「これに乗ろう！」たくさんのバスの中からパヴェルが一台を指差した。「みんなが乗れるくらい大きい。ガナリ、ぼくたちを案内してくれるかい？」

ガナリこぼしはうなずいた。

「じゃあ、ぼくのそばにいてくれるね？　道順を教えてくれ。早く空港に着けば、それだけ今日、飛行機に乗れる可能性が高くなる」パヴェルは心配そうに時計を見た。

〈逃げおおせた人〉たちと反逆者《フェロン》たちは順に座席についた。ギュスはオクサのとなりだ。

「おまえのお父さん、バスを運転したことがあるのか？」と、ギュスがたずねた。

「う～ん、ない！　船だってなかったけどね」オクサは愉快《ゆかい》そうに答えた。

「そうか。飛行機にはパイロットがいるといいけどな」

そんな場合ではなかったが、二人は吹き出さずにはいられなかった。以前見ておもしろかった映画を思い出したからだ（米国のコメディー映画「フライング・ハイ」。原題は*Airplane!*だが、仏語版のタイトルは「飛行機にパイロットはいるか？」）。テュグデュアルは何げないふうを装って、ちらりと二人のほうに視線を向けた。オクサがウインクすると、テュグデュアルはほほえみを隠すためにそっぽを向いた。

「何をしているんだ？」とつぜん、大きな声がした。

倉庫から男が出てきた。まだバスに乗っていなかった反逆者《フェロン》三人がふり返って身構えた。

「そのバスを盗もうとしているんだな！　すぐに降りないと、警察を呼ぶぞ！　泥棒め！」

反逆者《フェロン》たちは笑いを浮かべた。彼らはその男を簡単にやっつけることができたはずだ。しかし、手を出したのはオクサだった。彼女は急いで窓を下げ、グラノックを吹いた。すると、その男の顔がすぐにゆるみ、屈託《くったく》のない笑みを浮かべた。そして、恐《おそ》ろしい反逆者《フェロン》、アガフォンに近寄って人なつっこい抱擁《ほうよう》をした。

「気をつけてな！　おまえの好きなこの上等のウイスキーをちゃんととっておくからな。その代わり、カードの勝負でちゃんとお返しするからよ、覚えてろ！」大きな声で言うと男は笑った。

ギュスは問いかけるような目つきをオクサに向けた。

「新しいグラノックを使いたくてしょうがなかったんだ」

オクサはにっこり笑って、アバクムのほうを向いた。

「おじさんの〈幻覚催眠弾《げんかくさいみんだん》〉って、すごい効き目！　気に入ったわ！」

アバクムは納得顔でほほえみを返した。

「これでだれもじゃまする人はいない。出発するぞ！」

パヴェルはそう言ってバスを発車させた。

最初は少し危なっかしい運転だったが、すぐに慣れたようだ。バスは混雑したグラスゴーの通りに入っていった。

35　波乱だらけの旅

オクサは座席にもたれて賽漢陶来《サイハンタオライ》に向かって突っ走る列車の規則的な振動に身をまかせていた。ここ二日間は飛行機や列車の旅が続き、体を動かすことはあまりなかったが、さすがにぐったりと疲れていた。すばらしい景色だけれど、変わりばえしない。雪がうっすらと積もったゴビ砂漠は丘や平地がえんえんと続き、調和を乱すものは何もなかった。すべてが静かで、〈外界〉が滅《めっ》亡《ぼう》に向かっていることが信じられないぐらいだ。まるで、世界でここだけが騒《さわ》ぎを逃《のが》れ、鉄道で結ばれたいくつかの町は何も変わったことがないかのように見えた。人々の生活は相変わらず貧しく厳しいようだが、彼らはよその人を歓迎する気持ちと、弾《はじ》けるような笑いをなくしてはいなかった。

ここまでの旅がずっと、こんなふうにおだやかだったわけではない。パヴェルの名人芸ともいえる運転にもかかわらず、グラスゴー空港への道のりはまさに試練だった。街の中心地から郊外に抜ける通りや道路はかつてないほど混雑していた。再びいつおそってくるかわからない洪水を恐《おそ》れた人々はできる限り沿岸を離れて内陸部に向かおうとした。地学の偉い専門家たちも、そうした人々の行動を裏づけるような予測しかしなかった。世界じゅうで、津波や高波、火山の噴火、地震、地すべりなどの災害にあった都市の周辺には大変な交通渋滞が起きていたが、グラスゴーも例外ではなかった。災害のなかには科学的に説明ができるものもある。環境保護に人間が耳を貸さず何十年間も無視してきたことが原因だ。しかし、ほとんどの災害はだれにも説明できなかった。人間の理解を超えた、無数の突発的な災害だった。

そういうわけで、交通渋滞に巻きこまれた〈逃《に》げおおせた人〉たちと反逆者《フェロン》たちはあやうく、ウルムチ行きの飛行機に乗り遅れそうになった。ドラゴミラは、道路の真ん中でエンストした車をどかすためにこっそりと術を使わなければならなかった。バスが空港に着いたのは飛行機の出発時刻の数十分前で、みんなの焦りは最高潮に達していた。彼らの目的地はふつうの観光客が行くような場所ではないので、飛行機はすいていた。しかし、危険を逃れるためになんとか飛行機のチケットを手に入れようとする人たちで出発ロビーはごった返していた。文明社会のあらゆる価値観が崩壊した無法状態だ。そこでは、ひじや、時にはこぶしを使わねばならなかった。

とくにオクサがショックを受けたのは、男がマリーに跳《と》びかかってきて車椅子《いす》を奪《うば》おうとしたことだ。体が不自由ならチケットをとれる可能性が高いと思ったからだろう。グラノックの〈睡《すい》眠弾《みんだん》〉を使って、パヴェルとナフタリがすぐにその男を取り押さえた。メルセディカの死のショックからまだ立ち直っていないレミニサンスとゾエが、野獣《やじゅう》のようになった男たちのえじきになった。レミニサンスはバッグを盗《と》られ、ゾエがそれを取り返そうとして肩《かた》をひどくこづかれた。

そのときはテュグデュアルが術を使って助けた。バッグを取りもどすには〈磁気術《じき》〉、その無作法な男を懲《こ》らしめるためには〈腐敗弾《ふはいだん》〉を使った。その男の腕《うで》がいやな臭《にお》いを発しながら腐《くさ》り始めると、周りはパニック状態になった。

「わあ、手加減なしだね！」オクサが叫《さけ》んだ。

「そのとおりさ、ちっちゃなグラシューズさん」

テュグデュアルは不敵なほほえみを浮かべた。

その場面を思い出しながら、オクサはテュグデュアルを目で探した。〈逃げおおせた人〉たちと反逆者《フェロン》たちはゴビ砂漠を走る同じ車両に乗っていた。この旅が始まってからというもの、テュグデュアルとギュスはオクサのとなりの席をねらって競っていたが、二人とも失敗した。マリー、パヴェル、ドラゴミラ、それにアバクムがその〝光栄〟にあずかった。それでも二人はオクサを守ろうといつも気をつけていた。オーソンもオクサからいつも遠くないところにいた。

島を出発して以来、オーソンはいつも不機嫌だった。ドラゴミラは、これから向かう場所についての情報はまったくもらさなかった。常に注意深く行動していたので、それを探ろうとする反逆者《フェロン》たちの企《くわだ》てはすべて失敗した。ドラゴミラの紅茶に巧《たく》みに仕こまれた真実をあばく薬すら、オーソンの目的を果たすことはできなかった。

「オーソンって、ほんとに腐ったやつ！」

オーソンの視線を避けるようにしてオクサがつぶやいた。

「いま何て言ったの？」マリーがたずねた。

オクサは悲しそうに母親を見つめた。マリーは自分の苦痛については何も言わないが、彼女の状態がみるみるからに悪化しているのは聞かなくてもわかった。この二日間のあいだで顔色は灰色っぽくなり、ほおもこけたようだ。体も痛みのために萎縮《いしゅく》しているように見える。

「オーソンはあたしたちの家族に手加減しなかったって言ったの」

「少なくともそれだけは言えるわね」母親はぱちぱちと目をしばたたきながら言った。「あなたはだいじょうぶなの？」

「う〜ん、溶岩でいっぱいの噴火口の上を綱わたりしてるような気がする。一歩まちがえば、落ちる。みんなを引き連れてね。わかる？」

「よくわかるわ」マリーはため息をついた。「でも、うまくいくわよ！」

「そうじゃなきゃね」

オクサは窓のほうを向き、黒い筋のついた空や、雪におおわれた丘をじっと見つめた。果てしなく広がる風景を見ると心が落ち着いた。気持ちのいいけだるさにしばらく身をまかせていたが、ひとりでにギュスに目がいってしまった。彼はオクサの視界のなかにいた。無表情を装っているが、たぶんすごく不安なんだろう。ゴビ砂漠の横断は、彼のなかの中国人の血を思い起こさせているかもしれない。彼に生をあたえた、この巨大な国のどこかにいる女性のことを考えているのだろうか？　いつ終わるか知れない残酷《ざんこく》な猶予期間のことで頭がいっぱいでなければだが……。

「何考えてんの？」

オクサはギュスのとなりに席をうつしてたずねた。

「とくに何も考えてないけど」

ほんの少し座席をつめながらギュスは答えた。

「長い旅だよね」

ギュスは自分の座席に身をしずめて顔をそむけた。オクサはギュスを横目で見た。

「あんたといっしょにいると楽しいわ。あんたはおしゃべりだもんね！」

オクサは皮肉を言った。

「おい！　いくら死んだネズミみたいに退屈してるからって、ぼくのとこに来てうるさくする権利はないだろ！」

オクサはくちびるをかみしめて、脚《あし》をいっぱいに伸ばした。前の座席をじっと見ているふりをしてすりきれた布を引っかき、そこから出ている糸を引っぱった。

「あたしは死んだネズミじゃない……」

しばらくしてから、やっとオクサがつぶやいた。

ギュスはこっそりとオクサを見やった。

「ごめん」

「いいよ」

オクサはギュスが返事をしてくれたことに安心し、次の言葉を待っていたが、ギュスは心配そうな顔をしたまま黙《だま》っていた。

「その座席をほどくつもりなのか？」

とつぜん、ギュスが口を開いた。

「どうして、あんたの心配事を話してくれないの？」

オクサはヘッドレストにひじをのせ、ギュスに向き合って言った。

「ぼくたちのうちの何人かはエデフィアに入れないかもしれないって考えたことがある？」

ギュスの声は震《ふる》えている。

オクサは目を大きく見開いた。呼吸が乱れた。

「どういうこと？」

「もし、〈外の人〉が〈エデフィアの門〉から入れないとしたら？」ギュスは言葉を続けた。

オクサは片手で顔をこすった。こめかみに冷や汗が浮かんできて、目がくらみそうになった。

「どうしてそんなこと言うわけ？　どうしてそんな恐ろしいことを考えるの？」

ギュスはオクサの目をじっと見つめた。オクサは震えた。

「そう考えているのはぼくだけじゃないぜ、オクサ。おまえの両親も、ぼくの親も、ドラゴミラも、みんな考えてるさ。おまえは、そんなことを考えたくないだけだろ。でも、信じられないからって、その可能性が少なくなるわけじゃないだろ」

「可能性？　でも、ギュス……」

言葉がのどに詰まった。オクサはうろたえながら周りを見回した。母親はパヴェルの肩《かた》に頭をのせ、髪《かみ》を優しくなでられている。マリーは急に目を上げて、ぎこちないほほえみを向けてきた。オクサの心は締めつけられた。ギュスの懸念《けねん》が決してでたらめではなく、急に現実味を帯びてきた。オクサの目が列車の中をすばやく走った。オロフとその妻はクッカに優しく話しかけている。フォルテンスキー一家は低い声で話し合っている。コックレルは妻の両手を包んで胸に押しつけている。反逆者《フエロン》のほうも同じだ。〈外の人〉はみんな大事に扱われている気がする。疑問は宙に浮いたままだ。急にギュスがひじ掛けの上の手をこわばらせ体を固くした。また、発作？　ああ、ヤダ……。

「あれは何だ？」

ギュスはさっと立ち上がった。

ほかの乗客と同じように、オクサは窓の外を見た。何百という動物が南に向かって走っている。北に向かう列車とは反対方向だ。ユキヒョウと小型の馬が先頭に立ち、乱れた早足のラクダ、砂漠に生息するクマ、それに羊、山羊、鳥の群れが続く。動物たちのずっと後ろのほうには、大地からもうもうと立ちのぼる土煙《つちけむり》が水平線を隠している。列車は減速した。しだいに大きくなって壁のように立ちはだかるものに、運転士は近づくのを迷っているようだ。

二つのミニチュアボックスが急に激しく動き出した。中に入っている生き物たちも、砂漠の動物たちと同じようにパニックに陥《おちい》っているようだ。よくない兆候だ。いまや、乗客は全員、窓に顔を押しつけて土煙の壁をおびえた様子で見つめている。とつぜん、列車が止まった。叫び声があちこちから上がった。そのうち車両に二人の運転士がわめきながら入ってきた。

「あの人たち、何て言ってんの？　ぜんぜん言葉がわからない！」

オクサが心配そうに声をあげた。

〈マルチリンガ〉の能力に優れた人たちが耳をすませた。運転士たちはおおげさな身ぶりでどなっている。

「黄色い大ドラゴンだ……つまり、巨大な砂嵐《すなあらし》だ」

青ざめたアバクムはそう宣言した。

36　黄色い大ドラゴン

いくつもの巨大な砂ぼこりの渦巻《うずま》きが怪物のようなうなり声をあげて近づいてくる。それはまもなく空をおおい、わずかな太陽の光もさえぎったため、砂漠全体にもやがかかったように、薄《うす》暗《ぐら》くなった。

「すごい高さ！」オクサがうめいた。

「ガナリ」ドラゴミラがずだ袋《ぶくろ》に手を入れながら呼んだ。

「はい、古いグラシューズ様」ガナリこぼしが気をつけの姿勢をして答えた。

「あの砂嵐について何か知っている？」

ガナリこぼしは数秒間、窓にくっついてから答えた。

「この砂嵐は破壊的な威力《いりょく》を持っています。ごらんのように、空まで届いています。ですから、〈逃《に》げおおせた人〉も反逆者《フェロン》も津波のときに船を持ち上げたようには列車を持ち上げることはできません」

「嵐はどこまで広がってるの？」

ガナリこぼしは再び額を窓にくっつけてじっと見た。

「この砂嵐は奥行きがおよそ百二十五キロメートルあり、時速百六十キロメートルのスピードで進んでいます」

「あたしたち、死ぬんだ！」オクサは身震《みぶる》いした。

「ということは、通過するのに四十分かかるな」ギュスはすばやく計算した。

「四十分？」オクサは震えながら叫《さけ》んだ。「そんなに長い間もたない。息が詰まって死んじゃうよ！　なんとかしないと！　あたしが雷雨を起こしたら、少しは役に立つかな？　だって、あたし、もう爆発しそう……」

みんなはオクサの提案について考えた。

「嵐の中の風の力を考えると、エネルギーが追加されたら、砂嵐はさらにひどくなると思うな」

と、アバクムが分析した。

「グラノックの〈竜巻弾《たつまきだん》〉はどうかな？」オクサが再び提案した。「みんながいっせいにやれば、この……恐《おそ》ろしいやつを押し返せるかもしれないわ」

「やってみる価値はあるな」パヴェルは列車のドアに近づいた。

クラッシュ・グラノックを持っている〈逃げおおせた人〉と反逆者《フェロン》は外に出た。初めて全員が力を合わせ、うなりながら近づいてくる嵐の壁をにらみながら精神を集中させた。オクサは頭が爆発しそうになりながら、力をふり絞《しぼ》ってパニックと闘《たたか》おうとした。真っ黒な稲妻《いなずま》が〈逃げおおせた人〉たちと反逆者《フェロン》たちの頭上で光った。

「わたしの合図でいっせいに！」アバクムが号令をかけた。「三、二、一！」

みんなは同時にクラッシュ・グラノックに息を吹きこんだ。もちろん、心の中で呪文《じゅもん》を唱えながら。

グラノックの力で
殻《から》を破れ
おまえの周りの風は
ハリケーンのようにおまえを吹き飛ばす

最初は巨大なしゃぼん玉みたいだったものが、しだいに長く伸びて円筒形のローラー状になり、ものすごいスピードで砂嵐の壁に突進していった。ぶつかった衝撃《しょうげき》で数トンの砂が宙に舞い上がり、壁に穴があいた。だが、その穴は数秒で埋《う》まった。

「もう一度！」ドラゴミラが叫んだ。

さらに二回〈竜巻弾〉を発射して〈逃げおおせた人〉たちと反逆者《フェロン》たちは列車内にもどったが、一様に不安な顔つきを隠せなかった。

「引き返したらどうだろう？」ナフタリが言った。

「この列車は超特急じゃないから、すぐに追いつかれてしまうだろう」パヴェルが答えた。

「子どものフォルダンゴが時をゆがめてくれないだろうか」今度はピエールが提案した。

「すばらしい解決策だけれど、残念ながらその能力は人間にしか効かないんだ」と、アバクム。

「オクサ」勢いを弱めることなく近づいてくる砂嵐をにらみながらギュスが呼んだ。「ほら、インターネットで見たあのビデオを覚えてないか？」

オクサはいぶかしげにギュスを見た。

「どのビデオ？」

「砂嵐の壁がオーストラリア人のほうにまっすぐに近づいてくるやつだよ。彼らがどうやって助かったか覚えてるだろ？」

「たしか、引き返して逃げる代わりに、まっすぐに壁に向かって突っ走って嵐の中を通りすぎたんだよね」

「そのとおりさ！」

「でも、あんな嵐のなかで四十分ももたないわ！」

マリーの声はせっぱ詰まっている。

「ぼくたちが動いていなかったら四十分だけど、ぼくたちも前進すれば、時間はずっと短くなる」と、ギュスが答えた。

「でも砂にじゃまされるわ。砂に閉じこめられるわよ」

「〈竜巻弾〉で嵐の中にトンネルを作るんだよ！」

みんなはあんぐりと口を開けて顔を見合わせた。

「ギュス」

オクサがかすれた声で呼んだ。

「なに？」

「あんた、自分が天才だって知ってる？」

ギュスはかすかにほほえんでから、目をそらした。

「早く！　嵐が近づいてくるわ！」ドラゴミラが叫んだ。

アバクムはグラノックを保管しているケースから急いで〈竜巻弾〉の弾丸《たま》を出し、クラッシュ・グラノックを持っている人全員に配った。それから、運転士のいなくなった機関車に駆《か》けこみ、運転を受け持った。運転士たちは不思議な力を持った乗客と同じくらい砂嵐を恐れて逃げ出したのだ。パヴェルは仲間が止めるのも聞かず、外に飛び出していった。

「パヴェル、おねがい、行かないで！」

マリーはパヴェルを引きとめようとしたがむだだった。

あっけにとられる仲間や乗客の目の前で、パヴェルの背中から闇《やみ》のドラゴンが現われ、飛び立っていった。

「ドラゴン同士の戦いだな」

列車を運転しながらアバクムがつぶやいた。

アバクムの周りに三十人くらいの人が集まった。少しだけ開けた窓からできる限り多くのグラノックを発射しようというのが狙《ねら》いだ。機関車の上には闇のドラゴンが、フルスピードで砂嵐の壁に突き進む列車を護衛《ごえい》するように飛んでいる。

「あたしたち、頭がいかれてるよね！」

オクサは恐怖《きょうふ》にすくんでいる。

「うまくいくさ！」

テュグデュアルは後ろからオクサを抱きしめながら励《はげ》ました。

「位置について！」

運転席の計器にこわばった目を向けながら、アバクムが叫んだ。

砂嵐の壁と列車がものすごい速さで近づいた。衝撃がすぐにやってくるはずだ。〈逃げおおせた人〉と反逆者《フェロン》はわきあがる恐怖と闘いながら息を詰めた。あと数十メートル、あと数秒だ……。

砂嵐のなかはほとんど真っ暗だった。視界はほぼゼロで、列車のライトだけが果敢《かかん》に突き進む機関車の前方をぼんやりと黄色く照らしていた。気温が急激に下がった。厳しい寒さも忘れて、〈逃げおおせた人〉と反逆者《フェロン》は必死に一定のリズムでグラノックを発射した。いっせいに発射された〈竜巻弾〉は巨大なローラーとなってものすごいエネルギーを噴き出し、トンネルを作った。パヴェルと闇のドラゴンも、体の奥深くから発する強力な風を巻き起こして嵐の勢いを押し返し、援護《えんご》した。パヴェルの助けは必要だが、危険すぎる。嵐にさらわれてしまうかもしれない……。〈竜巻弾〉を発することに精神を集中しながらも、オクサは恐ろしい結末を考えずにはいられなかった。「パパ、がんばって！」オクサは心のなかでつぶやいた。手首の周りで波打っているキュルビッタ・ペトの存在をいまほど切実に必要だと感じたことはない。疲れ果て、気が動転《どうてん》している。すべての力を使い果たしそうだ。

「残り四十八キロメートルです」ガナリこぼしが報告した。「このペースでいくと、あと十二分で砂嵐を抜けることができます」

　十二分。何時間にも感じられる長い十二分だ。うまく抜けられるだろうか？　この問いにみんなの心は乱れた。答えはわからない。〈内の人〉の力はたしかにすばらしいが、自然の力に打ち勝てないことはみんなわかっていた。唯一の希望は、〈エデフィアの門〉に着く今日、大いなる自然がチャンスをあたえてくれるかもしれないということだ。

「もう少しがんばりましょう！」疲れきった顔をしたドラゴミラが励ました。「峠《とうげ》は越えたわ！」

　祖母の励ましの言葉にもかかわらず、オクサは「峠」がこれから来るのではないかという恐怖にかられていた。砂嵐の勢いはさらに増し、〈逃げおおせた人〉と反逆者《フェロン》の力は弱まっていた。列車は常に最大の速度で疾走していたけれども、砂嵐の勢いはまったく衰《おとろ》えない。機関車以外の車両の窓やドアはすべて閉まっている。しかし、砂はわずかなすき間から流れこんできた。床には一メートル近くも砂が積もり、車内はパニック状態だった。

「アバクム、どうしたの?」ドラゴミラがたずねた。

アバクムには答えている余裕がなかった。大きな衝撃が列車を揺《ゆ》らし、車体がぐらついた。

「重すぎるんだ!」アバクムは青ざめていた。「ナフタリ! ピエール! 列車を切り離さないといけない!」

呼ばれた二人はすぐに動き、オーソンとグレゴールも続いた。砂にじゃまされて後部車両に行けないため、四人は列車の後方に浮遊《ふゆう》していった。先頭の客車に集まっていた乗客たちはあっけにとられてその光景をながめた。数秒後、車両の半分を切り離して軽くなった列車はスピードを回復した。しかし、数百メートル進むと、またもやスピードが落ちた。

「がんばれ!」思わずこう叫んだオクサは自分でも驚いた。「砂に埋もれて死ぬなんて、ばかみたいじゃない……」

腰《こし》まで砂に埋もれながら、みんなは最後のグラノックを使い果たした。この地獄からなんとしても抜け出さねば! そのとき、悲痛なうめき声が屋根から聞こえた。闇のドラゴンの翼が機関車の窓にぶつかったのだ。再び飛び上がろうとしたが、嵐の威力に揺らぐ機関車のフロントガラスに打ちつけられた。黄色い大ドラゴンが闇のドラゴンを打ち負かしたのだ!

「いやだ! こんなふうに終わるなんて!」オクサがどなった。

冷たい金属の車体に打ちつけられて動かなくなった父親の姿が見えた。オクサのなかにすさまじい怒りがわき起こり、〈もう一人の自分〉を呼び覚ました。オクサは自分の一部が体から離れるのをはっきりと感じた。自分の意識や意志がこれほどはっきりと感じられたことはなかった。ドラゴミラはいま起きている奇跡《きせき》に感動してオクサを見つめた。二人のグラシューズは見つめ合ったままおたがいにうなずいた。オクサの〈もう一人の自分〉は天窓のすき間から出て行った。

37　闇《やみ》のドラゴンの救出

その後に起きたことをオクサは目で見ることはできなかった。しかし、そこにいたかのように、強烈に感じていた。彼女の〈もう一人の自分〉は膨張《ぼうちょう》して広がり、列車の屋根の上で意識を失って倒れているパヴェルと闇のドラゴンをできる限りおおった。しばらくすると、オクサは父親の心臓が鼓動《こどう》し始めるのがわかった。命をかけてみんなを守ってくれた父親の体に再び血がめぐってきた。オクサは勝利の声をあげた。その声は〈もう一人の自分〉の叫《さけ》び声といっしょになって何倍にも反響して聞こえた。

「あれを見ろ！」

アバクムが叫んだ。

目の錯覚《さっかく》だろうか？　死にたくないという本能が見せる幻覚だろうか？　オクサは目をぱちくりさせた。体全体が途方もない幸福感に包まれていくのを感じた。砂嵐《すなあらし》が晴れてきた！　日の光がしだいに感じられるようになり、風の勢いもずいぶん弱まった。

「助かった！」

列車中に歓声があがった。〈逃《に》げおおせた人〉も反逆者《フェロン》も〈外の人〉もほとんどの人がほっとして涙《なみだ》を流している。

「パパはどこ？」

オクサが心配そうにたずねた。

〈もう一人の自分〉の感覚はもうなくなっていた。気づかない間に自分の中にもどってきたのだろう。アバクムは列車を止め、腕《うで》を伸ばして機関車の扉《とびら》を開けた。砂が外にこぼれ落ち、ちょっとした小山になった。オクサは機関車から飛び出て、ほこりっぽい地面に降りた。そして息をきらしながら列車を見上げた。

「パパ！」オクサはしゃがれた声で呼んだ。「パパ！　どこにいるの？」

周囲は静かだった。空は雲ひとつなく澄《す》み切っている。そこにはゴビ砂漠がうつろに果てしなく広がっている。不思議なことに、動いているものといえば、黄色いほこりを巻き上げて遠ざかっていく砂嵐の壁だけだった。

「パパ……」オクサはがっくりとひざをついてうめいた。

ドラゴミラとアバクムが心配そうな顔をして機関車から出てきた。二人は空や砂の丘を見まわした。いない。オクサは〈浮遊術《ふゆう》〉で浮き上がった。

「あそこにいるわ！」列車の屋根に乗ったオクサが叫んだ。「パパ！」

パヴェルは金褐色の闇のドラゴンの体に守られるようにして、その下にぐったりと横たわっていた。オクサが近づくと、ドラゴンはパヴェルの背中の刺青《いれずみ》にもどった。そして、パヴェルは娘のほうに腕を伸ばした。

「やったな」パヴェルは咳《せき》をしながら言った。

オクサは父親に跳《と》びついて抱《だ》きしめた。

「パパ！　かっこよかったよ！」

乗客たちは喜び合いながらいっせいに拍手をした。パヴェルは、再びはっきりと二つのグループに分かれた〈逃げおおせた人〉たちと反逆者《フェロン》たちを見た。

「みんな、かっこよかったよな」

パヴェルは感激したように言うと、首をかたむけ、けげんそうに目を細めた。オクサがその視線を追うと、地平線上に不思議な色を放つ垂直の光の束が見えた。オクサもパヴェルも見たことのない色だ……。

38　最後の夜

「だからさっきから言ってるじゃないか、見えないんだよ！　忘れたのか？　ぼくはふつうの

〈外の人〉だから、ふつうの目しかないんだ。ふつうのものを見分けることしかできないんだよ。おまえの言う垂直の光の束なんて、見えないんだ！」

ギュスは不機嫌そうな顔をして、前の座席を蹴《け》った。

「いたっ！」ブルンの声がした。

「ごめんなさい」ギュスはあやまった。「あなたのせいじゃないんです。オクサのせいなんです」

「あっ、そう」

オクサはため息をついた。それから、むっとして顔をそむけ、道路を見つめた。

二時間前、〈逃《に》げおおせた人〉たちと反逆者《フェロン》たちは賽漢陶来《サイハンタオライ》でほこりまみれの列車を降りた。その小さな町は黄色い大ドラゴンの直撃の後始末に追われていた。世界各地の人と同じように、災害のあと、なんとか立ち直ろうとしている。もちろん、被災地から逃げるという考えにとりつかれている人もいる。オクサたちの列車が駅に入るやいなや、興奮した人たちの群れが一気に列車の中になだれこんできた。その線は賽漢陶来《サイハンタオライ》が終点なので、列車はこれから南に向かって、来た道を引き返すのだ。最新のニュースによると、北部ではひどい地震があったという。世界各地から悪いニュースが入ってきているにもかかわらず、逃げることで解決策が見つけられると信じている人がいる。これまで人間はそうやって生きてきた。幻想のなかに逃げれば救われると。

どこも混乱がひどかったので、不思議な能力を持った乗客がいて、飛んだり、ドラゴンに変身したりしたという突飛《とっぴ》な話に耳をかたむける人はいなかった。〈逃げおおせた人〉と反逆者《フェロン》たちはその混乱を利用してこっそり姿を消し、町の喧騒《けんそう》のなかにうまくまぎれこんだ。ドラゴミラとアバクムがポンコツバスを二台〝拝借《はいしゃく》〟してきたので、みんなはだれに頭を下げることもなく乗りこみ、嘎順諾爾《ガシュン・ノール》をめざして北に向かった。

バスはでこぼこ道を大きく揺《ゆ》れながらのろのろと進んだ。あまりにも疲れていたので、文句《もんく》を言う人はだれもいない。目印が地平線にあらわれてからというもの、オーソンは急いで最初のバスのハンドルをにぎった。一本道を突っ走る第一のバスに、ナフタリが運転する第二のバスが続いた。

「わたしたちより有利な立場だと思わせとけばいいのよ」

ドラゴミラはため息をついた。

ギュスも急いでバスに乗った。ハンドルをにぎるためではなくて、テュグデュアルより先にオクサのとなりに座るためだ。テュグデュアルはがっかりしてしかめっ面をしたが、すぐにギュスにからかうような笑みを向けて仕返しをした。二台のバスが発車するとすぐに、オクサは磁石のように自分たちをひきつける不思議な光線について熱心に語り始めた。しかし、その興奮を分かち合うことができないため傷つけられたギュスは反発した。

オクサは別のことを考えて気をまぎらわせようとした。しかし、彼女の思いは、空をさえぎる不思議な光線と、ギュスが少し前に言った言葉に必ずもどった。消せないインクのように、疑いが心に染みをつけた。もし、〈外の人〉が〈エデフィアの門〉から入れないとしたら？　オクサはうろたえて頭をふり、ギュスを見た。〈内の人〉とその子孫だけが光線を見ることができるのは明らかだ。そのすばらしい色は、そのほかの人には見ることができない。そのことがギュスをいらいらさせ、みんなの不安を強くしているのだ。

オクサはドラゴミラが以前に言ったことを覚えている。

「物が反射させる光が目に届くまでは、その物が見えないということは知っているわね。つまり、エデフィアの光はその独特の太陽光線を利用しているわけ。〈外界〉からはその太陽光線の幕はまったく見えないし、越えられないいし、寄せつけない。〈外の人〉はエデフィアに近づけるのだけれど、不思議な現象が起きてわたしたちの国を隠してくれて、近づいてくる人の進む方向を狂わせるの。空から見ても同じこと。エデフィアは最新鋭の人工衛星からも見えないわ。おそらく同じ理由でね。わたしたちが理解した限りでは、この光はふつうの光より速度が速いの。〈内界〉ではエデフィアの幕は見える。それはエデフィアの境界よ。わたしたちの目は遺伝的にそのものすごい速度の光を見ることができるようになっているのよ。その光は〈外界〉では見たことのない色を生み出す。未知の色をね……」

自分の出自《しゅつじ》の秘密を知ったときにドラゴミラが説明してくれたこのことは、いまやオクサにとって完全な意味を持ち、〈外の人〉たちにとってはいやな予感をかきたてた。もし、彼らが光線を見ることができなくて、進む方向を狂わされたとしたら……オクサはぞっとした。ギュスのほうに目がいった。

「ごめん」

「いいよ」ギュスは不機嫌そうに答えた。「その色がどんななのか話してくれたら、ちゃらにしてやるよ」

オクサは眉《まゆ》をひそめた。この世にないものをどうやって説明したらいいんだろう？　光線は見える。だが、うまく言いあらわせない。オクサはギュスをこれ以上傷つけないように注意しながら考えた。オクサは見えるままのことを言うことにした。

「光線は地面から発して、空に向かってフェードアウトしているように見える。でも、よく見ると、光は空から出てるの。太陽光線のように垂直に下に向かっているわけ」

「そこまではぼくにもわかるよ。でも、色はどうなんだい？　その色が何に似ているか教えてくれよ」

「それが、何にも似てないんだ」

「何にも似てないなんてことがあるかい？」

オクサは悔《くや》しそうにちらりとギュスを見た。

「存在する全部の色を混ぜたような色だってことは言えるけど、それじゃわからないよね。わからない、ギュス。その色が何に似ているかはわからないの」

ギュスはおおげさにため息をついた。

「わかったよ、信用するよ」

バスが急に止まった。ナフタリが立ち上がって巨大な体を伸ばした。

「もうすぐ暗くなる。ちょっと休憩《きゅうけい》しないといけないな」

オクサの顔がくもった。ここまで長い旅と試練に耐《た》えてきたみんなの願いはただひとつ。門を越えることだ。なのに、みんな、門に近づくことを遅らせようとしている。なぜだかわからない。オーソンが怒ってバスのドアをたたいたとき、オクサの不安はいっそう増した。

「どうして止まるんだ？」

「この村で一泊《いっぱく》するのよ」

ドラゴミラが平然と答えた。

オーソンはドラゴミラをにらみつけた。

「時間のむだだ」

「先に行って待っていたらいいじゃないの！　わたしたちは最後の夜をここで仲間うちだけですごすから」

最後の夜!?　オクサははっとした。オクサはうろたえたように祖母を、それから両親を見た。オクサは席を立って、ふらふらと母親のほうに歩いた。

「ママ、どうなってんの？　嘘《うそ》だって言って」

声がかすれた。マリーは否定もせず、うなずくこともせず、ただオクサを腕《うで》に抱きしめた。その無言の答えは言葉より雄弁だった。〈逃げおおせた人〉たちが降りるたびにバスがぎしぎしと音を立てた。パヴェルはマリーを抱き上げてバスから降ろした。母親の手をにぎったまま、オクサはこわばった顔をしてそれに続いた。

「見ろよ、なんてきれいなんだ」ギュスの声が後ろから聞こえた。

見捨てられた村みたいだ。家々は廃墟《はいきょ》のようで、くずれた壁の間からひっくり返って砂ぼこりをかぶった家具が見えた。災害の混乱のなかで打ち捨てられた生活の名残りがあった。その廃墟の中心部にほとんどもとのままの仏教寺院があった。灰色の石と古木でできていた。つやのある屋根の瓦《かわら》が数枚落ちてしまっているだけで、反り返った屋根の先端には龍《りゅう》に乗った小さな人像《ひとがた》がついていた。夕日を受けたその寺はなんともいえない美しさだ。

「ほんと、きれい」オクサはつぶやいた。

ドラゴミラはさっさと寺のほうに向かって歩いている。〈逃げおおせた人〉たちはそこで眠るのだ。入り口の階段を数段上り、中に入る前に発光ダコを取り出した。

「悪魔のような僧侶《そうりょ》の幽霊《ゆうれい》が出ないといいけどな」ギュスがわざと怖《こわ》そうな声でオクサの耳元にささやいた。

オクサはびくっとして、それからギュスの肩《かた》をパンとたたいた。

「ばかなこと言わないで！」

「来いよ。探検しようぜ」

ギュスが雰囲気を和らげようとしてくれたことにほっとして、オクサはギュスにほほえんだ。

寺の内部は荒廃《こうはい》していたが、落ち着いた避難所になりそうだ。いちばん大きな広間の中心には、金属の火鉢《ひばち》がある。ピエールとアバクムが集めた薪《まき》とドラゴミラの〈火の玉術〉のおかげで火が起こされ、暖かくなった。〈逃げおおせた人〉たちは村の家々からご馳走《ちそう》を作るための材料をかき集めた。ジャガイモ、干し肉、ラード、胡桃《くるみ》だ。

「おなかがすいて死にそう」

オクサは炭の下に埋められたジャガイモをものほしそうにながめながらつぶやいた。

「おまえが大食らいだってことは、みんな知ってるよ」ギュスが言った。

オクサは笑い出したいような、泣き出したいような思いでギュスをじっと見つめた。

「育ち盛りだからだなんて言うなよな」

「あーあ、何日も何も食べてなかったような気がする」

「ダイエットしてるんですか?」ヤクタタズがいぶかしそうな目をして聞いてきた。「でも、あなたは釘《くぎ》みたいに細いじゃないですか!」

ヤクタタズは胡桃にかじりつき、殻《から》を吐《は》き出してから実を食べた。

「あんたって、ほんとにおかしいよね」

オクサはヤクタタズのしわくちゃの皮膚《ひふ》をなでた。

全員が赤く燃える火鉢の周りに集まった。自然に家族ごとにかたまった。ポロック家、ベランジェ家、クヌット家、フォルテンスキー家……。みんなの顔には疲労の色と大きな不安の影があらわれていた。しかし、暗黙の了解のようにだれも〈外の人〉たちが〈エデフィアの門〉をくぐれないかもしれない可能性については口にしなかった。そんなことは耐《た》えられない。すべてがうまく行くかもしれないというかすかな希望にすがりながら、大切な人との時間を大事にすることに専念した。

おなかがいっぱいになり、ラードで手をべたべたにしたオクサは母親の肩に頭をもたせかけた。「だいじょうぶよ、オクサ……」マリーはオクサの髪《かみ》をなでながらつぶやいた。「何が起ころうと、自分を、そしてわたしたちを信じないといけないわ。あなたはすごく大きな責任を負っているのよ。なんとしてでも成功させないとね。わかる？　なんとしてでも。それがいちばん大切なことよ。いつだって、希望がなくなるということはない、ということをよく覚えておくのよ。解決法は必ずあるわ」

オクサは泣き出しそうになるのを我慢した。

「ママはそう信じてる？」

「もちろん、信じてるわよ！」

マリーは本当に信じているようだった。寂しい薄暗がりにその声がひびき、聞いていた人たちの胸を打った。

「あなたは一人じゃないし、これからも決して一人になることはないわ。それだけは忘れないでね」

オクサはぐったりと疲れていた。深刻そうにオクサを見つめているテュグデュアルのほうへオクサの視線が移った。〈外の人〉がエデフィアに入ることができなくても、彼は家族のだれとも別れることはない。クヌット家の人はみんな〈内の人〉だ。どうすることもできない世界のカオスにすでに飲みこまれてしまったテュグデュアルの父親以外は。

「ギュスのところに行かないと。彼にはあなたが必要なのよ」

マリーがオクサの耳元にささやいた。

オクサは広間をさっと見回した。ギュスがいない。乳白色の月明かりが差し、少し離れたところに彼の影が浮かび上がっている。寺をぐるりと囲んでいる手すりにもたれて、みんなに背を向けている。黒髪がカーテンのように顔を隠していた。オクサはそばに近づいて手すりにひじをついた。しばらくの間、二人は闇《やみ》を見つめて黙《だま》っていた。

「好きなのか？」

ギュスがとつぜん口を開いた。

「だれのこと、言ってんの？」

オクサは身構えた。

「わかってるじゃないか。おまえの〝ゴシック系スーパーマン〟だよ」

「ねえ、ギュス。そんなことを話してる場合だと思ってんの？」

「だって、とうぶん二人だけで話す機会はないかもしれないだろ」

オクサは体から力が抜けてぐったりした。

「それがわかったら、何か変わるわけ？」

「オクサ、全部ちがってくるんだよ！」

「それなら、あんたの質問に答えない。わかるでしょ」

ギュスはオクサの顔をまっすぐに見つめた。ブルーマリンの目がくもった。

「それぐらい答えてくれる義理はあるだろ？　おまえがあいつを好きなのかどうか、ぼくにとっては大事なことなんだ」

「ああ、ギュス……」オクサは青ざめた。

「当然じゃないか。ぼくの人生がめちゃくちゃになる前に、おまえがほかの人を好きなのかどうか知る権利がぼくにはある！」

「あたしに食ってかかろうっていうわけ？　ジョーダンじゃないわよ」

ギュスは顔をしかめた。

「そういうわけじゃないよ……」

「そうとしか思えないけどなあ……」と、オクサは疑わしげな目をして言った。

ギュスに触《ふ》れないようにしようと、オクサはすべすべした手すりをいらいらとたたいた。

「今度はあたしが聞いてもいい？」

数分たってから、オクサが口を開いた。

「うん……」

オクサは咳《せき》ばらいをした。のどがひきつって言葉が出てこない。ついに震《ふる》える声がもれた。

「あんたはあたしを好きなの？」

ギュスは彫像のように固まった。息づかいが荒くなり、うろたえていることがわかる。

「何言ってんだよ」ギュスは正面をにらみながら、小声で言った。「ぼくみたいな頭がよくて勇気のある男が、なんでおまえみたいな女の子に興味があるんだよ。そうじゃないか！　見てみろよ。おまえはつまんないやつだし、ブスだし、退屈だし、知性もユーモアのセンスもないじゃないか。黒ずくめの〝スウェーデンのからす〟以外に、だれがおまえのことなんか好きになるんだよ？」

その優しく苦い言葉のなかにギュスの深い悲しみを感じなかったら、オクサは笑い出していただろう。ぎこちない沈黙《ちんもく》が続き、ギュスは見捨てられた村を見わたすふりをした。そして、そのすきにそっと腕にのせられたオクサの手をふりほどこうとする仕草をした。すると、オクサはギュスのほうへ向き直り、思わず口の端にそっとキスをした。

39 エデフィアの門

不思議な光線を放つ目印の下で、嘎順諾爾《ガシュン・ノール》の水は輝いていた。賽漢陶来《サイハンタオライ》を出発してから、空は壊死《えし》しているかのように少しずつ暗くなった。時おり、漆黒《しっこく》の稲光《いなずま》が走り、雷鳴《らいめい》が乾いた音を立てて砂漠の静けさを乱し、〈逃《に》げおおせた人〉たちをびくっとさせた。

〈逃げおおせた人〉と反逆者《フェロン》のバスが湖のほとりに着いたとき、薄暗《うすぐら》く厚いもやの向こうに陽がかたむこうとしていた。オーソンは待ちきれず、全速力でバスを飛ばした。全人生をかけた夢――あるいは復讐《ふくしゅう》か――がついに実現しようとしているのだ。バスを止めるとすぐに獣《けもの》のように外に飛び出し、光る目印の前に立ちはだかった。敵と味方の両方の人たちに囲まれて、ドラゴミラは震《ふる》えながら目印に近づいた。その手をオクサとアバクムが取った。ドラゴミラとアバクムのほおには涙《なみだ》がぽろぽろと流れている。この運命的な瞬間の彼らの感情の高ぶりは、周りの人たちにも痛いほどわかった。

「古いグラシューズ様、若いグラシューズ様、そのお仲間の〈逃げおおせた人〉と、敵の同行者の方々は門の開放が切迫《せっぱく》を知ったという情報を受け取らなければなりません」と、フォルダンゴがドラゴミラの前に立って宣言した。「若いグラシューズ様の不死鳥が接近の合図をしております。その出会いが実行されたとき、ロケットペンダントがその底に閉じこめられた詩の露見《ろけん》をするでしょう。二人のグラシューズ様がいっしょにその呪文《じゅもん》を唱えると、門の開放を引き起こします」

ドラゴミラがふらついた。それをアバクムが腕《うで》を取って支えた。

「だいじょうぶ、バーバ?」

オクサがささやいた。

ドラゴミラは悲しそうなほほえみを浮かべた。オクサは急に目がくらんだ。祖母が急に老けこんだように思えた。

「親愛なる妹よ、われわれはついにやってきた!」

オーソンはロケットペンダントを得意そうにかかげながらささやいた。

オーソンのほうを見ようともせず、言葉も発せずに、ドラゴミラは腕を伸ばしてロケットペンダントを受け取った。それからゆっくりと手の中で裏返し、しばらくじっと見つめてから、まだらに黒くなった空を見上げた。ロケットペンダントがかすかな音を立てて開いた。すると、古びた金のロケットの上に刻印された文字があらわれた。オクサはドラゴミラを見つめ、合図を待った。

「時間は実行の緊急を表現しています」フォルダンゴが言った。

「一分待ってちょうだい、フォルダンゴ」ドラゴミラがかすれた声で言った。「ほんの一分でいいの」

ドラゴミラは仲間を一人一人腕に抱《だ》きしめ、とくにアバクムとパヴェルのところでは長くとどまった。最後にオクサの番になると、涙がこぼれるのを必死に我慢しながら、重い足取りで前に進み出た。ドラゴミラはオクサをぎゅっと抱きしめた。

「うまくいくわよ」と、オクサはささやいた。「心配しないで！　エデフィアに帰れるのよ、バーバ。失った故郷に」

ドラゴミラはオクサの後ろにまわって腕をまわした。そのとき、目印の光は音も立てずに嘎順諾爾《ガシュン・ノール》の水の中に消えていった。すると、地球の底からわき出たようなたとえようもない色で湖が染まった。

「不死鳥が……」レミニサンスがつぶやいた。

オクサは顔を上げた。血のように真っ赤な鳥が目に見えて大きくなる。ゆっくりと力強いリズムで羽ばたいている。

「きれい！」オクサが小声で叫《さけ》んだ。

不死鳥は〈逃げおおせた人〉と反逆者《フェロン》たちの頭上を越えて、オクサの足元に下りてきた。その翼の幅はワシと同じくらいだが、ワシとちがって炎のように光り輝いていた。まるで、一本一本の羽が炎と金でできているようだ。その小さな目は溶けた溶岩のような強さをたたえている。不死鳥は小さな頭のてっぺんについた羽を揺《ゆ》らしながら、敬うように頭を下げた。オクサはひざまずいて、その見事な鳥をなでた。すると、鳥の顔がぱっと輝いた。

「何を……何をしたらいいの?」オクサはあわてた。

ドラゴミラはいっそうきつくオクサを抱《だ》きしめた。オクサは祖母の心臓が激しく打つのを感じ、不安になった。ドラゴミラは呪文を二人で読めるように、震えながらロケットペンダントを持った手を伸ばした。

失われた土地は見つかるだろう
昔からの敵同士が
力を合わせるなら
そのとき、不死鳥は
二人のグラシューズの力によってあらわれた門へと
亡命した民を導くだろう
〈語られない秘密〉はもはや存在しない
しかし、二つの世界の希望は

消えてはいない
門はいま、
その通過の秘密を明かせ

はりつめた空気のなか、数秒がゆっくりと流れた。とつぜん、不死鳥は、太陽が砂漠の丘にしずもうとしている西に向かって飛んでいった。それから、速度をゆるめてオクサのほうをふり向いた。不死鳥の歌うような声が一人一人の心にひびいた。そうして、不死鳥は夕焼けのなかに消えた。

40　運命のむち

オクサはこの瞬間を数え切れないほど何度も想像した。想像するたびにそれはちがっていたけれど、いつも、魔法や興奮や冒険に彩《いろど》られていた。しかし、〈逃《に》げおおせた人〉と反逆者《フェロン》たちが、わけもわからないうちに目に見えない「無」のようなものに文字どおり吸い取られると、物事は思ったとおりにはいかないのだとわかった。たくさんのあわてふためいた叫《さけ》び声が聞こえ、二つの世界の境を越えると、声がかき消えていった。オクサはドラゴミラと離れ離れになったのを感じた。まるで自分の手が祖母の手の中で溶けたかのように。そして、オーソン、ナフタリ、テュグデュアル、グレゴールたちがそこを通るのを見た。〈外の人〉はだれも見なかった。心がひやりとした。父親は驚いた顔をオクサに向けたまま、マリーと離れて黒い穴のようなものに吸いこまれていった。そしてオクサ自身も、抵抗できない力に引っぱられた。

体に何の圧力も受けず、オクサは目を見開いたまま体が吸いこまれるのにまかせた。幽霊《ゆうれい》のように輪郭のぼんやりとした黄金の光輪を自分が通るのがはっきりとわかった。あっと言う間に、砂丘のようなところにどしんと落ちた。まぶしい光さえなければ、さっきいた砂丘と何も変わらない。〈逃げおおせた人〉と反逆者《フェロン》が大勢いた。みんな放心状態だ。みんな生きている。父親もアバクムもナフタリも、みんなうろたえたようにオクサを見た。成功したのだ。ただし、だれにも耐《た》えがたい条件付きで。

「ママ……」オクサは口を手でおおってうめいた。

体じゅうが震《ふる》えていた。ものすごいショックだ。みんなが恐《おそ》れていたことが起きた。〈外の人〉は通れなかったのだ。しかし、みんなの視線がオクサの後ろのほうに集まっているのがわかると、恐ろしい予感とともに、心に黒い染みが広がっていくような気がした。オクサはふり返ると、叫び声をあげた。

「バーバ！　だめ！」

みんなが通り抜けた光輪はまだそこにあった。輪郭はぼんやりとしていたが、威厳《いげん》のあるたたずまいや三つ編みを頭に巻いた髪型《かみがた》からそれがドラゴミラのシルエットだとわかった。心がこなごなに砕《くだ》け、オクサは砂の上にくずおれた。光輪がまたたき、オクサのそばに寄ろうとした。オクサは、これは悪夢だ、本当はうまくいくんだ、という期待を抱《いだ》きながら手を伸ばした。だが、夢でないことはわかっていた。ひどい悪夢ではなく、ひどい現実だったのだ。

「バーバ……あたしたちといっしょにいて！　おねがい！」

涙《なみだ》ながらの訴《うった》えも何にもならなかった。ドラゴミラは金色のもやに包まれたまま不老妖精に取り囲まれ、エデフィアのあやしげな空に向かってのぼっていった。

第二部　エデフィア

41　新しいグラシューズ

オクサはだれかの腕《うで》に肩《かた》を抱《だ》かれているのを感じた。目に涙《なみだ》を浮かべたパヴェルが横に座っていた。

「バーバは……死んだの？」

オクサの声は震《ふる》えている。

「〈エデフィアの門〉があらわれたのはおばあちゃんのグラシューズとしての能力のおかげだ」

パヴェルの声も震えていた。「でも、門が開いたとき、おばあちゃんの魂《たましい》はぼくたちから離《はな》れて不老妖精のところに行ってしまったんだ」

「もう立ち直れない……」

オクサは体を震わせながら泣きくずれた。運命がこんなに残酷《ざんこく》だとは思わなかった。門があった砂丘《さきゅう》の場所まで走った。そこには虹《にじ》色に輝くエデフィアの光の幕があった。オクサはその幕に近づいてみたが、押し返されるような力を感じ、そこから先には進めない。やみくもに突進《とっしん》してみると、乱暴にはね返され、砂丘の下までころがり落ちた。オクサは立ち上がった。〈逃《に》げおおせた人〉たちはとてつもない任務に成功した。失われた土地に帰ってきたのだ。けれど、その代償《だいしょう》は大きかった。犠牲《ぎせい》にしたもののために二つの世界の救済があやうくなることが起こらないとは言えないだろう。

オクサは冷たい砂の上に、ぐったり横たわった。体を引き裂《さ》くような苦しみがすみずみまで広がり、生きているのか死んでいるのかわからない。その苦痛は彼女の人生の幸せな部分を奪《うば》い去った。ドラゴミラ、バーバ。生まれたときからそばにいて、自分を導き、支えてくれた人。自分のなかにある能力のことを教えてくれた人。こんなふうにいなくなるなんてひどすぎる！　オクサはだれかがそばにいるのを感じた。顔色の悪いアバクムと、ドラゴミラのフォルダンゴだ。アバクムは口を開いたが、言葉が出てこない。ファルダンゴはぽっちゃりとした手をオクサの額に当てた。

「わたくしの若いグラシューズ様……」

まるで血が一滴《いってき》も血管に流れていないかのように、フォルダンゴの顔色は真っ白だった。

「古いグラシューズ様は肉と骨の存在の放棄《ほうき》をされました。あなた様の目の前におります古いグラシューズ様の召使《めしつか》いは、今後は全面的に新しいグラシューズ様に帰属《きぞく》することになります」

オクサは泣きはらした赤い目でフォルダンゴを見つめた。

「おまえは、あたしのフォルダンゴなんだ……」

また泣き出さないように、オクサはうつむいた。

「新しいグラシューズ様の心は、すべての〈逃げおおせた人〉と反逆者《フェロン》とあなた様の召使いと同じように、苦しみが詰《つ》まっています。ほかの方たちと言葉を交わされる希望をお持ちですか？」

　オクサは首を横にふった。

「苦しみは分け合えないもの」オクサはぎゅっと目を閉じた。

「あなた様の召使いの存在は永久に満ちた保証です。新しいグラシューズ様によって選ばれた瞬間が、あなた様のフォルダンゴによって受け入れられる瞬間と完全な一致《いっち》をいたします」

　重い沈黙《ちんもく》が流れ、そこには愛する人を〈外界〉に残してきた敵味方両方の泣き声だけがひびいた。オクサは、もう永久に会うことができないかもしれない人たちの最後の様子すら思い出せなかった。あっという間の出来事だった。しばらくすると、母親の顔が浮かんできた。家族がみんな消えていき、一人残されたことにぼうぜんとした顔だ。

　ギュスはどうしてるだろう？　彼のくちびるに触れたときの目の輝きがよみがえった。まるで天にものぼるような顔をしていた。最後に交わした会話を思い出した。あたしのギュスへの気持ちをちゃんと知りたがっていた。無理強いというよりも、悪い予感といったほうがいいような、罪のない脅《おど》し。みんなショックを受けたまま、ゴビ砂漠《さばく》の真ん中に取り残されたと感じているだろう。また涙がにじんできた。みんな、どうなってしまうのだろう？　あてもなくさまようのか？　災害に飲みこまれてしまうのか？

　とつぜん、両脚《りょうあし》をきちんと前にそろえて座っていたフォルダンゴが口を開いた。弱々しい声だが、毅然《きぜん》としていた。

「死だけが心を決してなぐさめないものであるという、強固な確信を持たれなければなりません。

ところが、いかなる死も嘆《なげ》きに出会ってはいません。そして、死が生きる人々に白羽の矢を立てなければ、希望は糧《かて》を得るのです。この真実は決して精神を離れてはなりません」

オクサは姿勢を正した。そして、周囲に広がる陰気《いんき》な砂漠から、フォルダンゴのほうへ向き直って、ほおにキスした。

「おまえはすごい、フォルダンゴ！　ありがとう。そのとおりよ。なんだって死ぬよりはましだよね。でも、バーバは……」

また声が詰まった。

「門が開いたことで古いグラシューズ様は消えられました。しかし、その魂は今後お仲間となる不老妖精とともにあり、将来は非常な広がりと力を持つ役割に昇華《しょうか》されるのです」

ヤクタタズが重い体を引きずるようにしてやってきた。鼻を上に向け、オクサが愛する永遠の純真さをただよわせている。

「その変な生き物がいうことは一言もわかりません」

フォルダンゴを見ながら言った。

生き物は全員、ヤクタタズの後ろでじっと動かずにいる。悲しそうだけれど、たった一人のグラシューズになってしまったオクサを励《はげ》まそうとする思いは同じだった。ドヴィナイユがオクサのところに、ついさっきまでドラゴミラが首につけていた小さな金の鳥かごを持って飛んできた。

「プチシュキーヌ！」

オクサは極小の鳥たちをかごから出してやった。ドヴィナイユはオクサのてのひらで丸くなっている。

「この環境《かんきょう》は比較的《ひかくてき》おだやかなことはうれしいですが、グラシューズ様、あなた様の苦痛をお察しします。フォルダンゴの言うことはまったく正しいのです。死だけが重大なのです。あなたのお母様やお友だちや、門を通れなかった人たちは、あなたが想像されるよりずっと強いのです」

「あなた様の召使いは重要さの詰まった助言をつけ加えます」フォルダンゴがまた口を開いた。「ある確信の保存をされなければなりません。あなた様はグラシューズ様であり、その力は倍増と拡張に出会うでしょう」

「〈語られない秘密〉ね……」

「〈語られない秘密〉はもうありません」ドヴィナイユが反論した。「おれたちの最後の希望を踏みつけてくれてありがとうよ！」

ジェトリックスがおおげさな身ぶりで口をはさんだ。

「しかし、〈秘密でなくなった秘密〉はその変形に向かって進化することができます」

フォルダンゴが言い足した。

そうした言葉や情報が頭のなかに入ってくるにまかせながら、オクサの目はしだいに輝いてきた。ひとつだけ可能性があった。ささやかだけれど大きなただひとつの可能性、究極の可能性が。オクサは頭をかかえている父親、そしてアバクムやゾエやテュグデュアルを見た。乗り越えてきたばかりのつらい経験に打ちのめされている〈逃げおおせた人〉と反逆者《フエロン》たちを見た。そして、オクサは砂と涙にまみれたほおを手の甲《こう》で乱暴にぬぐってから、うわずった声で言った。

「わかった、フォルダンゴ！　命がある限り、希望があるんだ！　その反対に、希望がなければ命もないんだ！」

フォルダンゴは思慮《しりょ》深そうにうなずいた。オクサは立ち上がって、フォルダンゴをぎゅっと抱きしめた。希望。残っているのはそれだけだ。しかも、それは生き残るための唯一《ゆいいつ》の手段なのだ。

42　出迎《でむか》えた人たち

とつぜん、アバクムが顔を上げて不安げな顔つきになった。みんなの目はその視線をたどった。エデフィアの灰色の空に人の塊《かたまり》が見え、みるみる近づいてくる。飛んでいる者もいれば、板につかまって空を泳ぐようにしている者もいた。パヴェルは娘を守るように抱《だ》き、ほかの〈逃《に》げおおせた人〉たちも二人の周りに集まった。大きな鶏《にわとり》のようなジェリノットたちはのどをふくらませ、ほかの生き物たちの横についた。反逆者《フェロン》たちは、目をこらしてじりじりしながら空を見つめているオーソンの後ろに集まっていた。

「迎えの人たちはぐずぐずしていなかったようだな」

アバクムはクラッシュ・グラノックを取り出しながらつぶやいた。

みんなもそれにならった。

「ヤバそう！」

同じくクラッシュ・グラノックを取り出したオクサは思わずそうもらした。

「心配するなよ、ちっちゃなグラシューズさん」テュグデュアルがささやいた。「だれもおまえを痛い目にあわせたりしないさ」

オクサは体が震《ふる》えてくるのがわかった。

「あたしにはしないかもしれないけど、みんなにはするよ」

「おれたちがそんなことさせておくと思ってるのか？」

テュグデュアルは、自分たちの頭上十メートルくらいのところまで来て、ハゲワシのようにくるくるまわっている人たちをにらんでいる。

パヴェルは体をこわばらせた。オクサは父親の体のなかで緊張《きんちょう》が高まり、闇《やみ》のドラゴンがいまにも出てこようとしているのを感じた。体内で燃え上がる炎《ほのお》の熱がオーラとなって体の周りをおおっているようだ。ドラゴンを長い間抑《おさ》えておくことは難しいだろう。

「パヴェル！」アバクムがパヴェルの肩《かた》に手をおいた。「まだ早すぎる。おまえのドラゴンは最後の手段だ」

「ぼくだって、そうしたいんだ。でも、危険を感じると勝手に出てくるんですよ……」

「フォルダンゴ」オクサは空を飛んでいる人たちから目を離《はな》さずに、フォルダンゴを呼んだ。

「なんでしょうか、グラシューズ様」

「パパを……助けてあげて」

すぐにフォルダンゴはパヴェルの手をとり、自分の心を集中させた。その不思議な力はアバクムの力と連携《れんけい》し、すぐに効果をあらわした。パヴェルのなかの炎はゆっくりと消えていき、熱くなっていた血は静まり、思考をじゃましていた熱から解放されたようだった。

頭上を飛んでいる人たちは漏斗《ろうと》のような形の編隊を組み、〈逃げおおせた人〉と反逆者《フェロン》たちがいる地面に少しずつ近づいてきた。そのリーダーとおぼしき男が砂丘《さきゅう》のてっぺんに降り立ち、三十人ほどの男女がそれに続いた。彼らの服装はドラゴミラが〈カメラ目〉で〈大カオス〉の様子を見せてくれたときに反逆者《フェロン》たちが身につけていたものと同じだ。作務衣《さむえ》のような短いズボンと編み上げの深靴《ふかぐつ》、やわらかい革《かわ》製の鎧兜《よろいかぶと》だ。驚くほど厳しい目つきをして、砂丘の上から新《しん》参者《ざんもの》たちをしばらくにらんでいたが、やがて砂を舞《ま》い上がらせながら足並みをそろえてやってきた。

アバクムと〈逃げおおせた人〉のなかでも年長者は先頭を歩く人物を見知っているらしく、数歩あとずさった。一方のオーソンはどう猛《もう》な顔を輝かせながら姿勢を正した。

先頭にいる男が配下の者に手で合図して、〈逃げおおせた人〉と反逆者《フェロン》たちをぐるりと囲ませた。男は驚きながらも愉快《ゆかい》そうに〈逃げおおせた人〉と生き物たち、そして反逆者《フェロン》たち一人一人を探るように見た。その視線が自分に止まると、オクサは思わずぶるっと身震いした。オシウスだ。恐《おそ》ろしいミュルムだ。オクサにはすぐにわかった。高齢《こうれい》にもかかわらず——彼が百歳《ひゃくさい》を軽く超《こ》えていることはだれもが知っていた——老人ぽくはない。威嚇《いかく》するように近づいてくる護衛のだれよりも、力と威厳《いげん》がにじみ出ている。見事なスキンヘッドがあまり歳《とし》を感じさせない顔をさらに若々しく見せている。オシウスは息詰《いきづ》まるような沈黙《ちんもく》のなか、若いグラシューズをじっと見つめた。その目は闇のように黒く深いので、オクサは吸いこまれそうな錯覚《さっかく》をおぼえた。かすかな笑いが薄《うす》いくちびるに浮かび、小さなしわがグレーの短いあごひげのなかにきざまれている。そして、その視線はほかの人に移り、オーソンのところで止まった。オシウスは両腕《りょううで》を広げて、しっかりとした足どりで歩みを進めた。オーソンは身じろぎもせずに、父親が近づいてくるのを待った。

「息子よ……」オシウスはオーソンの肩に両手をおき、興味深そうにながめた。「たしかに、おまえだ」

この瞬間、オーソンは何を感じ、何を考えていたのだろうか？　だれもがそういう疑問を抱《いだ》いた。どんな感情がわいたのか？　喜びを感じたのか？　安堵《あんど》したのか？　彼の父親は生きていたのだ……。この二人の再会の成り行きによっては、〈逃げおおせた人〉たちに課された任務を遂《すい》行《こう》することが難しくなるかもしれない。すべては二人の関係にかかっている。嫌《きら》われた父親と侮《ぶ》辱《じょく》された息子の再会はどんなものになるのだろう？

オーソンは驚くほど冷静さを保っていた。その白っぽい顔は平然としていた。胸だけがふだんより頻繁《ひんぱん》に上下し、動揺《どうよう》をあらわしていた。

「そうです、お父さん、わたしですよ……」オーソンは気持ちを抑えた声で答えた。「ごらんのように、手ぶらで帰ってきてはいません！」オクサのほうを目で指した。

「なによ！　ここまであたしたちを連れてきたのがあなただっていうの？　いいかげんにしてよ！」

すぐにオクサが言い返した。

オシウスはよく聞こえなかったようで、いぶかしげにオクサのほうをふり返った。

「オクサ！　黙《だま》るんだ！」パヴェルが低くうなった。

「お父さんの言うことを聞きなさい、オクサ」今度はナフタリがささやいた。「この再会がうまくいくようにしないといけないんだ」

オクサは、短気を起こしたことに腹を立てたが、オーソンのあからさまな嘘《うそ》に苛立《いらだ》ち、こぶしをぎゅっとにぎった。

「その女の子がわたしたちの新たなグラシューズなのか？」

オシウスは残忍《ざんにん》な笑いを浮かべている。

「そのとおりです」オーソンはいかにも満足そうにうなずいた。「わたしの母、マロラーヌのひ孫、ドラゴミラの孫娘その人です！　世界じゅうを探しまわって見つけ、エデフィアに連れてきました」

「だから、こんなに時間がかかったのか？」

思いがけずとげのある物言いに、そこにいた人たちは言葉を失った。オーソンの顔はくもったが、なんとか顔を上げ、衝撃に耐《た》えているようだ。オシウスは息子の自制心に打たれたのか、頭をたれた。

「おまえがいなかった時間は長かった。おまえのことをよく考えたものだ」

「そうでしょうね」

オーソンは冷たい目つきでじっと父親をのぞきこんだ。

オーソンの仲間たちは心配そうに顔を見合わせた。最も鍛え抜かれた者も、最も忠実な者ですら、だれも微動《びどう》だにしない。オシウスはその仲間たちを探るように一人一人見つめ、見知った者にあいさつした。

「ルーカス……アガフォン……おまえたちのことはいつもたよりにしていたよ。五十七年もたつのに、ずっとわたしたちの味方でいてくれたのか」

「わたしの家族はいつもあなたの家族に忠誠を尽くしてきました」アガフォンが答えた。「エデフィアでも、〈外界〉でも」

「そうだ、家族だ！」オシウスはオーソンの肩に腕を回し、オーソンは喜んでされるがままになっていた。「それより強固なものがあるだろうか？」

「それこそ、わたしが大切な妹や親戚《しんせき》たちに長年、無駄骨を折って必死に教えようとしてきたことですよ」

そのオーソンの言葉にオシウスは反応した。

「レミニサンスはいるのか？」

「いますけど、あっちの側なんです」

オーソンは非難するように〈逃げおおせた人〉たちのグループを指した。レミニサンスはアバクムの後ろから父親である人の見える位置に進み出た。オシウスが懐《なつか》しそうな顔をしたことにオーソンはむっとし、額にしわを寄せた。オシウスは娘のほうに歩み出た。

「レミニサンス！」

「そこから動かないで！　わたしに近寄ることは許さないわ！」

レミニサンスは冷たい声で言った。

オシウスははっとして止まり、驚くと同時にかすかに楽しんでいるふうに言った。

「長い年月がたったのに、すぐわかったよ。髪《かみ》は白くなり、ほおはこけているが、おまえは変わっていない。相変わらずあやまった選択《せんたく》をしているようだな。おまえに仕える騎士、すまん、おまえの異父弟はそばにいないのか？」

「レオミドはもういないのよ」レミニサンスは怒りに体をこわばらせた。「あなたのせいでね！　何もかも知りたいなら教えてあげますけど、ドラゴミラも逝《い》ってしまったわ！」

オシウスはうろたえているようだった。しかし、その動揺はほんの少しあらわれただけだった。悲しみと後悔《こうかい》の混ざった影がそのどう猛な目にちらりと浮かんだが、すぐに気を取り直し、偉《えら》そうに言った。

「異父弟の未亡人になったわけか……なんと皮肉な人生だろう」

このオシウスの言葉にレミニサンスは怒りで真っ青になった。

「そっとしておいてやれ！」アバクムがレミニサンスをかばうように前に出た。「彼女はあなたの息子のオーソンよりずっと勇敢《ゆうかん》ですよ！」

「おやおや……アバクムじゃないか。それとも〝永遠に陰の召使《めしつか》いでしかありえない人〟と呼ぶべきかな」

「あなたにそんなことを言う権利はない！」

オクサがほおを真っ赤にして叫《さけ》んだ。

オシウスは興味深そうにオクサを見つめた。

「われわれの新たなグラシューズというわけだ」

「あんたの新しいグラシューズなんかじゃない！」

「いいや、そうだ。おまえは完全にわたしの支配下にあるんだ」

その言葉を合図に、反逆者《フェロン》たちは〈逃げおおせた人〉たちを囲む輪をせばめた。

「ここは言うとおりにしておこう」アバクムは仲間たちにささやいた。「ここで戦っても、殺されるのがおちで何にもならない」

「アバクムおじさん！」

オクサが不満げに叫んだ。

「内部からのほうがより強くなれることもある……」

「果物《くだもの》のなかの虫だよ、ちっちゃなグラシューズさん」

テュグデュアルがオクサの手をにぎった。

ぞっとするような恐怖をできるだけ隠しながら、オクサは仲間たちといっしょに前に進んだ。

オシウスは彼女に不気味なほほえみを向けた。

「ようこそ、エデフィアへ、グラシューズ様！」

43 逃亡《とうぼう》の誘惑《ゆうわく》

反逆者《フェロン》たちに囲まれながら、〈逃《に》げおおせた人〉たちはエデフィアの灰色の空を慎重《しんちょう》に飛んだ。〈浮遊術《ふゆう》〉を使えない生き物や森人たちはジェリノットたちの背中に乗った。ジェリノットはゆっくりと羽ばたき、甲高《かんだか》い声でこっこっと鳴いている。オシウスは威厳《いげん》に満ちた態度で先頭に立ち、息子と孫息子たちがそのかたわらについた。

「あいつって、オーソンよりひどいよ」

オクサは反逆者《フェロン》の首領《しゅりょう》の姿をじっと見つめた。

「あの辛辣《しんらつ》な物言いは、怖《こわ》いものなしだよな」

オクサの横を飛んでいるテュグデュアルが反応した。

「あいつのせいで、エデフィアがこんなことになったのを忘れないようにしないとな」

パヴェルが口をはさんだ。

「でも、オーソンはまだゲームを始めていないぜ。すべてのカードを持っているのは彼《かれ》だ。まずいことになりそうだな」

テュグデュアルは心配そうだ。

「すごくまずいことにね……」

オクサはオシウスの革《かわ》の鎧《よろい》から目を離《はな》し、エデフィアの景色をながめた。失われた地への帰還《きかん》。あれほど待ちこがれた帰還だ。しかし、エデフィアは痛めつけられている。にぶい光のもと、小さな植物までありとあらゆる生き物が土ぼこりにまみれ、弱っているのがありありと感じられる。すべてが死に絶える前の断末魔《だんまつま》の苦しみのように見える。枯《か》れ木の枝は、空に向かって伸びる乾《かわ》いた爪《つめ》のようだ。そのうちの一本は途方《とほう》もない高さまでのびているが、精気は失われていた。

「マジェスティックの木だわ」ブルンが衝撃を受けていた。「わたしたちの故郷はいったいどうなってしまったのかしら?」

「マジェスティックの木?」

オクサはドラゴミラが〈カメラ目〉で見せてくれた光景を思い出した。みずみずしく透《す》きとおった水をたたえるサガの湖を囲む豊かな森。その名にふさわしい高貴な木は、ほかの木々を軽く三十メートルは超《こ》えてそびえ立っていた。

その風景はいま目の前にはてしなく広がる、土ぼこりと枯れた草木の荒野《こうや》とは似ても似つかない。わずかに地平線だけが、ある種の生の痕跡《こんせき》を残していた。この不思議な世界の国境。オーロラのように生き生きと動く光がみえる。しかし、ほかはけだるい鉛《なまり》色で、まるで死に瀕《ひん》しているようだ。

その不思議な風景に魅《み》せられながらも、オクサはメタリックな光の強さから目を守るために、リュックからサングラスを取り出した。ほかの人も同じようにした。オクサの体じゅうの筋肉がこわばっていた。こんなに長く、しかも自由に飛んだことがないからだ。反逆者《フェロン》たちの厳しい監《かん》視《し》のもとではあるが、自由なことには変わりない。エデフィアではオクサは本来の姿でいられる。オクサは筋肉痛を和らげようと両腕《りょううで》を前に伸ばして、思わずうめいた。

「ジェリノットに乗っているアバクムのところに行くかい？」

パヴェルが心配そうにたずねた。

オクサは首をふった。体が痛むのはつらかったが、それはまだましだ。心の痛みのほうがもっとひどい。オクサの心は混乱していた。こんなに動揺《どうよう》したことはない。苦悩《くのう》のあまり心が麻痺《まひ》しているのか、かろうじて感情が爆発するのは抑《おさ》えられていた。近い将来に戦うための力をキープしておくよう本能が命じるのだ。オシウスたちのような恐《おそ》るべき人を相手にするには、慎重さとすばやい反応が必要だ。肉体的な苦痛はあとで治せばいい。

生き物たちとアバクムを乗せた赤毛のジェリノットは、これ以上ないくらいゆっくりと飛んでいたので、全体的に一行はのろのろと進んだ。しかし、羽ばたきはゆっくりでも、頭脳のほうはいそがしく働いていたのだ。ジェリノットの作戦を用心深く伝えたのはドラゴミラのフォルダンゴだった。

「赤毛のジェリノットは逃亡の策略の提案をしています」フォルダンゴは、見張りの反逆者《フェロン》に疑り深そうに見られながら、アバクムの耳にささやいた。「その筋力の強固さと思いがけない敏捷《びんしょう》さで、妖精人間が牢番の支配力から離れることを助けます」

その提案に内心驚いたが、アバクムは自然な態度をくずさなかった。ジェリノットのそばをおとなしく飛んでいたドヴィナイユたちが近寄ってきた。そのうち一羽がアバクムの肩《かた》に止まり、ささやいた。

「若いグラシューズ様のガナリこぼしがいま報告したことによると、森人の一団が〈緑マント〉地方の〈葉かげの都〉の一部の砂漠化を阻止《そし》しているそうです。〈葉かげの都〉はここから五十四キロメートル先で、三百四十八人が住んでいます。この砂漠より気温は低く、摂氏《せっし》十度、湿度《しつど》八十％。エデフィアとしては非常に寒いし、わたしたちのようなかよわい生き物にとっては恐ろしく厳しい気候です。ですから、そこへの逃亡にはわたしたちは反対します！」

「おまえたちの博愛精神は立派だよ！」

ドラゴミラのジェトリックスがからかった。

「そう思いますか？」

ヤクタタズのうちの一人が無邪気《むじゃき》そうに聞いた。

「ふんっ、どっちにしても、わたしたちのことを考えてくれる人なんていないじゃないの。わたしたちが死んだって、だれも気にしないのよ」

「そうそう、そうだよ」

ジェトリックスがため息をついた。

「あなたたちは絶滅《ぜつめつ》の危機にあるのですか？　それは残念ですね」

ヤクタタズが口をはさんだ。

アバクムがさっと手を上げ、きりのない言い合いをやめるよう合図した。生き物たちは不満そうに口をつぐんだ。

「ドヴィナイユは重要性に満ちたある事柄《ことがら》の伝達を怠慢《たいまん》しました」フォルダンゴが続けた。「エデフィアの全国民と同様、〈葉かげの都〉の最後の住人たちは反逆者《フェロン》ミユルムたちの厳しさに満ちた監視を知っています。しかし、抵抗心《ていこうしん》が心に詰《つ》めこまれています。不老妖精が妖精人間と新しいグラシューズ様の到着《とうちゃく》の情報を知らせてからというもの、〈葉かげの都〉の住人たちの期待は急激で継続《けいぞく》した増加に出会っています。彼らは歓迎と反乱を起こそうとしています！　もし、あなたの願いがこの強制された旅行からの離脱《りだつ》を選ばれるなら、赤毛のジェリノットは逃亡を成功に満ちたものにする保証を持っています。ジェリノットは身体的能力を、あなたは保護を保証する能力を持っています。その信頼はあなたの意識にしっかりと根づくことができます」

アバクムが迷っているのは明らかだ。彼は〈逃げおおせた人〉たち――自分の大切な仲間とその家族――に視線を走らせ、それから灰色の砂漠のなかで唯一《ゆいいつ》緑色のオアシスが見える地平線のほうへ目を向けた。赤毛のジェリノットのそばに、やや前かがみに飛んでいるレミニサンスの細い体が見える。ものすごく疲《つか》れているのだろう……この人をどんなに愛しているか……。それからオクサのほうを見たが、丸めた背中とゆらゆら揺れている栗色の髪《かみ》しか見えなかった。父親とテュグデュアルにはさまれて、オクサはこれまでになくあやうい運命に向かって進んでいる。フォルダンゴが咳《せき》ばらいをした。返事を待っているのだ。正面の丘《おか》の向こうに〈千の目〉があらわれた。紫《むらさき》色のもやに包まれたエデフィアの首都は、いまや失われた夢でしかない。

「ジェリノットの力は信頼しているよ……」アバクムはほとんど口を動かさないでささやいた。

「ただ、おまえたちみんなや若いグラシューズのことが気がかりだ。オシウスのもとにいるより、外からのほうがうまく動けることもわかっている。しかし、フォルダンゴ、おまえたちを残しては行けない」

44　クリスタル宮

「年月がたって少し古びてしまったが、美しさは変わっていない。そうじゃないか?」

オシウスは昔の仲間たちに話しかけた。

〈千の目〉の真ん中に位置する〈クリスタル宮〉は、まだら模様の空を背景に、巨大《きょだい》な円柱のようにそびえていた。クリスタルの壁は、精巧《せいこう》で複雑な渦《うず》巻《ま》き状になったスチールの骨組みで支えられ、たぐいまれな宝飾《ほうしょく》品のように見えた。〈クリスタル宮〉が土ぼこりだらけの土地にとつぜんあらわれたとき、エデフィアを去った人たちの心は高鳴った。若い人たちはドラゴミラの〈カメラ目〉でしか見たことがなかったので彼らと思いはちがったが、強い感慨《かんがい》がわき起こったのは同じだ。

〈クリスタル宮〉の下に広がる街は、居眠《いねむ》りをしているタコの足のように、弧《こ》を描く通りが複雑にからまっている。木やガラスでできた建物は二階建て以上のものがなく、みな大きなテラスと、以前はさぞ美しかったと思われる庭がついている。〈千の目〉が豊かな緑におおわれていた様子を想像するのはたやすかった。サガの湖の周りの乾燥《かんそう》した土地と同じように、何百という裸の木々が家々の中庭やあらゆる通りを埋《う》めつくしていた。ところどころ、テラスに緑が残っている。とてもよく手入れされた野菜のプランターかもしれない。住民は家に閉じこもっているようだ。騒々《そうぞう》しく、ざわざわしていながらも完璧《かんぺき》に調和した繁栄する都の姿はもうどこにもない。


エデフィアの空を飛びながら、オクサはいくつか人影《ひとかげ》を見た。その顔は不安と期待に満ち、ものめずらしそうに空を見上げていた。通りから一人の少女が手を上げて合図をしてきた。だれにあいさつしてると思っているのだろうか？　いま何が起きているか知っているのだろうか、とオクサは心のなかで思った。オシウスや護衛の者たちの冷たい視線を浴びながら、オクサは少女にあいさつを返さずにはいられなかった。

「見たかい、オシウス。尊敬や感謝は力では得られないんだ」ナフタリが言った。「エデフィアの国民はだれについていったらいいかわかっているんだよ」

「おまえはいつも、ばかな理想主義者だったよ！」オシウスは皮肉な調子で言い返した。「力はどんなに立派な道徳よりも常に優れている」

「それは、あわれなネズミのように人民から追いはらわれる瞬間まで、最悪の独裁者《どくさいしゃ》たちがみな信じていることさ」

オシウスは意地の悪い笑いをもらした。

「そのうちがっかりするだろうよ、ナフタリ。おまえの脅《おど》しなんか、なんとも思わないね。さあ、おふざけはやめようか。着いたぞ」

オシウスは〈クリスタル宮〉の前に着陸した。仲間や〈逃《に》げおおせた人〉たちがそれに続いた。赤毛のジェリノットが水かきのある大きな足を地面につけると、生き物たちがいっせいに地面に跳《と》び下りて、オクサの周りを囲んだ。

「若いグラシューズ様が宮殿《きゅうでん》の場所についに着かれました」

フォルダンゴは〈クリスタル宮〉のてっぺんに目を向けた。

「いまはわたしのものになった宮殿だがな。もちろん、おまえを歓迎するが……」

オシウスが言い直した。

フォルダンゴはオシウスに激しい非難の目を向けた。

「〈クリスタル宮〉はグラシューズ様以外の所有を知りません」

「若いグラシューズ様にはていねいな口をきくように！」ジェトリックスも加勢した。「打ち解けた口をきいてもいいのは、近しい人だけだ」

「おやおや、動物どもの反乱か！」オシウスは皮肉たっぷりに言った。「だが、小さな召使《めしつか》いたちよ、家系図を見れば、わたしたちの関係が近いことはわかるだろう」

「策略的な関係は家系とはみなされない」レミニサンスが口を開きかけたのをさえぎって、アバクムがぴしゃりと言った。「差し支えなかったら、少し休憩《きゅうけい》をとらせてもらえないだろうか？」

オシウスはいじわるそうに目を細め、革《かわ》の鎧《よろい》を着た十人ほどの護衛が見張っている入り口へ向かった。エデフィアの支配者が通ると、彼らは姿勢を正し、無表情な顔でぐっと胸を張った。オクサが前を通ると、彼らの目はほとんどわからないぐらいわずかに彼女のほうを向いた。好奇心？　恐《おそ》れ？　尊敬？　だれにもわからない。オクサは〈逃げおおせた人〉たちと生き物たちの先頭に立って進んだ。数十メートル離《はな》れたところで人が集まってじっと自分たちを見ているのに気づいた。歓声《かんせい》があがった。

「新しいグラシューズ様、万歳《ばんざい》！」

すぐに護衛がその人たちをにらみつけた。オシウスは顔をしかめながらも、ほうっておけという合図をし、急ぎ足で入り口まで行った。ぐったりと疲《つか》れ果てたオクサと〈逃げおおせた人〉たちはクリスタルを敷き詰めたいかめしいホールに入った。巨大な扉《とびら》が彼らの後ろで閉まった。

〈クリスタル宮〉の構造と装飾はほぼ鉱物からできている。主な材料は宝石や大理石やガラスだった。光がいっぱいに差すホールの中央には、半透明《とうめい》の巨大な階段があり、つやつやしたスチール細工《ざいく》で装飾されたバルコニーに続いていた。一角にはななめになった壁面全体に水が流れ、静かな水音を立てている。ほかには飾《かざ》り立てた部分は何もなく、独特の清らかさをかもし出している。

ブーツを履《は》いたオシウスの足音が静寂《せいじゃく》を破ると、その場所をうっとりとながめていた人たちははっとした。ここをいつか見るとは、あるいは再び見ることができるとは思っていなかったのだ。〈逃げおおせた人〉たちのなかでも年長者は感動していた。たとえ、ここにもどってくることを何十年も待ち続け、この瞬間を想像していたとしても、実際に目の前にした感激は格別だった。

オクサはアバクムがふらつくのを見た。彼はここにもどってくるために大きな犠牲《ぎせい》をはらった。レミニサンスが近寄り、アバクムの腕《うで》にそっと手をそえた。レミニサンスも胸に迫るものがあるようだ。オクサはふと、彼女の本当の願いは何だろうかと考えた。彼女は本当にエデフィアに帰りたかったのだろうか？　一人でいることに耐《た》えられなくて帰ってきたのか？　ここにいるのは、愛のため？　それとも復讐《ふくしゅう》のためなのだろうか？

オクサはあわてて頭をふった。視線はゾエへ移った。顔は苦悩《くのう》と疲労《ひろう》でげっそりしている。オクサはゾエと目を合わせようとしたが、できなかった。まるで自分を見失ったようにぼうっとしている。テュグデュアルはというと、ひたすら何かを観察している。反逆者《フェロン》たち、〈逃げおおせた人〉たち、オクサ、すばらしい装飾。彼の好奇心をそそるものばかりなのだ。

「若いグラシューズ様に重要な詳細《しょうさい》情報をお知らせいたします」

とつぜん、ガナリこぼしがオクサの頭の上を飛びながら言った。

オクサはガナリこぼしが下りてこられるように手を伸ばした。

「〈クリスタル宮〉は本来、高さ二百五十七メートルで五十六階ありました。しかし、〈大カオス〉の際に、〈覚書館《おぼえがきかん》〉とグラシューズ家の住まいをふくむ三階分が破壊されました」

「宮殿の案内はあとまわしだ」オシウスがさえぎった。「まずはわたしの住まいに上がろう」

生き物たちは、オシウスのあまりに独りよがりな言葉が不満らしく、ざわざわした。オシウスはすぐに気づいて言った。

「この五十七年間、グラシューズはだれ一人としてここに来ていない。その間、だれがこの壮麗《そうれい》な宮殿を修復し、維持《いじ》したのだ？　エデフィアを生き残らせたのはだれだ？　おまえたちか？」

その場が白け、だれもがあきれた。このばかげた質問の答えは、わかりすぎるほどわかりきっていた。

「おまえたちはだれもここにいなかったから、〈大カオス〉でこうむった損害を修復することができなかったじゃないか。だから文句《もんく》を言うのはやめにして、ここがわたしのものであることを認めるんだな」

オシウスはこう締めくくると、オクサのほうに腕を伸ばし、乳白色の壁にはまったいくつかのガラスのボックスへうながした。オクサは黙《だま》ってしたがった。〈逃げおおせた人〉たちもそれに続き、みんなはそのボックス――エレベーターだった――に入った。すぐにエレベーターはまぶしいほどの光のなか、最上階に向かって上昇《じょうしょう》した。いまの状況《じょうきょう》とこれから起こることへの不安にくらくらしたオクサは、父親の手をにぎって目をつむった。

45　エデフィアの失われた栄光

映画か、突拍子《とっぴょうし》もない空想は別として、オクサは自分がいまいるような部屋を見たことがなかった。あちこちに不幸な時代の傷跡《きずあと》が残り、色あせてはいたが、細部まで品良く豪華《ごうか》な装飾が施《ほどこ》されている部屋だった。

羽根のように軽いキルティングのかけ布団といくつものクッションにおおわれた大きなベッドにオクサは寝そべっていた。くたくたに疲《つか》れていたが、まどろむことすらできない。感情が高ぶり、不安でいっぱいだからだ。

オクサは横になったまま、ふだん見慣れたものとはまったくちがうインテリアを驚きの目でながめた。褐色《かっしょく》の木材を格子に組んだ壁。その木材が高級であることはだれの目にも明らかだ。この部屋に入ったとき、オクサは思わず指先でこの木に触れ、蝶《ちょう》のはねのようななめらかさに目を見張った。壁もさることながら床も贅沢《ぜいたく》で、ターコイズブルーの大きな敷石でおおわれていた。家具はほとんどない。この場所が寝室だからだろう。バスタブのような大きな水盤《すいばん》が部屋のかなりのスペースを占《し》めている。機会があったら入ってみようと心に誓《ちか》った。

オクサは、天井《てんじょう》に映っている水の動きをながめた。眠気《ねむけ》に誘われそうだ。部屋についているバスルームは全体がスレート張りで、いくつものクリームやオイルや石鹸《せっけん》がローズウッドの飾《かざ》り鉢《ばち》に入っている。衣服も用意されていたが、オクサはリュックのなかに残っていた清潔なジーンズとTシャツを着ることにした。

壁のひとつの面はすべてがガラス張りになっており、〈千の目〉やそれより遠くのすばらしい風景が見えた。地平線に沿って連なる山々のほかは、すべて土ぼこりにおおわれている。人々が動いているからか、ときどき土ぼこりが渦《うず》を巻いて立ちのぼり、空に向かって消えていった。エデフィアはもはや肥沃《ひよく》な土地ではないのだ。

「若いグラシューズ様は、以前のこの土地に関する説明をお望みでしょうか?」

ガナリこぼしがたずねた。

オクサは、タイミングのいいガナリこぼしに感心した。

「もちろんよ、ガナリ。バーバはいつもエデフィアが豊かな土地だって話していたけど、いまはその面影《おもかげ》もないよね」オクサは果てしなく広がる荒地《あれち》を指した。

ガナリこぼしは力強くうなずいた。

「古いグラシューズ様はあなたに厳正な事実しか語りませんでした。エデフィアは、〈外界〉の単位でいうと一万二千平方キロメートルの面積をもつ天国のようなところでした。あの遠くに見える山々はエデフィアの西部を成す〈断崖《だんがい》山脈〉です。急な断崖や切り立った岩のために立ち入るのが難しいのですが、硬すぎて利用できない黒い岩に混じって、ほとんど透明《とうめい》に近いピンク色の純度の高いクリスタルがあるのです。あの山脈の南にひときわ高い山があるのが見えるでしょう?」

　オクサは窓に近づき、山をよく見ようと目を細めた。

「あれはケタハズレ山です。名前の示すとおり、高さが一万二千九百七十八メートルもあります」ガナリこぼしが説明した。

「すごい高さ！　あの山に比べたら、エベレストなんて低く見えるよね！」

「いずれにせよ、エベレストはいわゆる〝世界の屋根〟ではないわけです。ケタハズレ山はその桁《けた》外れの高さのために、エデフィアで最も気温が低いところだということがおわかりでしょう。頂上に掘られた洞窟《どうくつ》にいつか行かれるべきです。その景色は本当にすばらしく、空に届くような気がします。頂上からは、中をくり抜いた丸太に乗って、くぼみをつけた岩肌をふもとまですべり降りることができるのです。楽しいですよ」

「すごく楽しそう」

　ガナリこぼしの描写《びょうしゃ》にオクサは引きこまれた。

「〈断崖山脈〉の南端《なんたん》では、ラピスラズリでおおわれた断崖がすばらしい輝きを放っています。〈千の目〉に隣接《りんせつ》するエリアからは夕日を浴びたその光が見えるのですが、いくら見ても見飽きない光景です。また、〈断崖山脈〉には多数の滝があるのですが、最も大きいのは〈銀の滝〉と〈輝く滝〉で、両方とも高さは五千メートル以上あります。いまはどこも干《かん》ばつですので、まだその滝があるかどうかはわかりませんが。しかし、わたしが知っている限りでは、〈外界〉にはその高さの滝はないでしょう」

「たしかにね。じゃあ、〈緑マント〉はどんなところ？」と、オクサがたずねた。

「〈緑マント〉は、いわば〝エデフィアの肺〟です。ここまで来るときに見た砂漠《さばく》とはまったく似ても似つかないところです。そこにはうっそうと茂《しげ》った巨大《きょだい》な森がいくつかあります。なかでもすごいのはパラソリエの森で、その巨大な木は、幹の直径が五十メートル、高さは五百メートルになるものもあります。それに比べると、ジャイアントセコイアなんて低木に見えますよ。パラソリエの木は葉が大きなパラソルの形をしているためにそう呼ばれるのです。ひとつの葉で一度に四人の人を日光から守ることができるんですよ！　それに、その木の樹皮を長時間噛《か》むと、オーストラリアのカンガルーのようにぴょんぴょん跳《と》ぶことができます。樹皮は、蟻《あり》のような砂糖を好む昆虫《こんちゅう》除けにもなります。ところで、蟻といえば、エデフィアの蟻は最も小さいものでも八センチはあります」

オクサはそんなとんでもない蟻に出会いませんように、と思いながら顔をしかめた。

「〈緑マント〉のもっと北のほうに行くと、木々はもう少し低くなります。たとえば、マジェスティックの木はクローバーの形をした丈夫《じょうぶ》な葉を持っています。その木にはいちばん大きいものでは三キロもの重さがある豆がなります。その豆の中にはパピヤックスという物質がふくまれており、フリソネットを作るのに使われます」

「フリソネットって？」

「天才的な料理発明家として知られる、エデフィアの最も偉大《いだい》な味覚専門家の一人が発明したものです。食べる人の好みのフレーバーになるアイスクリームです。たとえば、パッションフルーツのフリソネットが食べたかったら、そう思うだけでパッションフルーツのフレーバーのフリソネットになるんです。もしフレーバーを変えたくなれば、好きなフレーバーに変えられるんです」

「ステキ！」

オクサは大好きなラズベリー風味のフリソネットを食べる場面を想像した。

「由緒《ゆいしょ》ある木としては、大きな玉の形をした葉がつく〈玉葉樹《ぎょくようじゅ》〉という木もあります。鳥たちはそこに巣を作るのを好み、巣が五百個もある木もあるんですよ！　〈緑マント〉から遠くないところには〈近づけない土地〉があり、三メートルの角を持った青いサイや、強い毒を持つ白と黒のしま模様のヘビなど野生の動物がたくさん生息しています。その最たるものは体長六メートルの銀虎《ぎんとら》でしょうか。その真珠《しんじゅ》色に輝くすばらしい毛皮は数世紀前には非常に珍重されたものですが、乱獲《らんかく》によって絶滅《ぜつめつ》の危機に瀕《ひん》しています。その貴重な毛皮を自慢《じまん》したいがために不用意に狩猟《しゅりょう》をしようとした数十人の猟師は、虎に食べられてしまったそうです。銀虎の毛皮にはいまでも魔法の力があるとされています」

「すごい話ね。〈近づけない土地〉はまだあるのかな？」

オクサは青サイやしま模様のヘビに興味を持ったのではない。彼女にとっては、〈近づけない土地〉は自動的にトシャリーヌにつながっていた。〈近づけない土地〉にしかないとアバクムが言っていたこの上なく貴重な花。マリーは〈外界〉に残っているけれど、マリーを治療できる唯《ゆい》一《いっ》の薬であることに変わりはないし、オクサがそれを忘れることはけっしてない。

「もちろんです」ガナリこぼしはオクサの思いに気づいていた。「お望みなら、現状調査のために偵察《ていさつ》飛行をいたしましょうか？」

オクサはのどが締《し》めつけられるように感じながら、うなずいた。ガナリこぼしは遠慮《えんりょ》してしばらく沈黙《ちんもく》してから話を続けた。

「〈緑マント〉地方の東と西には草木が豊かに茂る湖がいくつかあり、そこは魚の養殖《ようしょく》と藻《も》の栽《さい》培《ばい》の中心地です。〈内の人〉は藻が大好きなんです。そこから少し離《はな》れたところは穀物の栽培がさかんで、トウモロコシに似ていますが、ひとつひとつの粒《つぶ》の大きさがアンズくらいある〈黄金真珠〉などが作られています」

「ポップコーンの大きさが想像できる！」

オクサが笑い出した。

「ごじょうだんがお好きですね。栽培される野菜については、〈外界〉と同じ種類のものですが、量も新鮮《しんせん》さも大きさもちがいます。肥沃《ひよく》な土地と、二十五度から三十度くらいの暑すぎない温暖な気候はあらゆる植物の栽培に適しています。ニンジンは長さ一メートル、ジャガイモは直径五十センチ、イチゴは少なくとも四百グラムになります。もちろん、ひとつの重さですよ。それらが化学肥料や農薬なしでできるんです！　エネルギーはエコエネルギーだけです。平野には巨大な風力発電機があり、各家にはソーラーパネルが取りつけられていますし、地熱や水力エネルギーも普及《ふきゅう》しています。乗り物も機械も工場も環境《かんきょう》を汚染《おせん》する燃料は使っていません。太陽と風と水です」

「すごい！」オクサは思わず叫《さけ》んだ。「人はどうなの？　四つの種族があるのは知ってるけど」

「そのとおりです、若いグラシューズ様。〈大カオス〉より前の国勢調査によると、匠人《たくみびと》、森人《もりびと》、官人《つかさびと》、不老妖精《ふろうようせい》の四種族の合計で人口は一万六千二百四十五人でした」

「半透明族《とうめいぞく》は入れずに？」

エデフィアの民にとって恐《おそ》ろしくも恥《は》ずかしい五番目の種族の名前を聞いて、ガナリこぼしは思わずぶるっと身震《みぶる》いした。

「あらゆる社会にはアウトサイダーや不名誉《ふめいよ》な道を選ぶ人がいます。ある事柄《ことがら》で意見が一致《いっち》しないこともあります。しかし、エデフィアの社会制度全体は自給自足と、需要《じゅよう》と供給のバランスの上に成り立っていました。ですから、〈内の人〉は調和のもとに生活していましたし、各種族に特徴《とくちょう》はありますが、みんながまあ仲良くやっていたのです。ご存知のように、匠人は猛禽類《もうきんるい》のように五感が発達しています。エデフィアで彼らは体の力が強いことで知られ、土木、建設といった職業や、金属やガラスの加工や製造、石の加工などにたずさわる人が多いのです。彼らは自然科学や技術、化学に非常にすぐれています。空飛ぶ乗り物などの輸送手段や機械や道具を動かすのにどうやって太陽エネルギーを利用できるかを六百年前に発見したのは彼らです」

「レオナルド・ダ・ヴィンチよりすごい！」と、オクサが叫んだ。

「ええ、でも、すばらしい発明家ダ・ヴィンチが匠人にとってはインスピレーションの源だったんですよ。あの時代に国を統治していたのはグラシューズ・ロールアメでした。〈夢飛翔《ゆめひしょう》〉でよくイタリアに行かれ、未来の予見者ともいえるダ・ヴィンチのアトリエを訪ねられたようです。そこで得たインスピレーションを匠人の最も優秀《ゆうしゅう》なエンジニアに提案され、彼らは自分たちの技術を使ってダ・ヴィンチの設計を正確に再現したのです。しかし、匠人の才能は科学や技術だけではありません。彼らは鉱物学の分野でもすぐれており、森人が作った公式処方集を補う、石を使った薬を千五百年前に完成させました。いまはどうか知りませんが、匠人はほとんどが〈断崖山脈〉に住んでいました。宝石でできた断崖のなかに造られていて、洞窟のような大きな家でした」

「すごく豪華そう!」

「ええ、たしかに豪華でした。でも、森人も決して劣《おと》ってはいませんよ。彼らは木のなかに家を建て、木々の形にぴったり合わせた美しい空中の街をつくるという奇跡《きせき》に成功したのです。今日《こんにち》でも、彼らの特殊《とくしゅ》な能力や自然に寄り添《そ》った感覚を生かして、当然ながら土に関係した活動に従事しています。ただし、いまのエデフィアの土地はまるで瀕死《ひんし》の病人のようですけれども。森人は〈緑の手〉という能力を持っているので、彼らの手が野菜や果物や穀物に触れると、ほかの〈内の人〉が栽培したものよりずっと丈夫で豊かなものができるんです」

「知ってる……」

オクサはとつぜん、眉《まゆ》をくもらせた。

〈緑の手〉という言葉を聞くと、オクサの心は痛んだ。父親が一から手がけ、誇《ほこ》りを持っていたガーデンレストラン「フレンチ・ガーデン」に、父親自らが案内してくれた日のことを思い出した。あの日は十三歳《さい》の誕生祝いをしたのだった。母親には長い間会っていなくて、寂《さび》しくてたまらなかった。ちょうどいまのように……。その時との大きなちがいは、今度はもう永久に会えないかもしれないということ。オクサは、その恐ろしい考えをふりはらうように頭をふった。

「あたしにも〈緑の手〉の能力があると思う？」

オクサは頭を切り替《か》えようと、ガナリこぼしにたずねた。

ガナリこぼしは丸い尻《しり》を支点にして体を左右に揺《ゆ》らした。

「ええ。その能力は、均衡《きんこう》がもどったとき、エデフィアを再建するのに必要になりますよ」

オクサは、自分がやせた土に手をつっこむと無数の植物や木々が伸びていく様子を想像してみた。そんな魔法使いのような仕事なら、すぐにでもやってみたい！　きっと気に入るだろう！

「森人のこと、もっと教えて」

「森人は食べ物に関する活動を独占しています。それに、藻の栽培や花の栽培、生き物の飼育、グラノック学のように〈外界〉ではあまり知られていないものも忘れてはいけません」

「あまり知られていないのは当然じゃない！」オクサは茶目っ気たっぷりに答えた。「官人はどんなの？」

「官人はほとんどが〈千の目〉に住んでいて、町の人です。道路、都市計画、教育、司法などさまざまな分野のあらゆるレベルの制度を作ったり、組織したりする天賦《てんぷ》の才能を持っています。エデフィアの組織者といってもいいでしょう」

オクサは〈クリスタル宮〉の周りに広がっている〈千の目〉の街を見つめた。街は痛めつけられているが、豊かさの名残りもあった。家々の大きさ、建材の品質、いまでは不毛の地となった庭やテラスの配置など、すべてが過ぎ去った栄光の日々を物語っている。

「いろいろと説明してくれてありがとう」

オクサは何か考えこんでいるようだ。

「いつでも御用《ごよう》をお申しつけください、若いグラシューズ様！」

ガナリこぼしはオクサの周りをうれしそうに飛びまわった。

46 臨時会議

オクサは寝返《ねがえ》りを打って腹ばいになり、手を額の下に入れた。頭がずきずきした。また痛みの発作が起きなければいいけど……。そんな場合じゃない！　大事な会議――きっと大変なことになるだろう――の前に、オシウスが〈逃《に》げおおせた人〉たちに数時間の休息をくれただけなのだ。敵味方にかかわらず、〝招待客〟には一人一人部屋が割り当てられた。〈クリスタル宮〉は巨大な建物だから、部屋はいくらでもある。パヴェルの部屋はもう少し小さいが、やはりすばらしい部屋で、オクサのすぐとなりだ。ひとつのドアで行き来できるが、そのドアにはほかの出入り口と同様に、がんこで奇妙《きみょう》な見張りがついている。その見張りというのは、空飛ぶ毛虫だ。体長は十五センチくらいで、腹が青くて不気味な毛のはえたヴィジラントだ。オクサが父親に会いに行こうとすると、その毛虫がやってきて、部屋にもどるように命令してきた。

「どういうこと？　だれとも話しちゃいけないわけ⁉」オクサは、ヘリコプターの回転翼《よく》のようにすごいスピードで体毛を回して飛んでいる気持ちの悪い毛虫に抗議《こうぎ》した。

「会議が始まるまでは、自分の部屋にいなければならない。指導者がそう命令されました」

毛虫が甲高《かんだか》い声で答えた。

「指導者って？」

「ご主人様、と言ってもいいですが」

「どっちだっていいけど。もし命令にそむいたら？」

毛虫となんて口をきくのもいやだったが、文句《もんく》を言った。

「わたしの毛に刺《さ》されたら、死にはしませんが、体が麻痺《まひ》して非常に痛いです」

「サイコー」

オクサは顔をしかめてため息をつくと、悔《くや》しそうに再びベッドに寝ころび、うんざりするような長い時間をひとりで待つことにした。


「若いグラシューズ様……若いグラシューズ様」

オクサは目をあけた。眠っていたらしい。耳に優しくささやきかけるその声が聞こえるまで、ぐっすりと。自分のほうに身をかがめているアニッキに気づくと、オクサははっと身を引いた。

「怖《こわ》がらないでください。何もしませんから。オシウスの会議に出席されるよう迎《むか》えにきただけです。まだ少し時間があります。何か召《め》し上がりませんか？　おなかがすいていらっしゃるでしょう」

オクサは断ろうと思った。しかし、ちらりと見えた大きな丸いパンの香《こう》ばしい香りには逆らえなかった。オクサはベッドの脇に置かれたプレートに手を伸ばして、自分のほうに引き寄せた。バターの塊《かたまり》と、小さなキューブ形のチーズ、イチジクとブドウの誘惑《ゆうわく》に負けた。アニッキの言うとおりだ。オクサはひどく空腹だった。スライスしたパンにバターやチーズをのせてぱくぱく食べた。その間もアニッキからは目を離《はな》さずにいた。ブルーの目の周りには赤っぽい隈《くま》ができ、ほおはこけ、青白い顔をしている。大切な人がいなくなって苦しんでいるのは自分だけではない、とオクサはとつぜん気づいた。アニッキの夫は〈外の人〉だ。マリーやギュスたちのように、〈エデフィアの門〉の外に置き去りにされたのだ。オクサはアニッキに向ける視線を和らげた。アニッキはおずおずと前に進み出てきて、オクサの手をにぎった。最初はその手を押し返したが、思い直してだまってにぎられるままにした。

「わたしは反逆者《フェロン》の仲間だから、あなたが警戒《けいかい》するのはわかります」アニッキが小声で言った。「でも、あなたのお母様が島におられたときはよくお世話をしました。ああいう状況でしたが、わたしたちは親しくなりました。おたがいのことを知って、尊重し合うようになりました。お母様はとても勇気のある方で、わたしは尊敬しています。彼女のおかげで、仲間やわたし自身についても多くのことを考えさせられたんです」

そう言うと、アニッキは顔をこわばらせてうつむいた。ヴィジラントが警戒しながら、うなり声をあげてベッドの近くに飛んできた。オクサは震《ふる》えた。

「若いグラシューズ様が食べ終えるのを待っていただけませんか?」

アニッキがしゃがれ声で訴《うった》えた。

「指導者が待っている」

「もういいよ」

オクサはそう言いながら、最後のブドウをほおばった。アニッキに疑わしげな目を向けると、彼女は髪《かみ》の毛を直すふりをしながらオクサにささやいた。

「わたしを信じてください」

それからオクサを無理やりドアのほうにうながしたので、オクサは面食らった。ヴィジラントは道をあけ、ガラスのエレベーターまで二人にぴったりとついてきた。まもなく、エレベーターのドアが音もなく閉まった。


巨大《きょだい》な会議場は、出席者のいかめしい様子と、場所があまり明るくないせいか、息苦しい雰囲《ふんい》気《き》に包まれていた。明かりはひとつしかない。巨大な円柱のようなものが、〈クリスタル宮〉のてっぺんから十階下の会議場まで続いており、乳白色の光を投げかけている。会議場が円形なので、円柱の放つ円錐状の光の輪郭《りんかく》がぴったりと合っていた。オシウスとその仲間、二十人ほどが壇上《だんじょう》に弓形に並んだ濃《こ》い色の革張りの椅子《いす》に無表情で座っていた。そこには四つの空席があった。

〈逃げおおせた人〉たちは正面の階段席に座らされている。その両側には〈逃げおおせた人〉たちを取り囲むように、オーソンの島に住んでいた反逆者《フェロン》たちが陣取《じんど》っていた。頭上ではヴィジラントが見張っている。

ガラスのエレベーターのドアが開いて、オクサが階段席の上に出てきた。みんなの視線が彼女のほうに集まった。すでに全員がそろっている。オクサはしまったと思った。オシウスがわざとほかの人たちよりあとにオクサを呼びにやったことは明らかだ。会議場の構成からして、オシウスは演出好きなたちらしい。〈逃げおおせた人〉たちは、ターコイズの石畳《いしだたみ》に靴《くつ》音をひびかせて立ち上がった。反逆者《フェロン》たちも同じようにしたが、オクサに対する敬意をあらわすというよりも、立ち上がって腕《うで》を大きく開いているオシウスに合わせて、いやいや立ち上がった者もいるようだ。「われわれの若いグラシューズだ！」オシウスの声がひびきわたった。「さあ前に来なさい。怖がることはない」

オシウスは自分の前にある、〈逃げおおせた人〉たちに背を向けることになる席を指した。オクサは気後れした。その席は、裁判所で一人だけ裁判官の正面に座る被告《ひこく》席のようだ。キュルビッタ・ペトが休まず体をくねらせ、その規則的な動きによって理想的な鼓動《こどう》のリズムを伝えてくれたので、オクサのどきどきがおさまった。

オクサは顔を上げた。中央の通路沿いにはよく知った思いやりのある顔ばかりが並んでいた。父親、アバクム、ゾエ、テュグデュアル、フォルダンゴたち……。不安げだが、力強いまなざしでじっとオクサを見つめていた。たよりになるみんながそこにいる。オクサを動揺《どうよう》させようと、オシウスはオクサの背面に〈逃げおおせた人〉たちの席を設定したのだろう。だが、いま、みんなはオクサのそばにいる。何が起きようと、みんながいてくれる。アニッキにつき添《そ》われて、オクサは意外にもしっかりとした足取りで階段をおりた。なくしそうになった勇気を、大好きな人たちのまなざしのなかに見いだしながら。

席につく間、オシウスにじっと見つめられていたオクサは、ふと疑問に思った。オシウスは自分をどう思っているんだろう？　〈外界〉では、ちょっとキレやすいことはさておいて、ジーンズとスニーカーをはいたごくふつうの中学生だと周りから見られていた。だが、威厳《いげん》に満ちた恐《おそ》るべきこの男にとっては、自分はまったく別のものなのだろう。オクサはオシウスのするどい眼光に居心地《いごこち》が悪かったが、なんとかその視線を受け止め、落ち着きを失わないよう、その挑戦《ちょうせん》を受けて立った。すると、とつぜん、オシウスはオクサから視線を外し、〝新参者〟の席にいるオーソンとその息子たちのほうを向いた。

「息子と孫たちよ。やっとこうして集まったな。こんな奇跡《きせき》が起こるなど、だれが予想しただろうか？　わたしのそばにおいで、さあ！」オシウスは壇上に残った四席を指しながら言った。

「娘よ、おまえもだ」と、レミニサンスを見つめた。

青白い顔をしたレミニサンスは父親をにらみながら、一ミリも動かなかったが、オーソンはグレゴールとモーティマーを引き連れて得意そうに壇にのぼった。三人は反逆者《フェロン》たちとミュルムの拍手に迎《むか》えられて席についた。

オクサは苦々しく思った。二つの世界のなかでも最悪の反逆者《フェロン》の三世代が集まったわけだ。この人たちの喜びに比べ、ポロック家や〈逃げおおせた人〉たちは愛する人たちと離れ離れになっている。なんて不公平なんだろう……。

傷ついたオクサはくちびるを噛《か》み、自分の目の前でわざとらしく喜び合っている反逆者《フェロン》とミュルムたちに暗い視線を向けた。ただ、モーティマーだけはその喜びを共有していないようだ。堂々とした体つきなのに、途方《とほう》にくれ、黙《だま》って苦しさに耐《た》えているように縮こまっている。そうだった！　モーティマーの母親バーバラ・マックグローは〈外の人〉だ。オクサは、彼女の華奢《きゃしゃ》な体つきやモーティマーを包みこむ母親らしいまなざしを思い出した。彼女のことはよくは知らないが、モーティマーの悲しみがわかるような気がした。

オーソンのほうは、自分のことで頭がいっぱいのようだ。みんなの前で自分の父親が感謝の言葉をかけてくれたことを喜んでいる。オシウスの息子なのだから、となりに座る資格がある。オーソンの一生の夢がかなったのだ。やがて意外な事実を告げられ、すぐに色あせる夢だとしても。オーソンとしばらく、抱擁《ほうよう》し合ったあと、オシウスは右どなりに座っている五十歳《さい》くらいの男のほうを向いた。背が高く、やせていて、チャコールグレーのハイネックの服を身につけたその男は無表情だ。

「オーソン、わたしの息子よ」オシウスが再び口を開いた。「アンドレアスを紹介《しょうかい》しないことには、われわれの再会は完璧《かんぺき》ではなかろう。アンドレアスは、おまえが〈外界〉に去ったあと、わたしが再婚して生まれた末息子だ」

その新事実は衝撃的だった。エデフィアの最高権力者の一人息子の地位が吹っ飛んだのだ。〈逃げおおせた人〉たちはがっくりと肩《かた》を落とした。最悪のニュースだ。オーソンはこの競争に耐えられるだろうか？　アバクムはろうばいして顔を手でこすり、仲間を見やった。これからいったい、どうなるのだろう？　だれにもわからない。

一人離れた席にいるオクサはこの新事実が重要な意味を持っていることをすぐに理解し、はっとした。目をしっかり開き、目の前で繰り広げられている異母兄弟の冷たいあいさつを見据《す》えた。オーソンは状況を受け入れたかのようなふりをしているが、とてつもなくショックを受けていた。ひきつった口元がそれを物語っている。

オシウスはというと、二人の息子の対面を見守っているようだが、その謎のまなざしのなかにはいびつな喜びの影があるとオクサは感じた。何かよくないことが起こる予感がする。オシウスはおごそかな態度で席につき、全員がそれにならった。そして、不気味に低くひびく声で言葉を続けた。

「惜《お》しまれる故人、マロラーヌの母、グラシューズ・ユリアナがわたしをポンピニャックの第一公僕《こうぼく》に任命して七十二年になる。その責務はいつも容易だったわけではない」

〈逃げおおせた人〉のうちの何人かはこの言葉を聞いて憤慨《ふんがい》した。しきりに咳《せき》をし、オシウスの言葉をさえぎった。この中断に怒ったヴィジラントたちはその張本人たちに近づき、とがった毛で威嚇《いかく》した。

「幸いにも、〈大カオス〉以来われわれの土地をおそったつらい試練にわたしは一人で立ち向かったわけではない。ある人たちは決してわたしにそむくことなく、忠実だった」

オシウスは手を大きくふり上げて、壇に座っている人たちを指した。

「わたしの友人や息子のアンドレアスの支えは、この三十年来、非常な助けとなった」

オシウスの左側に彫像《ちょうぞう》のように座っているオーソンは、ひとつひとつの動作、まつげの動きや口の端《はし》のしわですらコントロールしようとしたが、蒼白な顔色だけは隠せなかった。異母兄弟の存在によって恨《うら》みの傷が深くなったことは疑う余地がない。

「今日、わたしの家族がこうして集まったことで、われわれの計画を実行に移すときがきた」

「計画だって?」ナフタリが低くひびく声をあげた。「〈外界〉を征服《せいふく》するという昔からの野望のことを言っているなら、もう遅《おそ》いと言わせてもらおう。あんたは知らないかもしれないが、〈外界〉もエデフィアも死に絶えつつあるんだ」

オシウスは言葉に詰《つ》まり、ナフタリの言ったことを反すうするように口をつぐんだ。彼《かれ》は自分で思っている以上に動揺していた。敵がひるんだのを利用して、アバクムがさらに追い討ちをかけた。

「どうしてわたしたちがもどってきたと思っているんだ?」

アバクムはわざと間をあけた。

「エデフィアを出て以来、わたしたちの心の奥に郷愁や帰還《きかん》の望みがあったことは、隠しはしない。しかし、五十七年間のあいだにわれわれは〈外界〉で新たな生活を作り上げた。良い面もあれば悪い面もあり、ときにはまったく不完全なあの世界に、われわれは同化し、愛着を抱《いだ》くようになっていた。帰還するために、実に多くのものを切り捨ててきたことはわかるだろう。多くの者にとっては自分のものになり、今後もそうあり続けるはずの世界を捨ててきたんだ。そのうえ、大切な人たちを残してきた。家族のつながりを大切にするあんたなら、それがどんな犠牲《ぎせい》かわかるだろう」

オシウスは彫像のようにじっと耳をかたむけていた。

「どうして、わたしたちがここにいると思うんだ?」アバクムは同じ質問を繰り返した。「ええっ? どうしてだ、オシウス?」

壇上にいるミュルムたちがざわついたが、オーソンと彼の息子たちだけは平然としていた。アバクムに説明を続けるようたのんでは自分の威厳を損なうので、オシウスは黙《だま》って待った。知りたくてたまらないが、プライドが許さないのだ。彼から何席か離れたところにいた女性がやっと口を開いた。

「アバクム、じらすのはそれくらいにして、続けなさいよ!」

「わたしたちはもどってこなければならなかったんだ。そうするよりしかたがなかったからだ」と、アバクムが答えた。「あんたの息子が言ったこととはちがって、われわれは自発的に帰ってきたんだ。われわれをエデフィアに連れてきたのは彼じゃない。彼がいてもいなくても、何があってもわれわれは帰ってきただろう。〈外界〉は滅《ほろ》びようとしている。もうあまり時間がない」

みんなは息をのんだ。

「では、オーソンは何も言わなかったのか?」

アバクムはオーソンを見ないようにしながら言った。

オシウスは疑わしそうに目を細めてアバクムを見つめ、それからゆっくりとオーソンに視線を移した。

「〈外界〉は本当に滅びようとしているのか?」

「〈外界〉は死にかけています、お父さん。エデフィアと同じように」

ついにオーソンが口を開いた。

オシウスは青ざめ、こぶしをテーブルにたたきつけた。みんながびくっとした。オクサはすぐ目の前にいたので、恐ろしくてひじかけにしがみついた。そしてオーソンがせせら笑いを浮かべたのを見てよけいに気がめいった。オーソンが言おうとしていることはわかっている。

「ですが、お父さんの前にいるこの娘は、あなたが六十年近くも待っていた新たなグラシューズであるだけではないのです」オーソンは自信を取りもどしつつあった。「たしかに、この子は、あなたが長年望んでいたこと、われわれの祖先が何世紀もの間尽力《じんりょく》してきたこと、つまりエデフィアを出て〈外界〉を征服するために必要な娘です。しかし、二つの世界が滅びようとしているいまは、〈外界〉に出ることは意味がないのです」

オシウスは怒りの叫《さけ》び声をあげた。一生を賭《か》けた野心、優れた先駆《せんく》者からの遺産、すべてがくずれ去った。オーソンはしばらく沈黙《ちんもく》を保ち、いかにも満足そうに言葉を続けた。

「しかし、われわれの友人アバクムが解決策の一部を提示してくれました」

オシウスははっと顔を上げた。

「どうして、エデフィアに帰ってくるよりしかたがなかったんだ、アバクム？　なぜだか説明しろ！」

オーソンが大声で言った。

アバクムは黙っていた。

「わたしたちが大惨事から生き残る唯一《ゆいいつ》のチャンス、そして〈外界〉と同様にエデフィアが均衡《きんこう》を回復する唯一のチャンスが、彼女にかかっているからだ！」

オーソンは人差し指でオクサを指差しながら叫んだ。

「アバクムが何と言おうと、彼女がいま、あなたの前にいるのは、わたしの手柄《てがら》なんです」

〈逃げおおせた人〉たちの席からどよめきが起こったが、オーソンは平然としていた。

「彼女が生まれたとき、その家族が何と呼んでいたか知っていますか？　〈希望の星〉。その呼び名の重要性をだれも知らなかった。だが、それ以上の名前はないでしょう。そうじゃないですか？」

その言葉を聞くと、オシウスの顔は不気味なほほえみでぱっと明るくなった。救いようのないほど暗くなった未来に再び光が当たってきたのだ。祖先の野望を果たせる、希望に満ちた未来だ。

「〈希望の星〉か……」

オシウスは目を輝かせながらつぶやいた。

それから、会議場にひびきわたるほどの大きな笑い声をあげた。その笑い声はオクサと〈逃げおおせた人〉たちの心の奥深くに突き刺さった。

47 〈締《し》め出《だ》された人〉たち

息をつめ、ギュスは鉛《なまり》色の筋のついた空を映し出す嘎順諾爾《ガシュン・ノール》をながめた。ついさっきまで自分の手をにぎっていた父親の手の感触《かんしょく》をまだ覚えていた。両親はギュスの名前を大声で呼びながら消えた。オクサもドラゴミラもアバクムもゾエもいなくなった。あっという間に、見えない力に吸いこまれていった。悲しくも正真正銘《しょうめい》の〈外の人〉以外は……。

「いったい、どうなったんだ?」

ギュスはひとり言をつぶやいた。

〈逃《に》げおおせた人〉と反逆者《フェロン》が消えた湖面をじっと見つめた。ギュスは水ぎわに近づくと、何もない空間をにらみつけた。自分には通れなかった門の跡《あと》、印……何でもいいから、何か希望につながるようなものを見つけたかった。希望? いや、希望が絶《た》たれたのは明らかだ。

エデフィアに入れなかった人は十一人。別れのショックに耐えなければならない十一人。みな砂の上にくずおれ、一人ひとりがなんとか気丈《きじょう》に苦しみに耐えようとしていたが、あまりのショックに心が化石のようになり、ぼうぜんとして声も出ない。クッカだけが激しく泣きじゃくっていた。

あれっ、どうして彼女はここにいるんだろう？　ギュスは驚いた。彼女の両親は〈内の人〉じゃないか……。

とつぜん、クッカは立ち上がって湖のほうに走っていった。

「おねがい！　だれでもいいから、わたしを入らせて！　パパとママに会いたいの」

クッカは泣きながら、冷たい水のなかに腰《こし》まで入っていったので、ガリナの夫である牧師のアンドリューが水に入って引き止めた。クッカは激しく抵抗《ていこう》した。

「いっしょに行きたいの！　じゃましないで！」

アンドリューは力の限りクッカを抱《だ》きしめ、水から引きずり出した。

「そんなことをしても、肺炎《はいえん》で死んでしまうだけだ……」アンドリューは肩《かた》で息をし、クッカを砂の上に投げ出した。「わたしたちはただの人間なんだ。忘れるんじゃないよ。だから、ここに残されたんだ」

ギュスは、ぼんやりと湖を見つめているマリーの横に座った。疲《つか》れきって、頭をかかえた。

「わたしたちがエデフィアに入れないのは明らかだったわ」マリーの両手は車椅子《いす》のひじかけをしっかりとつかんだままだ。「希望はわずかだった……」

マリーの声がとぎれた。

ギュスは苦しそうにマリーを見た。何を言えるだろう？

「あの人たちは元気だと思いますか？」

ギュスが思いきってそう言うと、マリーは顔をそむけた。

「そうだと信じるんだ」アンドリューが近づいてきた。「彼らには力があるし、団結しているし、強い意志をもっている」

「ぼくたちにないものばかりですね」

ギュスはみじめな現状を確認した。

〈締め出された人〉たちは、〈逃げおおせた人〉の側にも反逆者《フェロン》の側にもいた。同じ不幸に見舞《みま》われたにもかかわらず、まもなく二つのグループに分かれた。一方は、双子のアニッキとヴィルマの夫たちのグナーとブレンダン、鉱物学者ルーカスの妻グレタと義理の娘ソフィアだ。もう一方は、少し離《はな》れたところにいるマリー、ギュス、アンドリュー、クッカ、キャメロンの妻のヴァージニア・フォルテンスキー、コックレルの妻のアキナ・ニシムラ。オーソンの妻のバーバラ・マックグローだけがどっちにつくか決めかねている。両腕《うで》でひざをかかえ、打ちひしがれ、猟犬《りょうけん》の群れににらまれた小鹿《こじか》のようだ。

みんな顔を見合わせてはいるが、実際には目に入っていないのだろう。パニックにならないように必死に我慢《がまん》しているギュスだけは〈締め出された人〉たちを一人一人見た。見るも哀《あわ》れだ。きっと自分もそうなんだろう。驚くべき人たちのそばで生きてきたが、同じようにはなれなかった、かわいそうな人たち。しかし、自分たちの弱さを自覚しながらも、魔法使いのような彼らに親しみ、〈逃げおおせた人〉たちの一員であることを自覚し、誇《ほこ》りを持ち、忠実だった。彼らといっしょになって喜び、危険に立ち向かった。ひどい目に遭ったこともあるし、離れ離れになったこともあった。だが、自分が絵画内幽閉《ゆうへい》されたときですら、いま味わっているような耐えがたい苦しみはなかった。ひとつの区切りを迎《むか》えたのだ。二つの世界をつないでいた絆《きずな》は切れた。それぞれが自分の場所に帰るんだ……。


再び地震《じしん》で地面が揺《ゆ》れ、湖の水がぴちゃぴちゃと音を立てた。しかも、分厚い雲から、氷のような冷たい雨が容赦《ようしゃ》なく〈締め出された人〉たちの上に落ちてきた。

「早く！　避難《ひなん》しよう！」マリーの車椅子のグリップをにぎりながら、アンドリューが叫《さけ》んだ。

みんなが古ぼけた二台のバスのうちの一台に逃げこむと同時に雨が激しくなった。頭のてっぺんからつま先までびっしょりになったバーバラ・マックグローが最後に乗りこんできた。ヴァージニアは少しの間迷っていたが、心を決めたようにリュックのなかを探し、タオルとセーターをかぼそいバーバラに差し出した。

「ありがとう……」バーバラはつぶやいた。

しばらくすると、張りつめた糸のように緊張《きんちょう》したギュスが立ち上がった。

「どうにかしなくちゃ！　ここにずっといるわけにはいかないよ！」

「もし、わたしたちを迎えにきたらどうするの？」クッカの声は不安に震《ふる》えている。「ここから動いちゃいけないんだわ」

アンドリューが哀れむようにクッカを見た。

「絵から出るより、エデフィアから出るほうが簡単なはずよ。そうでしょ？」

クッカは取り乱して叫んだ。

「仲間たちが絵画内幽閉から解放されるのに三ヵ月もかかった」アンドリューが落ちついた声で答えた。「彼らがエデフィアから出てくる可能性があるとしても、わたしたちは砂漠《さばく》にいるんだよ。このままじゃ空腹と寒さですぐに死んでしまうだろう」

「アンドリューの言うとおりよ」マリーが口をはさんだ。「ここにいると、寿命《じゅみょう》が縮まるわ」

「この地球上にいるかぎり、寿命はもう縮まってるわよ！」と、クッカは叫んだ。

「だからよけいに、可能性は少なくても、あらゆる手立てを講じないといけないんだよ」

ギュスが熱心に言った。

この会話が始まってから、ギュスはたしかな答えを探そうとしていた。オクサならどうするだろう？　オクサのことを考えると心が引き裂かれそうだが、合理的にものを考えるにはこれしかない。この極限的な状況《じょうきょう》にオクサがいたら、彼女は自分のほうに向き直って、濃《こ》いグレーの目で自分の目をのぞきこんで言うだろう。「ほら、ギュス！　頭を働かせて、脳みそのなかにあるものを見せなさいよ！」過去にそういう状況で下した決断のいくつかは妥当だった。じゃあ、今度だってそうじゃないか？

「ぼくは、みんな家に帰るのがいいと思う」

ギュスはほおを真っ赤にして一息に言った。

「なんだって？」

何人かが驚いて声をあげた。

「どういう意味なの？」

ヴァージニアがたずねた。

「もし、家族がエデフィアを出ることができたら、自分の家にぼくたちを探しにくると思うんだ。それがふつうだと思うな」

「もし、もう家がなかったら？　どうするんだい？」

ブレンダンがたずねた。

「彼らが探しやすいところにいっしょにいるんだよ」

アンドリューが提案した。

「主観的な言い方だな」

ブレンダンはアンドリューの意見に反対なようだ。

みんなはその提案について考えこんだ。外では雨がまだ激しく降っている。あたりは暗くなり、解決策を探ることより不安のほうが強くなっていく。

「二人とも正しいと思うわ」ルーカスの妻グレタが会話に入ってきた。「でも、婚姻《こんいん》関係からいって、わたしたちは敵同士なのよ。いっしょに旅はできないわ。あまりにもちがいすぎるのよ」

「〈逃げおおせた人〉と反逆者《フェロン》がしたように、わたしたちの力も結集できないだろうか？」

アンドリューが問いかけた。

「あの人たちは本当にそうしたかしら？」

グレタは豊かな白い髪《かみ》をばさりと後ろにはらった。

「たとえそうでなくてもだ！　わたしたちは過去の争いの犠牲《ぎせい》者でいないといけないのか？　相も変わらぬ派閥《はばつ》争いの奴隷《どれい》でいなければいけないのか？」

アンドリューの目は輝いている。

グレタはため息をついた。

「あなたは信仰《しんこう》心のある人だわ、アンドリュー。あなたの人間に対する見方は理想主義よ」

「それはまちがいだよ、グレタ。あなたより頭がいいだけさ」

その言葉に、みんなは不機嫌《ふきげん》な顔になった。ギュスはマリーのほうにかがんで、ずり落ちていたフリースの毛布を引き上げた。

「あなたの言うとおりよ、ギュス」マリーはギュスの耳元にささやいた。「家に帰りましょう。そして、待ちましょう」

ギュスははっとしてマリーを見つめた。待つ？　希望のある言葉だ。こんなゴビ砂漠の真ん中に置き去りになった古ぼけた寒いバスのなかでは、何かを期待するのは難しい。この世の惨事《さんじ》を乗り越《こ》えて生き残る力を見つける以外には……。

48 対立

東の方角に連なる丘《おか》の向こうから夜が明け始めたころに、ギュスの決心は固まった。最後の幻《げん》想《そう》を打ち砕《くだ》く悲しみにおそわれたにもかかわらず、この悪夢を乗り越えて生きのびようとする思いがけない意志が心のなかに芽生えてきた。

希望なんかじゃない。自分の責任をまっとうできることを証明したいという決意だ。〝生まれ変わったギュス〟を見てもらいたい人がここにはもういないのがつらいけれど……。オクサがいるところが遠くないことはわかっている。だが、単に別の場所にいるというのともちがう。〈外界〉の基準からいうと、オクサはどこにもいないのだ。両親がいないことも寂しい。でも、自分を十四年間見守ってくれたように、両親はオクサを見守ってくれているはずだ。オーソンのせいで十四年はとつぜん十六年になってしまったが……。

自分を励《はげ》ますため、ギュスは霧《む》氷《ひょう》の跡《あと》がついた窓のくもりをぬぐい、そこに映った自分の姿をながめた。まだ新しい自分の姿に慣れてはいなかった。髪《かみ》は肩《かた》まで伸びていたし、ほお骨が張り出していて、謎めいた雰囲気をかもしだしている。よかった……他人からわかりやすすぎるのはいやだ。

前日の恐怖や苦痛やショックは疲労《ひろう》に変わり、その疲労は獲物《えもの》におそいかかる大蛇《だいじゃ》のように〈締《し》め出《だ》された人〉たちを飲みこみ、眠りに誘った。混沌《こんとん》とした夜から抜け出したギュスはじっとしていた。となりの席ではマリーが寝返《ねがえ》りを打っている。あまりにも寒いので、彼女《かのじょ》の吐《は》く息が白い。疲れきった顔だ。枯葉《かれは》のように縮こまった体と顔には家族との別離《べつり》と病気の痕跡《こんせき》が見てとれる。外見も内面も苦しんでいる。ギュスは自分の新たな役割の重さをこれまでになく感じた。

「オクサ！」

マリーがとつぜん叫《さけ》んだ。

何人かが驚いて体を起こした。ギュスはマリーに顔を近づけた。悪い夢を見ているのだろう。だが、マリーがあえいでいるらしいその夢より現実が明るいと言えるだろうか。ギュスはマリーを起こさないことにした。

「こっちにおいでよ」

アンドリューが低い声で呼んだ。

アンドリューとヴァージニアとアキナがバスの前方に集まっていた。ひざをかかえたクッカは少し離《はな》れたところにいて、ぼんやりと窓の外をながめている。ギュスは彼女のほうにひそかに視線を向けたが、彼女は気づかなかった。

「ギュス、だいじょうぶ？　なんとか持ちこたえてる？」

ヴァージニアが聞いてきた。

「これよりひどい経験をしたことはなかったと思います」

ギュスは冷えた腕《うで》をさすりながら答えた。

「きみの提案がいちばんいいよ」アンドリューはいきなり本題に入った。「ロンドンにもどろう」

「たどり着けるかしら？」

アキナはおずおずとたずねた。

真っ赤なキルティングの上着を着た小柄《こがら》な日本人女性、アキナの漆黒《しっこく》の髪にふちどられた顔はやつれ、手荒《あら》くあつかわれた人形のように見えた。答えの出ない同じ疑問にさいなまれているギュスは目を伏《ふ》せた。

「ここまで来たのと同じやり方でもどろうと思うんだ」

アンドリューは簡潔に答えた。

「ごもっともな論理だわね」

ルーカスの妻グレタが皮肉っぽく言った。

「だれも、あなたたちに同じ選択をしろなんて言ってないわよ」ヴァージニア・フォルテンスキーが言い返した。「それぞれ好きにしたらいいのよ」

〈締め出された人〉たち全員が目をさましていた。マリーが体を起こそうとすると、ギュスやアンドリューより先にバーバラ・マックグローが駆《か》け寄って助けた。それから彼女は黙《だま》ってマリーのとなりに座った。

「あなたたちといっしょに、ロンドンに行かせてください」

アキナのほとんど聞こえないほど小さい声がした。

「それはすばらしい！」アンドリューがうなずいた。「ギュス、マリー、ヴァージニア、あなたたちもいっしょに行くでしょう？」

呼びかけられた三人は熱っぽくうなずいた。アンドリューはなにか感謝の言葉をつぶやいてから、たっぷりとした生成りのウールの上着にくるまって打ちひしがれているクッカのほうを向いた。

「クッカ。わたしたちといっしょに来てほしいんだ。きみが未成年でも、ちがう選択をする権利はあるけれども……」

クッカは暗い顔をしてさらに座席に体を押しつけ、「いっしょに行くわよ」と、なげやりにつぶやいた。

まだ自分の意見を表明していない五人の〈締め出された人〉に視線が向けられた。高慢《こうまん》なグレタがまず口を開いた。

「わたしたちはここに残るわ」

「どうやって生き残るのよ？」ヴァージニアが叫んだ。「もうすぐ冬になるし、食べるものも飲むものもないのよ。すぐに死んでしまうわ！」

「ここから十五キロ先にある、いちばん近い村に住処《すみか》をかまえるのさ。ここに来るまでの道路沿いにあったはずだ」

アニッキの夫のグナーが言った。

「湖のほとりに印を残して、エデフィアに行った人たちがわたしたちを見つけられるようにするのよ」

グレタは自信たっぷりだ。

「ほら、グレタ、本当はきみだって、信仰心というか、信念のある人なんじゃないか」

アンドリューがグレタをじっと見つめた。

「ばかげてる……」ギュスがつぶやいた。「いつか、あの人たちが帰ってくるとどうしてわかるんですか？　根拠《こんきょ》のない希望にすがって、残りの人生をこの砂漠《さばく》で過ごすんですか？」

ギュスはもともと楽天的ではないけれども、この発言はいつになく悲観的だ。この言葉に、怒る人もいれば、悲しそうにギュスを見つめる人もいた。

「わたしたちが希望を捨てなくても、あんたたちには関係ないだろ？」

グナーが低くこもった声で言い放った。

「そう、ぼくたちには関係ない！　でも、個人的にはあらゆる幻想を捨てるほうを好みますね」

ギュスは自分の大胆《だいたん》さと、きっぱりしたあきらめに驚いた。「今度こそおしまいなんだ！　だから、絶対にかなわない幻想みたいなものにしがみつきたくないんです！」最後には声がかすれた。

「希望は幻想ではないよ」アンドリューはギュスの肩に手をおいた。「だが、きみがそういう怒りを覚えることにだれも文句《もんく》は言えない」

「怒ってるんじゃないんです！　頭がさえてるだけですよ！」

「もうたくさんよ！」とつぜん、クッカが叫んだ。「やめてよ。頭が変になるわ！」

クッカはわっと泣き出した。ヴァージニアが彼女の横にきて、赤《あか》ん坊《ぼう》をあやすように腕に抱《だ》いた。まるで自分の子どもにするように。彼女はたくましくて優しい三人の息子にもう会えないだろう。ヴァージニアは泣き出したいのをこらえた。涙《なみだ》がほおを伝い、クッカの髪のなかに消えていった。

「あなたは、バーバラ？」

マリーがバーバラの視線をとらえようとした。

バーバラ・マックグローは自分がこれから言おうとすることにおびえたように縮こまっていた。開こうとするくちびるがかすかに震《ふる》えた。

「あなたたちといっしょにロンドンに行きたいです。仲間に加えていただけるなら」

グレタが怒りの声をあげた。

「バーバラ！　どうしてそんなことができるの？」

「そうしたいのよ、グレタ。ロンドンに帰りたいのよ」

前よりしっかりとした声でバーバラは答えた。

アンドリューが仲間たちを見回した。女たちはうろたえ、同情と不信感を同時に抱《いだ》いているようだ。ギュスは、バーバラについてはっきりとした意見を持てないでいた。これまでの印象では、苛酷《かこく》な状況《じょうきょう》におびえる、目立たない存在でしかなかった。しかし、オーソンの妻であったことも忘れてはいけない。オーソンは彼女が思っていたような人ではなかったかもしれないが、長年、夫のそばで暮らし、息子も一人いる。出自《しゅつじ》や野心、強迫《きょうはく》観念といった夫の秘密は知らなかったとしても、まったく気づかなかったなんてありえない。ギュスはもう一度、バーバラを観察したが、見かけ同様に弱々しい女性なのかどうかはわからなかった。見かけとはまったくちがう、危険な人間なのかどうかも……。

「ギュス」

まるで彼に決定権があるかのように、みんながギュスの返事を待っていた。ギュスは赤くなり、ややうろたえた。そんなにぼくの意見に重きを置かれるのは困る！　こういう状況は苦手だ。彼の視線は、かすかにうなずいているマリーに止まった。

「彼女がぼくたちと行動を共にすることに、ぼくは賛成です」

自分で自分の言葉を聞きながら、早くも大変な失敗をしたような気がしてきた。

49　力くらべ

会議場は異様に興奮していた。オクサはその場にいなくてすむんだったら、何でもしただろう。オシウスとミュルムたちの目の前に座らされ、まるで牢屋《ろうや》に入れられているような気がしていた。

「二つの世界の均衡《きんこう》を復活させるのはおまえなのか……」

オシウスは真っ黒な目でオクサを射るように見た。

「……そして、お父さんをエデフィアから出してくれるのも彼女です！」

オーソンが得意げにつけ加え、アンドレアスに挑《いど》むような視線を投げかけた。異母弟として認めるしかないのだろうが、オーソンにとってはライバルでもあることは明らかだ。

「すばらしい！」オシウスはオクサから目を離《はな》さずに叫《さけ》んだ。「こっちに来なさい！」

オクサは思わず助けを求めるように〈逃《に》げおおせた人〉たちのほうをふり向いた。敵がい心と好奇心の混じった目で自分をじっと見つめる人たちの前で、自分はひとりぼっちだ。

驚いたことに、アバクムとパヴェルが立ち上がり、階段席を下りてきた。それにテュグデュアルも続いた。オーソンが三人を止めようと立ち上がりかけたとき、オシウスは息子を制した。まるで、この状況《じょうきょう》を完全に制圧しているのは自分だけだというように、芝居がかった仕草だ。パヴェルは威嚇《いかく》するようなうなり声をあげて近づくヴィジラントを無視し、オクサの横に立って彼女の手をにぎった。

「心配するんじゃないよ、オクサさん」パヴェルはそっとささやいた。「力を持っているのはおまえだ、やつらじゃない」

アバクムはオクサの椅子《いす》の後ろに立ち、肩《かた》に手をおいた。彼らが近くにいてくれることでオクサはすぐに安堵《あんど》感に包まれた。テュグデュアルもう一方の側に来て、ひそかにオクサに視線を送った。

「気圧《けお》されるなよ……あいつらはおれたちより強くなんかないさ」

オクサはテュグデュアルと父親の言うとおりだと思いこもうとしたが、その場の緊張《きんちょう》した雰囲気や、ミュルムたちの興奮している姿にぞっとした。オーソンが父親の耳元に何事かをささやくと、オシウスはすぐにテュグデュアルのほうを向いた。

「ああ、おまえがナフタリとブルンの孫息子か。おまえのひいおばあちゃんがわれわれの秘密結社の熱心なメンバーだったのを知っているか？」

この言葉に我慢《がまん》できず、ナフタリは席を立って、階段席にいる人の頭上を飛び越え、オシウスのいる壇上《だんじょう》に全速力で飛んできた。まるで爆弾《ばくだん》を積んだミサイルのようだ。ミュルムたちは〈火の玉術〉や〈ノック・パンチ〉を発して威嚇したが、そんなものをものともしないナフタリを止めることはできなかった。ヴィジラントの群れに追いかけられながらも、ナフタリはオシウスの背後に降り立ち、たくましい腕《うで》で彼の首を絞《し》めた。そして、ズボンについた火を片手で消し、怒りをこめてこう宣言した。

「母は決しておまえたちの熱心なメンバーじゃなかった。強制的に結社に加入させられたんだ！」

ミュルムたちは全員、クラッシュ・グラノックをナフタリのほうに向けた。一触即発《いっしょくそくはつ》の状況だ。オクサは父親が怒りで煮えくり返っているのを感じた。闇《やみ》のドラゴンが出てきそうだ。「殺し合いが始まる……」オクサはうろたえた。ナフタリはオシウスの首をさらに絞めつけた。オシウスの体がこわばった。

「おまえとおまえの手下たちが孫に近寄るのは許さん！」

ナフタリはオシウスの耳にささやいた。

「おれがやつらのほうにつくなんてことは絶対にないさ、じいちゃん」

テュグデュアルがきっぱりと言った。

オクサはテュグデュアルのほうを向いた。一見すると、彼の顔は蝋《ろう》人形のように表情がなく、何ものにもまどわされないように見えた。唯一《ゆいいつ》、心の動揺《どうよう》を示すのは、こめかみの青白い血管がぴくぴく動いていることだけだ。ヴィジラントが一匹、ナフタリに近づいているのにふと気づくと、テュグデュアルは火の玉を発した。ヴィジラントはぱっと燃え上がった。

「それでも、おまえをいつでも歓迎《かんげい》することに変わりない」

オーソンはけしかけるように言い放った。

テュグデュアルはとんでもないという仕草をし、オーソンを冷たい目でにらんだ。


「さあ、オシウス、いまエデフィアがどういう状況なのか正確に言うんだ」ナフタリが言葉を続けた。「大ぼらや見せかけはなしだぞ。わたしには失うものは何もないということを覚えておくんだな。必要なら、首をへし折ってやるぐらいなんともない。そうしたい欲望と同じくらい力もあるんでね」

「だが、おまえはそうしないだろう。おまえにはわたしが必要だからだ」オシウスは顔をゆがめた。「おまえらはみんな、わたしが必要なんだ！」

「そうかな？」ナフタリは首を絞める腕をさらにきつくした。「あんまり自分の権力を過信すると、自分を見失うぞ。おまえは野心にふり回されて身動きできない単なる年寄りだ。人生で何をやりとげたんだ、オシウス？　教えてくれるかい？　いま二つの世界を滅《ほろ》ぼそうとしている〈大カオス〉をひき起こし、おまえを憎《にく》む以上に、おたがいを憎み合う二人の息子がいるだけだ。おまえという人間は人に恐怖を呼び起こすことしかできない……」

　ミュルムたちは怒りに震えながらナフタリの周りを取り囲んだ。壇のすぐ下から反逆者《フェロン》の一人がナフタリに向けてグラノックを発射した。しかし、〈逃げおおせた人〉たちは用心していた。ブルンが恐るべき敏捷《びんしょう》さで、人差し指を曲げてそのグラノックの方向をそらせた。夫を少しでも攻撃《こうげき》する者は容赦《ようしゃ》しないというように。彼女は反逆者《フェロン》たちの前に身軽に躍《おど》り出ると、彼らの攻撃を見逃《みのが》さないよう見張った。そこにキャメロンとピエールも加わった。

「〈大カオス〉の責任はマロラーヌにある。わたしではない」

　オシウスはしゃがれ声で言った。

「マロラーヌにも責任の一端《いったん》はある。それはだれも否定していない」アバクムが受けてたった。「しかし、マロラーヌの意図にはおまえのような邪悪《じゃあく》なものはない。彼女の非はお人好しだったことと、おまえの正体がわからなかったことだ。おまえがあんなふうに彼女をそそのかさなかったら、〈語られない秘密〉が破られることはなかったんだ。〈永遠の本質〉は保たれただろうし、〈大カオス〉も起きなかっただろう」

「わたしがしなかったら、ほかの者がやっていただろうよ」オシウスが言い返した。「エデフィアを出たかったのはわたし一人じゃない。マロラーヌが〈夢飛翔《ゆめひしょう》〉を国民に見せたときから、多くの人はエデフィアを出ることしか考えなくなった」

　アバクムと〈逃げおおせた人〉の古参たちはオシウスの言葉を認めざるをえなかった。マロラーヌをよく知る人たちは、彼女が理想主義者で、一部の国民の凶暴《きょうぼう》な欲望を知らない、お人好しの改革者だったことを知っていた。あやういエデフィアの秘密は歴代のグラシューズによって何世紀も守られてきた。〈内の人〉を幸せな無知のままにし、〈外界〉は危険に満ちているとだましてきたその秘密が、国の安全を保障してきたのだ。マロラーヌは〈外界〉の実情を見せることで、その古くさい制度を変えたかったのだ。

「〈夢飛翔〉を国民に見せるようマロラーヌをそそのかしたのは自分だというのを忘れているようね！」

レミニサンスがクラッシュ・グラノックを父親のほうに向けた。

オシウスは自分の娘をにらみつけた。

「おまえは何も知らないくせに！　おまえたちはみんな、マロラーヌが無邪気で影響《えいきょう》を受けやすい女だと思っているようだが、彼女はわたしたちのなかでもいちばん頑固《がんこ》だった。大きなコンプレックスに悩《なや》んでいて、歴代のグラシューズたちと一線を画《かく》そうとした。そのため彼女たちとちがう形の統治をしようという考えにとりつかれていたんだ。自分の統治が後代の語り草になるようにな」

「そのとおりになったというわけね」

オクサがつぶやいた。

「仮にそうだったとしても、マロラーヌのそういう面がおまえに好都合だったことは認めるだろう！」アバクムが言った。「おまえは臆面《おくめん》もなくそれを利用した。人を思いどおりに動かすことはおまえの武器だからな」

「マロラーヌがわたしに抵抗《ていこう》できなかったのはわたしのせいかね？」オシウスは意地の悪い笑みを浮かべて言った。「おまえが言うほどすべてがどす黒いわけではないだろう。わたしたちはすばらしい双子を得たのだからな！」

オシウスの皮肉な笑い声が弾《はじ》け、その場の雰囲気がいっそう重くなった。レミニサンスは体を固くし、オーソンは得意げにあごを上げた。

ゾエはと言うと、座席に体を縮め、消え去りたいとひたすら願っていた。オクサはゾエが絶望にさいなまれていることを感じたのか、不意にふり返った。そして、強く光る目でゾエを見つめ、励《はげ》ますようにこぶしをにぎりしめた。オシウスはそれを目ざとく見つけた。

「その双子がさらにすばらしい子どもたちをもたらしてくれた。ありえない関係もあったがね」

オシウスがそう言うと、ナフタリはさらにきつく首を絞めた。

「そうだわね！　自分の家族の一員を平気で殺すあなたの息子のことを話しましょうか！」

レミニサンスの顔は怒りで青ざめている。

オーソンが努力して保っていた冷静さはここまでだった。指先から発せられた閃光《せんこう》がレミニサンスののどにまともに当たった。すかさずジャンヌとガリナが〈ノック・パンチ〉でオーソンを壁にたたきつけた。すでに遅《おそ》かったけれど……。

レミニサンスは駆《か》けつけたアバクムの腕の中に倒れた。閃光の衝撃《しょうげき》は繊細《せんさい》な肌《はだ》に黒っぽい円形の痕をつけ、両目はうろたえたように大きく見開かれている。アバクムはひざまずいてレミニサンスの体を床に横たえた。ふかふかした自分の上着を脱《ぬ》ぎ、丸めて枕にしてやった。ドラゴミラのフォルダンゴ――いまではオクサのフォルダンゴだ――が体を左右に揺《ゆ》すりながらやってくると、会議場にいた人たちの一部は驚きの声をあげた。フォルダンゴという生き物が〈クリスタル宮〉に足を踏《ふ》み入れたのは実に五十七年ぶりだったからだ。

「古いグラシューズ様のこのご家族の方は、生命が肉体を離れないようにしなければなりません」フォルダンゴはレミニサンスの手をとった。「フォルダンゴ族である召使《めしつか》いはあなたと双子性を分かち合う人を満足させる死に、あなたを出会わせることはさせません」

「わたしは殺そうとしたわけじゃない。その減らず口を黙《だま》らせたかっただけだ」

オーソンが冷たい声で言い放った。

「しかし、受けた閃光の強さは、古いグラシューズ様のこのご家族の方を他界にいざなうことができます」フォルダンゴは傷を調べながら言い返した。「長年の疲労《ひろう》と試練が傷を重傷にし、早い回復を妨《さまた》げます」

「オーソン、おまえは何をしでかしたんだ？」

オシウスはおおげさにため息をついたが、あまり心配そうには見えない。いたずらをした子どもを叱《しか》る父親のような口調だ。

「あなたのようにしたんです、お父さん」

オーソンは服の乱れを直しながら、ずけずけとした口調で答えた。

ジャンヌとガリナの〈ノック・パンチ〉はほとんどダメージをあたえていないようだ。いままで以上に力がみなぎっているようにみえる。

「父と子は同じ残酷《ざんこく》さを心のなかに育てています」フォルダンゴがレミニサンスに向かって言った。「しかし、その残酷さはあなたには継承《けいしょう》されなかった。わたしの視線についてきてください。これは助言です」

レミニサンスはフォルダンゴのゆっくりと動く青い瞳を見つめようと努力した。同時に、フォルダンゴはぽっちゃりとした手を痛みのあるのどにあて、意味不明の言葉を唱えた。すると、レミニサンスの呼吸が安定し、濁《にご》った目が少しずつ澄《す》んできた。

「よし！」オシウスはうれしそうに言った。「娘が危険を脱《だっ》したのだから、さきほどの話の続きをしようか？」

〈逃げおおせた人〉たちは憤慨《ふんがい》しながらも、アバクムとレミニサンスとフォルダンゴを取り囲んでオシウスをじっと見つめた。

「〈永遠の本質〉の喪失《そうしつ》と〈大カオス〉の到来《とうらい》以来、エデフィアは衰退《すいたい》し続けた」オシウスが話を続けた。「まずは光が弱まり、それが気温の低下をもたらした。気候は温暖なままだったが、以前とはまったくちがう状況になった。植物が少しずつ気候に適合してきた。少なくなったというべきかもしれないがな。土地がやせ、作物の収穫《しゅうかく》も年々減少した。十年前には水不足が始まったので、配給制になった。その措置《そち》は年ごとに厳しくなっている。そうした予防策にもかかわらず、状況は悪化の一途《いっと》をたどり、五年前から厳しい干ばつに見舞《みま》われている。〈大カオス〉が始まったときに〈緑マント〉地方のはずれにできていた砂漠《さばく》が、豊かだった森や平野をあっという間に飲みこんだ。湖や川は干上がり、飲料水の貯えもほとんど底をついた。気温も年々下がっている。エデフィアは容赦《ようしゃ》なく破滅に向かいつつある……」

オシウスは言葉を切った。悲しみのためにそうしたのか、格好をつけるためにしたのか、だれにもわからなかった。オシウスが再び口を開いたとき、それは判明した。たとえナフタリのたくましい腕に押さえつけられていても、オシウスは芝居がかった演出をするのが好きな人間なのだ。

「そして、数日前から、エデフィアの不吉な運命が方向転換《てんかん》したのがわかった。新たなグラシューズがもうすぐわれわれの前に姿を見せるということが判明したんだ」

「どうしてわかったんだ？」

ナフタリが口をはさんだ。

「単純なことだ。〈ケープの間〉が再びあらわれたのだ」

「なんだと⁉」アバクムが叫んだ。「それをいまになって言うのか？」

「最高のものは最後にとっておくものだろう！　この会議場のちょうど真下にある地下室に、新たなグラシューズを迎《むか》えるための〈ケープの間〉が復活しつつあるのだ。あと数日で完全になるだろう」

50　あやふやな推論

緊張《きんちょう》の連続だった会議が終わると、〈逃《に》げおおせた人〉たちはぐったりと疲《つか》れてそれぞれの部屋に引きあげた。

ナフタリは、オシウスの首をへし折ってやりたかったが、最後には解放した。〈逃げおおせた人〉たちは人殺しではないからだ。ナフタリはひらりと身をひるがえして仲間に合流した。それぞれが反逆者《フェロン》かミュルム、そして何匹《びき》かのヴィジラントにつき添《そ》われて部屋にもどった。

「ばかみたい」オクサはオシウスに聞こえるようにぶつぶつ言った。「二つの世界の均衡《きんこう》はあたしが〈ケープの間〉に入ることにかかっているのに、脱走《だっそう》するわけないじゃない。あたしはそんなバカじゃない！」

「オクサの即位《そくい》をじゃまして得する者はいない」

アバクムはレミニサンスの体を支えながら言った。

しかし、オシウスは譲《ゆず》らなかった。〈逃げおおせた人〉たちは〈クリスタル宮〉の最上階のひとつ下の階に閉じこめられたかっこうだ。

「親衛隊なんて、ほんと、必要ないんだけどなあ……」

オクサの怒りは収まらない。部屋のドアの前には熱心なヴィジラントが数匹神経質そうにうなり声をあげているし、鎧《よろい》をつけたミュルムが二人、エレベーターを見張っている。

「せめてお父さんにだけでも会いに行っていいかな？」

オクサはミュルムに向かって叫《さけ》んだ。

ミュルムのうちの一人が持ち場を離《はな》れ、廊下《ろうか》に消えた。数秒すると、パヴェルがやってきた。

「パパ！」オクサが声をあげた。「ちょっと、どいて、あんたたち」と、オクサが言うと、ヴィジラントはパヴェルを通すために脇《わき》に寄った。


オクサはドアをバタンと閉め、父親に飛びついた。フォルダンゴがにっこりしながら近寄ってきた。

「若いグラシューズ様のお父様は安堵《あんど》の詰《つ》まった熱狂《ねっきょう》をもたらされました」

「ほんと！」

オクサは涙《なみだ》を必死にこらえている。

エデフィアに着いて以来、二人きりになったのは初めてだ。オクサは胸がいっぱいになった。

パヴェルは大きなガラス戸の前のソファに娘を誘った。

「パパ、あたし、寂《さび》しい……」

オクサは母親やギュスのことで頭がいっぱいだった。

「ぼくもだよ……」

「元気だと思う?」

「きっと元気だよ」

しかし、パヴェルの目には不安が宿っていた。悲しみに胸が締《し》めつけられ、完全にまいっていた。オクサになぐさめの言葉もかけられず、黙《だま》って抱《だ》きしめることしかできなかった。オクサのほうもこれほど疲れ切ったことはなかった。二人はつらくてもどうすることもできないと感じながら抱き合ったままでいた。オクサが父親の肩《かた》に頭をのせたまま苦しい眠《ねむ》りにつくまで。


ドアの開く音に、オクサはそのままの姿勢で目をさました。ぴったりとした革《かわ》のベストを着た少女が入ってきて、模様のついた金属のローテーブルの上に湯気の立った食事を黙って置いた。オクサは礼を言うのをためらいながら、興味深そうに少女を見つめた。無表情な点を除けば、彼女はオクサと何ら変わりがない。自分は何を想像していたんだろう? ミュルムでも、反逆者《フェロン》でも、〈逃げおおせた人〉でも、人間であることに変わりはないのに。

「残酷《ざんこく》なことをするから、疑いたくなるけどね……」

「なんて言ったんだい?」パヴェルが驚いてたずねた。

「なんでもない」

オクサは少女が部屋を出て行くのを待って食事を始めた。実は、おなかがぺこぺこだったのだ。まるでオクサの好みを知っているかのように、食事は完璧《かんぺき》だった。生パスタ、煮《に》こみ野菜――ポロねぎは入っていない!――温かいパン、チーズとジャムに、冷たい水とフルーツジュース。

「ねえ、あたしたちの世界といっしょじゃない？」

「アボミナリの骨つき肉のグリルでも出るかと思ったのかい？」

パヴェルがからかった。

オクサは父親の腕《うで》をぴしゃりとたたいた。

「毒が入ってないといいんだけど……」

オクサはバターでてかてか光るパスタの山にフォークを突《つ》っこんだ。

「それはないと思うな。オシウスのおまえへの執心《しゅうしん》ぶりからすると」

「やめてよ、パパ！　世界の支配者だって思いこんでる、あんな若作りじじいなんて大嫌《きら》い！」

「若作りじじいだって？　おまえ、手厳しいな」

二人は満腹になるまで黙って食べた。皿の中身が少なくなるにつれて、力がわいてくるのを感じた。フォルダンゴもおずおずと近づいてきて、ヒマワリの種入りパンと匂《にお》いの強いチーズをむしゃむしゃ食べた。

「腹部は比類のない至福の表現をしました！」

そう言ったフォルダンゴをオクサは笑いながらからかった。

「あんたって、ほんとに食いしん坊！」

それから、ガラス戸の前に立って広大な風景に目を奪《うば》われている父親を見つめた。状況はこれまでになく不透明《とうめい》だ。オクサは父親に近づいた。

「あたしたち、どうなるのかな？」

オクサはため息をついた。

「オシウスが言ったことを聞いただろ？　不老妖精からの知らせがあると、〈ケープの間〉がおまえを迎《むか》えるために開くんだ。グラシューズになったおまえの最初の仕事は二つの世界の均衡を回復することだ」

「でも、どうしたらいいわけ？　ぜんぜんわからない！」

オクサは途方《とほう》にくれた。

「アバクムの指示を忘れるんじゃないよ。不老妖精がおまえを導いてくれる。妖精を信頼すればいいんだよ」

「パパ、〈永遠の本質〉のことを教えてくれる？」

「若いグラシューズ様のお父様が同意をくださるのであれば、フォルダンゴが説明の努力をいたします」フォルダンゴが口をはさんだ。

パヴェルはうなずいた。

「〈永遠の本質〉とは、世界の中心であるエデフィアの均衡を体現するものです」

「二つの世界のだよね！」オクサが言い直した。「でも、それはいま、どこにあるの？」

フォルダンゴは少し顔色を失った。

「〈語られない秘密〉とマロラーヌ様の命と〈ケープの間〉とともに消滅をこうむりました」

「ひどい話……」

フォルダンゴはうなずいた。

「じゃあ、〈永遠の本質〉は再生したのかな？」

「それとも、新たな〈永遠の本質〉が生まれたのかもな」パヴェルが言った。

「フォルダンゴ、何か知ってる？」

フォルダンゴはもともと大きな目をさらに驚くほど大きくした。

「あなた様の召使《めしつか》いは確実さを持たない言葉をあたえることはできません」

「そんなのいいってば！　推測でもいいから教えてちょうだい！」

フォルダンゴは首を横にふると、同じ言葉を繰《く》り返した。

「あなた様の召使いは確実さを持たない言葉をあたえることはできません」

「ああ、残念……」

オクサはため息をつくと、濃いグレーの目が心配そうにくもった。

「どっちにしても、これからどうなるのかな。早く知りたいけど、怖《こわ》い気もする」

パヴェルは足音を立てないようにドアに近づき、耳をつけた。そして、人差し指を口の前にあててもどってきた。

「おまえのグラシューズ即位式《そくい》はすばらしい体験になるだろう。その後、おまえがグラシューズになったら、いろいろ厄介《やっかい》なことが起きるだろうがね。オシウスは是《ぜ》が非でもおまえに門を開かせようとするだろう」

「でも、パパ、どっちにしても、その門をあたしは開けないといけないんだよ！」オクサはなるべく低い声で話そうとした。「ママとギュスにはあたしたちが必要なんだから。でないと死んでしまう……」

声が詰《つ》まった。

「オクサ、問題は、〈秘密でなくなった秘密〉に代わるものをぼくたちがまだ知らないことだ。〈ケープの間〉に課される新しい決まり事が何なのか。死を受け入れることなく門が再び開くかどうか、だれもわからないんだ……」

オクサの息が乱れ、激しい恐怖に引きずりこまれそうになって目がくらんだ。フォルダンゴが黙ってぽっちゃりした手をオクサの手の上においた。

「〈大カオス〉の前までは、門の開閉に関する秘密を有している唯一《ゆいいつ》の人は歴代のグラシューズ様でした。そのうちの何人かは〈外界〉への訪問を実施《じっし》しました。たとえば、孔子《こうし》やガリレオとの面会を体験したグラシューズもいらっしゃいます。しかし、エデフィアの国民はそういうことを知りませんでした。〈語られない秘密〉が公にされたとき、〈大カオス〉とともに急激な変化が訪れました。それ以来、門は二度開きましたが、そのたびに、開閉の力を持つグラシューズ様の命を抜《ぬ》き取りました。グラシューズ・マロラーヌ様と〝愛すべき古いグラシューズ様〟です」

門があらわれるにつれて祖母が消えていった光景はまだ記憶《きおく》に新しく、オクサはうめき声をもらした。

「とにかくあたしが均衡を取りもどしたら、〈外界〉に出るということしかオシウスは考えてない。門が開いたときにあたしが死んだって関係ないわけよ」

オクサの声はかすれていた。

フォルダンゴはしゃべりすぎたというように、パヴェルをちらりと見た。しかし、パヴェルはうなずいた。フォルダンゴが言ったことは受け入れ難《がた》いが、まさに真実なのだ。

「〈ケープの間〉でおまえに託《たく》されることを待とう」パヴェルは不安を追いはらうように言った。「ぼくたちを信じるんだ。おまえを危険な目に遭《あ》わせるようなことはしない。〈逃げおおせた人〉の名に誓《ちか》って」

オクサは弱々しい微笑《びしょう》を父親に向け、ベッドに寝そべった。心臓がどきどきし、息が苦しくなった。

51 なぐさめられる訪問

若いグラシューズの心はエデフィアの不吉な空のように暗かった。父親は一言も口をきかないミュルム一人とヴィジラント二匹にせかされ、自分の部屋にもどっていった。しかし、悲観的な会話だったとはいえ、二人だけで話せたことで気持ちはなぐさめられた。オクサには少なくとも父親がいる。でもギュスは一人だ。

「ギュスのことは考えない……ママのことも考えない……」

オクサはぎゅっと目をつむった。

オクサの心の内を即座《そくざ》に察知する忠実なフォルダンゴは、椅子《いす》から立ち上がってオクサのそばに来た。彼女専属のフォルダンゴになってからというもの、いつも彼女の近くにいて、少しでも役に立つ機会をうかがっている。ある考えがひらめいたオクサはフォルダンゴの背丈《せたけ》に合わせてひざまずいた。

「ねえ、フォルダンゴ！　おまえなら、きっとママたちがどうしてるか知ってるよね！」

フォルダンゴはいつもの優しい目つきでオクサを見つめ、頭を横にふった。

「エデフィアの国境は非常に不透明《とうめい》です。〈外界〉への頭脳のアクセスは無能力を知りました」

オクサの表情がくもった。

「ですが、あなた様の視線をこちらにお向けください」フォルダンゴはガラス戸のほうを指した。

「友人の訪問が宣言されました」

部屋の外を監視している二匹のヴィジラントに見つからないように、二羽の小さな金色の鳥がくちばしでガラスをたたいている。

「プチシュキーヌ！」とオクサは叫《さけ》んでから、あわてて口を手でおさえた。

はやる気持ちを抑《おさ》え、オクサはわざと面倒《めんどう》くさそうに立ち上がり、バルコニーで外の空気を吸いたいのだというようにガラス戸を開けた。二羽のプチシュキーヌは追いかけっこをしているようにぐるぐる飛びまわった。その動きを追うのに疲《つか》れたヴィジラントは最後にはあきらめた。プチシュキーヌたちは、オクサがガラス戸を乱暴に閉める瞬間に彼女のところに下りてきて、髪《かみ》のなかに隠れた。

「若いグラシューズ様！　やっとおそばにあがれてうれしいです！」

「どこにいたの、プチシュキーヌ？」

オクサはヴィジラントに背中を向けながら、小声で話しかけた。

「ドヴィナイユやほかの生き物たちといっしょに、アバクムの部屋におりました」

「みんな元気？」

「ふうっ、相変わらずの大騒《さわ》ぎですよ」一羽が答えた。「ドヴィナイユたちは気候について文句《もんく》を言うし、ヤクタタズたちはぐずぐず歩くし、ジェトリックスたちはじっとしていないし。そのうえ、ゴラノフたちが大変なんです」

「どうして？」

「ミュルムが軸《じく》液の抽出《ちゅうしゅつ》工場を作るんじゃないかと心配しているんです」

オクサは思わず笑った。ゴラノフには心から同情するけれど、おおげさに嘆《なげ》く癖《くせ》には笑ってしまう。

「かわいそうに。ひどい興奮状態なんだろうね……」

「ミュルムのせいではなくて、神経質すぎるから死ぬんだとジェトリックスは言っていますけどね」

オクサは笑い出した。プチシュキーヌたちと話していると心が休まる。

「異様な雰囲気だろうね」

「もう、大変です」

「アバクムの部屋はどこ?」

アバクムに会いたい。

「この部屋の反対側です。〈クリスタル宮〉の北東側にあたります。ナフタリの部屋とテュグデュアルの部屋の間にあります」

テュグデュアルの名前を聞くと、オクサははっとして、震《ふる》える声でささやいた。

「彼は元気?」

「彼からメッセージがあります。そのために、わたしたちはここに来たのです」

オクサはどきどきしてきた。

「見張り番は出入口を監視《かんし》していますが、この部屋以外は、部屋の中は監視していません。この部屋はほかより厳重に見張られているのです」鳥は声をさらに落とした。「〈逃《に》げおおせた人〉のなかでもミュルムの能力をもっている人は、だれにも気づかれず部屋から部屋へ通り抜けることができます」

「サイコー!」

ヴィジラントたちはガラス戸に張りついて、オクサをじっと観察している。

「常にあなたの挙動をうかがっている、このいやらしい毛虫たちをあなたが破壊《はかい》したらどうかと、テュグデュアルは考えています」

オクサは震えた。そうするにはたいそうな勇気が必要だ。オクサは自分を見張っている毛虫たちのほうをふり向いた。気持ちの悪い毛虫だから、殺すことに良心は咎《とが》めない。まず、〈火の玉術〉を考えた。会議場でテュグデュアルが放った火の玉はすごい威力《いりょく》で、それを受けたヴィジラントは一瞬にして灰になった。

「でも、もし失敗したら、大変なことになるし」

オクサは爪《つめ》を噛《か》みながらつぶやいた。グラノックはどうだろうか？　でも、どれがいいか？　はたして、グラノックがこのおぞましい虫に効くだろうか？

「さあ、オクサ、ぐずぐずしないで、行動あるのみ！」

オクサは自分で自分を励《はげ》ました。

最良だろうと思える考えが浮かんだ。オクサは立ち上がると、しっかりとした足取りで歩いていき、ガラス戸を開けた。ヴィジラントたちはオクサを通した。彼女はバルコニーの手すりにもたれ、ヴィジラントたちからあまり離《はな》れないように距離《きょり》を保った。

「何をしているんですか？」

オクサがクラッシュ・グラノックを取り出すのを見ると、ヴィジラントたちが問いただした。

毛虫たちは驚くほど神経質にうなり声をあげた。毛を逆立て、攻撃《こうげき》の構えだ。

「〈拡大泡《かくだいほう》〉を使って山をよく見たいの。いいでしょ？」

そう答えたオクサは、毛虫たちの気味悪さに負けないように、そして失敗したときの恐《おそ》ろしい結果のことを考えないようにした。

ヴィジラントたちは迷っていたが、承知したというように、オクサの頭のすぐ上にやってきた。

オクサが予想したとおりだ。彼女は心のなかで呪文《じゅもん》を唱え、いきなり頭を上げて、毛虫のほうへクラッシュ・グラノックを向けた。〈幻覚催眠弾《げんかくさいみんだん》〉は見事にヴィジラントたちに命中した。

「〈近づけない土地〉に遠足に行くと言ってなかったかい？」

毛虫のうち一匹が言った。

「うん！」もう一匹がくるりと向きを変えながら答えた。「よし、行こう。すご～いめしべのある花があるんだ。きっと気に入るよ！」

二匹のヴィジラントは飛び立っていき、オクサがぽかんとしている間にみるみる小さくなった。

「うまくいった！　このグラノックってサイコー」

「ブラボー、ちっちゃなグラシューズさん！」

聞きなれた声が後ろでした。

オクサは急に心がほっこりと温かくなるのを感じた。恋が自分の心の大きな部分を占めているんだということをあらためて知った。こんな状況で不安でいっぱいなのに、オクサは目を輝《かがや》かせてふり返った。

「あ、来たんだ」オクサは頭をかきながら、何げない様子を装った。「遅《おそ》かったね！」

「おまえが空飛ぶ御付《おつ》きを追っぱらってくれるのを待ってたんだよ」

テュグデュアルは落ち着きはらって答えた。黒いTシャツとズボンをはいたシンプルな格好で、両手をポケットに入れて部屋の真ん中の柱にもたれている。

「だいじょうぶ？」オクサはとたんに落ちつきをなくして、まごまごした。「壁はそんなに……厚くなかったの？」

そのまぬけな質問に、二人は少し神経質そうに、だがうれしそうに笑い出した。

「アバクムとおれの祖父母、ベランジェ夫婦とおれの母親とティルからよろしくって」

「へえ、ここに来るまでにいろいろ寄ったんだ」

オクサは感心したように口笛をピューと吹いた。

「このすごい部屋をずっと独り占《じ》めにしようと思ってたのか？」テュグデュアルは部屋を見回しながら言った。「いちばん大きくて豪華《ごうか》だぜ。恵《めぐ》まれてるじゃないか」

「グラシューズの特権よね」

テュグデュアルはすばやくオクサに近づいてきた。そして、両手でオクサの顔をはさみ、長い時間、目を見つめてから、羽根のように軽いキスをくちびるにした。

「これがおれの特権さ」

オクサはテュグデュアルに寄り添い、二人は額を寄せ合った。やっと会えたことで胸がいっぱいになり、そんなシンプルな仕草でしか自分たちの気持ちを表現できなかった。

「ほら、来いよ」

テュグデュアルは急にオクサの手を取って、ドアのほうに引っぱっていった。

「いいものを見せてやるよ」

52 地下への遠足

〈クリスタル宮〉の底へおりていくエレベーターの中で、オクサとテュグデュアルは向かい合わせになって見つめ合っていた。二人は協力して手ぎわよく事を運んだ。オクサは〈睡眠弾《すいみんだん》〉を一発発射しただけで、二匹のヴィジラントを眠らせ、テュグデュアルは〈ツタ網弾《あみだん》〉で一人しかいなかった見張りをしばり上げた。

「自分の身に何が起きたかわかってないみたい」と、オクサがコメントした。

テュグデュアルはほほえむだけにとどめた。彼のまなざしは怜悧《れいり》な輝きを取りもどし、顔つきはあらゆる重荷を取りはらったかのように生き生きとしていた。まるで、これまでの時間や事件にまったく影響《えいきょう》されていないかのようだ。

しかし、オクサはそうではないことを知っている。彼が隠している感情ははっきりとはつかめないにしても、いまの彼が仮面をつけていることはわかるようになった。オクサはふいにテュグデュアルの顔の一部を隠している前髪《まえがみ》を上げてみた。すると、会議場でそうだったように、動揺《どうよう》をあらわすただひとつの印を見つけた。こめかみがひくひく動いている。オクサは彼のこめかみを指先で軽く押した。あたしにはわかっている、あたしはそばにいるんだよ、とテュグデュアルに知らせるためだ。テュグデュアルはオクサの手を取り、自分の顔に押し当て、それから手のひらにキスした。オクサは何時間でもこうしていたかった。

だが、エレベーターは目的地に着いた。ドアがするするとあき、奇妙に透《す》き通った自然のままの石の壁があらわれた。オクサは黙《だま》ってテュグデュアルを見つめた。

「〈クリスタル宮〉の地下一階だよ、ちっちゃなグラシューズさん。エレベーターはここまでだけど、地下は七階まであるんだ」

「どうして知ってんの？」

テュグデュアルはかすかに笑った。

「おれたちは何人かでミュルムの能力を利用することにしたというわけさ。せっかくだから利用するべきだろ？」

テュグデュアルはそう言うと、傾斜《けいしゃ》した広い通路にオクサを引っぱっていった。歩みが自然と速くなり、足取りが乱れた。斜面を駆《か》け下りて足が痛くなったオクサは、しばらくテュグデュアルの腕《うで》につかまっていたが、二人はもっと速く進むために〈浮遊《ふゆう》術〉を使うことにした。

どこからか入ってくる光が石の壁をほのかに照らし、二人を美しく幻想《げんそう》的な乳白色の光で包んだ。オクサはエデフィアに着いてから初めて、気持ちが軽く自由になった気がした。テュグデュアルといっしょに行動することはオクサに安らぎをもたらし、しばらくの間、いまの悪夢のような境遇《きょうぐう》を忘れさせてくれた。だが、まもなく現実に引きもどされた。

「この光はどこから来るのかな？」

オクサは不思議な光の反射をうっとりとながめながらたずねた。

「底からきてるんだ。光が透明《とうめい》な石に何十億回も反射してるのさ。石がどんなふうにカットしてあるか見たかい?」

「宝石みたい……」

完璧《かんぺき》に規則正しくカットされた石の表面をなでながらオクサは答えた。

「だから光が無限に反射しているんだ。さっきおれが来たときより、光はずっと強くなってるみたいだ」

「だけど、どうして光が底から差すわけ?」

「すぐにわかるさ、ちっちゃなグラシューズさん」

「もちろん、あたしが自分で見つけるまで、教えてくれないよね」

「おれのこと、わかってきたじゃないか」

通路の行き止まりに階段があり、二人は壁をつたいながら下りていった。五十段ほど下りると、また通路があり、数十メートル進んだ。〈クリスタル宮〉の底に近づくにつれ、光は弱まりはしなかったが、通路はひどく狭《せま》くなり、〈浮遊術〉は使えなくなった。いま地下何メートルのところにいるんだろう、とオクサは思った。

「よし、目をつむれよ」

七つ目の通路にさしかかったときテュグデュアルが言った。

オクサは激しく首を横にふった。

「遊んでる場合じゃないよ」

「目をつむれって」

オクサはしぶしぶ言われたとおりにし、テュグデュアルに手を引かれて用心深く歩いた。床は水平だったが、天井《てんじょう》はひどく低く、両手を少し広げれば両方の壁に手が触《ふ》れた。テュグデュアルがオクサの後ろにまわって両肩《かた》に手をのせてその通路を抜《ぬ》けるまで導いてくれた。

「着いた。目をあけていいよ」

テュグデュアルにうながされてオクサはすぐに目をあけた。その場所のあまりの美しさにオクサは目を見張った。そこはドーム形をした大きな部屋で、鮮《あざ》やかなさまざまな色の半透明の石におおわれ、差しこむ光がその石に無限に反射している。部屋の空気はややほこりっぽく、むっとしているが、暖かい。床には灰のようなきらきら光るものがあり、オクサやテュグデュアルが少しでも動くと光る渦巻《うずま》きができた。

「すごい！　この石、宝石だと思う？」

現実のものとは思えない美しいブルーの石に触れながらオクサがたずねた。

「そうかもしれないな」

テュグデュアルは半透明の石の向こうに目を凝《こ》らした。

「オクサ！」

とつぜん、聞きなれた声がひびいた。オクサはぱっとふり向いた。

「ゾエ！」

二人は駆《か》け寄って抱《だ》き合った。光の粉がそこらじゅうに舞《ま》い上がった。

「オクサ！　元気？」

「うん、元気。ゾエは……」

優しくおとなしいまたいとこ、というより親友になったゾエに会えてオクサはうれしくてたまらなかった。だが、ひどい顔色だ。やつれて、こげ茶色の大きな目がやたらに目立つ。Tシャツがぶかぶかに見えるほど急にやせたようだ。

「あんまり元気じゃないけど、みんな同じじゃない？」ゾエはうつむきながら答えた。「いろんなことが起きるけど、なんとか我慢《がまん》するしかないし」

「あんたのおばあちゃんは？」

「休んでる。そのうち元気になるわよ。したたかなんだから！」ゾエは笑いながら答えた。

「そうよね！　彼女はすごいよ！　ところで、ここで何してるの？」

「わたしたちのミュルムの能力を……〝宮殿見学《きゅうでん》〟に使おうってテュグデュアルに誘われたんだ。ちょっと難易度の高い壁もあったけど、彼は教え方がうまいから」

ゾエはオクサをじっと見つめた。その目は、以前に自分はテュグデュアルに気をつけるよう注意したけれど、彼を公平に客観的に見ているからね、と語りかけているようだった。オクサは自分でも驚いたことに、ゾエのそういう率直な態度にほっとしていた。

「彼女に見せようか？」

テュグデュアルがゾエに向かってたずねた。

「何を見せてくれるって?」

すかさずオクサが聞いた。

「これ!」

ゾエとテュグデュアルが声をそろえて言った。

オクサが二人の視線をたどると、部屋の左側の石壁におかしな現象が起きているのがわかった。扉《とびら》がひとつ浮き上がっている。その輪郭《りんかく》と取っ手ははっきりと見えるのだが、まるで中で炎が燃えているように表面が白熱して見える。小さな青味がかった炎が、扉のすき間からちろちろと舌を出している。その引きこまれるような炎の動きにうながされて、オクサはゾエとテュグデュアルといっしょに近づいた。一歩進むごとに熱さが増していく。どくどくと動悸《どうき》を打っているような、すさまじい破壊力《はかい》が感じられた。四メートルのところまで近づいたとき、オクサは見えない力に押し返されるように立ち止まった。

「わたしたちも試したんだけど、そこから先へは行けないんだ。走って突《つ》っこんでいってもだめだった」と、ゾエが説明した。

「何なのかな?」オクサは扉をじっと見つめてつぶやいた。「秘密の通路?」

ゾエとテュグデュアルはとまどったようにオクサを見た。

「ちがうよ、ちっちゃなグラシューズさん。秘密の通路よりいいものさ。おれたちは〈ケープの間〉の前にいるんだと思う」

53
落胆《らくたん》

「そうか、そうだよね！」オクサは自分の額をぱちんとたたいた。「それ以外には考えられない。わあ、〈ケープの間〉か……」

オクサは扉《とびら》に近づけないようにできている見えない壁《かべ》に顔をつけた。すると、その壁の抵抗《ていこう》が弱まり、弾力《だんりょく》性が出てきたようだった。

「ほら、見て！　ここに入りこめそう！」

そう叫《さけ》んで一歩前に進んだが、そこから動けなくなった。

「オシウスが言ったことを思い出してみろよ」テュグデュアルが口をはさんだ。「〈ケープの間〉はまだ準備ができていない。数日で完全になるって」

オクサの胸はちくりと痛んだ。本当なら、これまで自分を冷静にさせたり、我慢《がまん》させたり、衝動《しょうどう》を抑《おさ》えるように仕向けてくれるのはギュスだった。オクサは息を深く吸いこんで心を落ち着かせようとした。

こんなおかしな場所にいることが怖《こわ》かったが、それにもましてオクサもふつうの人と同じように、自分の人生を思うままにできないのだという事実を突《つ》きつけられてショックを受けていた。

人生は自分で選択《せんたく》するものだと以前から教えられてきたし、もちろん自分自身である程度人生をコントロールできるんだという考え方が好きだった。もし、運命が人生のルールを決めているとしたら——オクサはそう思っていた——、選択というのは最終的な力だ。それによって、すべてががらりと変わる。しかし、いま彼女はそんな考えは成り立たないと感じていた。その証拠《しょうこ》に、どうすることもできずに愛する人たちと別れさせられたし、いまもとてつもない責任を負わされて、死にかけた世界の底にいる。ほんとうなら、教室に座って数学や歴史の授業を受けているはずなのに。オクサはまったく選択の余地なく運命に従わされているような気がした。でも……。

オクサは熱っぽい目をしてふり返った。

「いい考えがある！」

オクサの勢いこんだ様子に、ゾエとテュグデュアルは思わずほほえんだ。

「〈ケープの間〉が完全になるまで、あたし隠れてる！　それで、ミュルムたちが知らないうちに、儀式《ぎしき》を終えてグラシューズになるわけ。それからみんなで門の前に行って、あたしが門をあけるから、ママやギュスやみんなに会いにいこうよ！」

ゾエとテュグデュアルの顔がくもった。

「そうしたいのは山々だけどさ、こまかい部分が抜《ぬ》けてるよ」テュグデュアルが言った。「ことはもっと複雑だよ、オクサ。水を差して悪いけどさ」

オクサはテュグデュアルが自分を名前で呼んだのに少し驚いて彼をじっと見た。テュグデュアルの顔はゾエと同じように真剣《しんけん》だった。

「エデフィアから出られるかどうかなんて、だれにもわからないんだぜ。もしできたとしても、どういう代償《だいしょう》をはらわないといけないのかも。もしおまえの命がかかってるんなら、論外だよ。みんなここに残るんだ」

オクサはうなだれて床をけった。そして、怒りにかられてこぶしをにぎった。

「それで、オシウスに見つからないように、残りの人生を穴倉に隠れて過ごすわけ？　サイコーの未来！」

「オシウスは不滅《ふめつ》じゃない」

ゾエがきっぱりと言った。

オクサははっと顔を上げた。仲間を助けるためなら、ゾエもレミニサンスに劣《おと》らず恐《おそ》ろしいことをやってのけることができるのではないか、という気がした。

「そうだけど、〈外界〉に関して野心を持っているのは彼だけじゃないしな」

テュグデュアルが反論した。

「それはそうだわ」ゾエはうなずいた。「だけど、わたしたちは戦うことができるじゃない」

テュグデュアルもうなずいた。外見はかよわそうに見えても、ゾエは戦士の気概《きがい》を持っている。

「二つ目の問題は、おまえが猶予《ゆうよ》期間にあることだ、オクサ。ミュルムの秘薬を飲むためにはオシウスが必要だ。でないと……」

テュグデュアルは口をつぐんだ。顔はひきつり、目に力がない。

「でないと、あたしは死ぬんでしょ」

オクサは床にあぐらをかいて座り、きらきら光る灰のようなものの上に指で線をえがこうとした。よく考えもせずにしゃべった自分が間抜けのような気がした。体は大きくなったけれど、激しい気性や軽率さはまったく変わっていない。

テュグデュアルはポケットに手を突っこんで立ったまま、オクサに冷静な目を向けている。ゾエはオクサのそばに背中を丸めてしゃがみ、思いやりのあるまなざしでオクサを見つめていた。少し離《はな》れたところでは、〈ケープの間〉の扉がこの世のものとは思えない光を発している。あまりに強い光なので、どんな物でも生き物でさえも溶かすことができそうだ。これから起きることに文句《もんく》を言わずに従う以外、解決策はないのだろうか?

とつぜん、三人は何かが動いていることに気づいた。光が強烈だったものだから、最初は何も見えなかった。テュグデュアルが急にオクサにおおいかぶさってきたので、オクサは驚いて叫び声をあげた。ゾエは光る灰をつかんで宙に投げつけている。するどい感覚を持つ匠人《たくみびと》でミュルムであるテュグデュアルやゾエとちがって、オクサはこの地下のドームに骸骨《がいこつ》コウモリの群れが入ってきたことに気づかなかった。

骸骨コウモリたちは最初、天井《てんじょう》すれすれのところをゆっくりとぐるぐるまわっているだけだったが、少しずつオクサたちに近づいてきた。羽ばたく音が不気味だ。オクサはパニックと嫌悪《けんお》で吐《は》き気におそわれ、全身に冷や汗《あせ》をかいた。心臓がどきどきして爆発《ばくはつ》しそうだった。そのうえ、とつぜんわいてきた耐《た》えられない痛みはもっとひどかった。オクサは耳を手でふさいで全身をおそう痛みの波を止めようとしたが、それがむだなことはわかっていた。超低周波音が全身のあらゆる毛穴から入りこみ、毒のように広がって神経や臓器を傷つけ、全身を痛めつけているみたいだった。

骸骨コウモリが近づくのを防ぐために、テュグデュアルは〈火の玉術〉を使った。ゾエも必死で彼を助けた。ゾエはグラノック、〈磁気術《じき》〉、灰を投げつけるなど、あらゆる方法を使った。しかし、三匹が攻撃《こうげき》をかいくぐってオクサの頭上一メートルまで来た。オクサは目をかっと見開き、体を痛みにそらせて、恐怖におびえながら三匹をにらんだ。骸骨コウモリが近づけば近づくほどオクサの体の痛みは増した。テュグデュアルは怒りの声をあげながら、そのうち一匹を焼き殺した。その間、ゾエは残りの二匹をつかんで乱暴に打ち合わせ、つぶれてばらばらになった遺骸を平然と床に落とした。そのとき、オクサは男のシルエットがドームを横切るのに気づいた。テュグデュアルが顔を上げ、その浮遊《ふゆう》する男が三人に近づいてくるのをじゃましようとした。むだだった。ひきつったオクサの顔の数センチ先に黒い靴《くつ》を履《は》いた足が下り立った。テュグデュアルが自分におおいかぶさるのを感じながら、オクサの意識はしだいに遠のいていった。

オクサの頭はひどく混乱していたので、自分の意識が薄らいだのはわかったが、そのあとで感じたことが現実なのか、悪夢なのかわからなかった。痛みはもうなかった。だが、それがいい兆候とは限らない。痛みがないということはあらゆる意識から遠ざかっているということだろうか？　はるか遠くに？　もう元にもどれない無の状態に陥《おちい》ったのか？　そうではない。痛みは感じないが、感覚はある。だれかが自分を運んでいる。はやる足音や押し殺した声が聞こえる。何人かがそばを歩いている。気絶する前にあらわれた男の顔が一瞬記憶《きおく》によみがえったが、すぐに黒いもやがかかった。自分はあばれたように思う。だが、もやが広がってきて、意識を失った。

オクサたち三人が〈ケープの間〉の扉の前にいたことに、オーソンは驚かなかった。これはついている……。オーソンは、若いグラシューズの〝脱走《だっそう》〟をオシウスに知らせに行こうとする寝ぼけ顔のヴィジラントにたまたま行き会ったのだ。そしてこの逃亡《とうぼう》――実際はそうではなかったのだが――をどう利用できるかをとっさに考えた。いまのところ、だれもエデフィアを出ることはできない。オシウスとミュルムたちはこの土地をだれよりもよく知っている――あらゆる地下、洞窟《どうくつ》のすみずみまで――から、隠れる場所もない。

「父上を休ませてさしあげろ。わたしにまかせておけばいい」

オーソンはこうヴィジラントたちに命令した。

重大な情報を教える前に、ヴィジラントたちはためらった。

「指導者の命令によると……」

「何を命令したんだ?」

オーソンは声を荒《あら》げた。

「問題が発生したら、ほかのだれでもなく、指導者かそのご子息だけに知らせるようにと」

オーソンは深く息を吸った。自分の気持ちを静めるためであると同時に、権威《けんい》を示すためにだ。

「では、わたしはだれだ?」

ヴィジラントたちはこの質問にとまどった。

「指導者のご子息です」

「よろしい!」

「ですが、指導者はアンドレアス様のことをおっしゃったのです」

「なるほど! しかし、父に伝えたい情報をわたしに教えたからといって、義務を怠《おこた》ったことにはなるまい。それに、わたしはオシウスの長男だ。アンドレアスよりずっと前に生まれたのだ。つまり、彼よりわたしの権利のほうが上なはずだ。それでいいだろうな?」

ヴィジラントたちはオーソンの反論しようのない言い分に従うしかなかった。そして、これまでに起きたことをオーソンに話した。


オーソンはいま、うれしくてたまらなかった。意識のない若いグラシューズを腕《うで》にかかえて地上まで七階分をのぼり、父親の部屋がある最上階まではエレベーターを使わずに〈浮遊術〉で行くことにした。そうやって人目を引けば、意識のないオクサを見た〈逃《に》げおおせた人〉たちもよけいにあわてることだろう。真の支配者はオシウスでもあのペテン師のアンドレアスでもなく、自分だということをみんなに知らしめる効果的なやり方だ。オクサはひどく痛そうだが、死にはしない。少なくともすぐには死なないだろう。自分がこの状況《じょうきょう》をうまくコントロールできるようになるまでは。みんなの意見とはちがって、自分の頭脳と冷静さは、エデフィアを支配すべき唯一《ゆいいつ》の人間であることを証明している。そして、自分がほんの一歩踏《ふ》み出せば、絶対的な権力を持つこともできるのだ。旗のようにふりかざした野心にかられ、オーソンは広場に立つ見張りがあわてふためくなか、〈クリスタル宮〉を出て、最上階をめがけて飛び立った。

54
崩壊《ほうかい》

部屋のガラス戸越しにオーソンののぼっていく姿が見えたとき、パヴェルはまず悪い夢だと思った。すぐに小さなバルコニーに出て、それが現実でなければいいがと思いながら首を伸ばして様子をうかがった。しばらくしてオーソンが偉《えら》そうに胸を張ってもどってくると、パヴェルは怒りの声をあげた。敵がオクサを腕《うで》に抱《だ》いている！　オクサの頭は後ろにだらりとたれ、ぴくりともしない。

「ぼくの娘に何をした？」

パヴェルはどなった。

オーソンはにやりと笑っただけで、上の階に向かって矢のように飛んでいった。怒りのあまり、闇《やみ》のドラゴンがあらわれ、パヴェルは炎《ほのお》の柱となって駆《か》けのぼった。そのうなり声は〈千の目〉のはずれまで聞こえた。〈千の目〉の住民と〈クリスタル宮〉の住人はみんな窓に駆け寄り、驚くべき生き物が〈クリスタル宮〉をものすごい勢いで怒り狂ったようにのぼっていくのを見た。やがて、ヴィジラントの群れがうなり声をあげながらそのあとを追い始めた。しかし、数十匹の群れなどパヴェルの怒りに比べればなんでもない。たちまち、ドラゴンの吐《は》く炎にすべて焼き殺された。黒こげになったヴィジラントは、最上階からその光景をながめていたオシウスの部屋のバルコニーに雨のように降ってきた。

オーソンが若いグラシューズを腕に抱いてバルコニーに下りると、オシウスはわざと無関心を装った。その華々《はなばな》しい登場のしかたは、まさに父親から受け継《つ》いだものにちがいない。オシウスも芝居がかった演出を好む。その場の状況《じょうきょう》や人々の心に大きな影響《えいきょう》をあたえることを知っているからだ。しかし、オーソンはそうしたデモンストレーションをするタイミングをまちがったらしい。大事な鍵《かぎ》であるオクサの容態が悪そうなのはまずい。

「お父さん、若いグラシューズが逃亡《とうぼう》を企《くわだ》てました。〈ケープの間〉の前で見つけました」

オーソンは自信たっぷりに言った。

「どうしてわたしは連絡《れんらく》を受けていないんだね？」

オシウスは眉間《みけん》にしわを寄せてたずねた。

「取り返しのつかない事態になる前に、すぐに行動することにしたんです」

オーソンは平然と言い放った。

「どっちにしても、彼女にはたいしたことはできなかったはずだ」

むっとしたオーソンはたくさんあるソファのひとつに、死人のように青白い顔をしたオクサを寝かせた。

そのとき、大きな物音がした。ガラスはこなごなに割れ、窓の近くにあった家具が吹《ふ》っ飛んだ。闇のドラゴンになったパヴェルがオニキスの床を横すべりしながらオシウスの居間に荒々《あらあら》しく入ってきたのだ。ドラゴンを刺青《いれずみ》にもどすために、パヴェルは大変な努力をして気を静めなければならなかった。というのも、目の前でクラッシュ・グラノックを構えている、憎《にく》むべきオシウスとオーソンを焼き殺したいぐらいだったからだ。

「すばらしい、パヴェル！　本当にすばらしい！　何という力だ！」

オシウスはクラッシュ・グラノックをしまいながら拍手した。

オーソンは父親に憎しみのまなざしを向けた。こんな状況だったが、パヴェルはその視線に気づいていた。

「おや、一人で来たんじゃなかったんだな」と、オシウスが続けた。

パヴェルはふり返った。テュグデュアルとゾエがすぐそばに下り立ったところだった。二人とも服は破れ、髪《かみ》はもつれ、顔はほこりにまみれていた。

二人とも心配でたまらないようだ。ゾエはオクサに駆け寄り、ゆさぶった。

「オクサ！　目を覚まして、おねがい！」

パヴェルは前に立ちはだかったオーソンを押しのけた。

「彼女を攻撃《こうげき》すれば、みんながどういうリスクを負うことになるか、あんたはまだわかってないのか？」

パヴェルはオクサを心配そうにのぞきこんでから、オーソンに向かってどなった。

「言っておくが、おまえの娘がこんな状況に陥《おちい》ったのは自業自得だ」

オーソンが言い返した。

「もしわたしが行かなかったら、彼女がまだ生きていたかどうかわからない」

その言葉にテュグデュアルはかっとなった。

「ジョーダンだろ？　あんたがあのきたならしい骸骨《がいこつ》コウモリといっしょにやってこなかったら、オクサはこんなふうにはならなかったんだ！」

「おまえはこの娘を骸骨コウモリにさらしたのか？」

オシウスは息子を厳しい目つきでにらんだ。

オーソンは顔をくもらせたが、あわてなかった。黙《だま》ったまま、挑戦《ちょうせん》するように父親の怒りの視線を受け止めた。この二人の関係の変化はいい兆候ではない。パヴェルたちやオシウスの目には、オーソンがオクサの命をにぎることで自分を認めさせたいのだと映った。実際に権力をにぎっている父親に示すやり方としては残酷《ざんこく》で荒っぽいものだ。

「おまえは危険な賭《か》けをしている」

オシウスはそう言うにとどめた。

それから、オシウスはきびすを返してオクサのところへ行った。若いグラシューズの容態も心配だが、同時に息子の考えに不安を抱《いだ》いているようだ。

「あんたたちの間の問題はあとでやってくれ」パヴェルが歯ぎしりをした。「いまは、それよりもっと大事な問題がある！」

オーソンはさも満足そうに、黙ったままでいる。

「解毒剤が効果をもたらすためには、オクサはあんたのおぞましい秘薬を飲まなければいけないんだ」

パヴェルがオシウスに向かって告げた。

「たしかに……」

オシウスが答えた。

「あんたは本当に頭がいかれてるな！」

そうつぶやいたテュグデュアルの怒りは驚くほど激しかった。パヴェルもゾエも、こんなに心配そうで怒りにかられたテュグデュアルを見るのは初めてだった。テュグデュアルは初めて二人の前で自分の感情をそのまま出していた。

「どこにあるんだ？　ミュルムの秘薬はどこにあるんだ？」

テュグデュアルがどなった。

「もう長いこと、エデフィアにはミュルムの秘薬は一滴《いってき》もない」

オシウスは平然と言った。

「何だって？」

パヴェルたち三人は同時に叫《さけ》んだ。オーソンも驚いたようだ。

「〈大カオス〉があったのはもう六十年近くも前だということを忘れてもらっては困る。その間、わたしたちは外に出る望みを捨てたことはない」と、オシウスが言った。

「しかし、ミュルムの秘薬はそれとは関係ないだろう？　それで〈外界〉へ出られるというわけじゃない」

パヴェルはいらいらした。

「わかったような口をきくな！　おまえは、わたしたちがここで経験したような状況にいたことはない」

オシウスが言い返した。

「この魔法使いのできそこないめ！」

パヴェルがぶつぶつ言った。

「そうかもしれない。だが、いま、その秘薬を作ることができるのはわたしだけだ。その口をつつしんで、もう少し敬意をあらわしてもらいたいものだ」

「少なくとも、材料は全部あるのか？」

パヴェルはけんか腰《ごし》のままたずねた。

オシウスは愉快《ゆかい》そうにパヴェルを見た。

「〈冷光〉の塊《かたまり》は問題じゃない。われわれの若いグラシューズの血も、このひどい状態にもかかわらず豊かに流れているようだから問題ないだろう。最後のゴラノフは十年前にエデフィアから消えたが、おまえたちは何株か維持《いじ》するのに成功したようだしな。半透明《とうめい》族は……」

オシウスは急に言葉を切り、暗い顔をして、あごをさすった。パヴェルたちは不安のどん底に突き落とされた。

「とくに厳しい状況だった近年、以前は目を焼かれるほど岩石が強い光を放っていた〈網膜焼《もうまく》き〉の土地の光量が急激に減少したため、強い光のもとでしか生きられない半透明族は少しずつ死んでいった」

パヴェルはうめき声をあげ、ゾエとテュグデュアルは絶望的な視線を交わした。

「おまえたちは、だれを相手にしていると思っているんだ？　わたしがまったく責任感がない人間だと思っているのか？」

パヴェルは苛立《いらだ》ちを隠さなかった。

「肝心《かんじん》なことだけ言え！」

「エデフィアの最後の半透明族は、わたしが特別に整えさせた洞窟《どうくつ》で暮らしている」

オシウスは得意げに言った。

パヴェルは言いようのないほどほっとして目を閉じた。

「じゃあ、だいじょうぶね」

ゾエは涙《なみだ》を流しながらつぶやいた。

「そうだ」オシウスがうなずいた。「だが、あとひとつ、必要なものがある」

ゾエは体を震《ふる》わせた。テュグデュアルはオクサが寝ているソファに近づこうとしたが、ゾエは片手でそれを制した。

「近づかないで」

テュグデュアルははっと立ち止まった。瞳孔が大きく開いた分だけ、灰色がかったブルーの目がくもった。オーソンはけげんそうにし、オシウスはわけがわからないという顔つきだ。何かを見逃《のが》したのか……。

「われわれが半透明族に好物を持って行ってやれば、彼らはわれわれの望むものをくれる」

オシウスははっきりと宣言した。

ゾエは今度こそテュグデュアルを止めることができなかった。オクサが寝ているソファの端《はし》に座り、頭をかかえた。そして、苦痛のために固くなっているオクサの指を取るとキスをした。

「そんなことすべきじゃないのよ……」

ゾエは動揺《どうよう》している。

テュグデュアルはゾエを苦しそうに見つめ、ゆっくりと首を横にふった。息が乱れている。彼は動揺を見せないよう前髪で顔を隠し、オクサの手をさらにぎゅっとにぎった。すると、オクサの指がかすかに動くのを感じた。飛び立とうとする蝶《ちょう》の羽のようにオクサのまぶたが震えた。オクサがやっと目をあけた。一瞬ぼうぜんとし、それから体を起こそうとした。

「今度こそ終わりかと思った」

オクサはたどたどしく言うと、また頭をどさりとソファに落とした。

それまでに感じたことがないほどするどい眼光で自分を見つめているテュグデュアルのすぐ後ろにいるオシウスの姿が視界に入ってきた。それで自分がどこにいるのかを理解し、さっきの記《き》憶《おく》がよみがえってきた。

「悪夢だわ……」

「きっと元気にしてやる。しっかりするんだ、おねがいだから！」

パヴェルが励《はげ》ました。

「できることは何でもするわ、パパ」

父親と友だちの深刻な表情を見て、オクサは言った。

「そうしないとな……ちっちゃなグラシューズさん」

テュグデュアルは自分のほおをオクサのほおにこすりつけながらつぶやいた。

55　愛の犠牲《ぎせい》

オシウスは主要な仲間と、〈逃《に》げおおせた人〉のなかでも古いメンバーを集めた。オシウスの豪華《ごうか》な居室に入ったとき、アバクムとクヌット夫妻の胸は締《し》めつけられた。この場所は歴代のグラシューズとマロラーヌ、そして彼らが幸せだった時代のものだった。いまオクサがここにいることで、グラシューズたちがここに残した思い出がよけい鮮《あざ》やかによみがえった。

オクサは自分が死への猶予《ゆうよ》期間にあることをあらためて思い知り、ショックを受けていた。さらに、母親とギュスも常に死の恐怖にさいなまれていることを思った。二人とも同じように苦しんでいるにちがいない。自分はもうすぐその苦しみから解放される希望があるけれど……。

ミュルムと〈逃げおおせた人〉たちはオクサから少し離《はな》れたところで激しく言い争っている。気持ちを集中すれば内容がわかるかもしれないが、まだ耳鳴りがしているし、すべての音が騒音《そうおん》のようではっきり聞き取れない。ただ、細かいことはわからなくても、これから起こることはわかる。恐怖で寒気がした。

「生き延びるためには、いったいどうしろっていうの?」

自分が飲まなければならないミュルムの秘薬のことを思いながら、泣きださないようにわざと乱暴に言った。

オクサが横になっているソファにもたれて床に座っていたゾエとテュグデュアルがふり返ってオクサをじっと見つめた。その熱っぽいまなざしにオクサはぎくりとした。

「だいじょうぶだよ」

テュグデュアルは震《ふる》える声で答え、ゾエは口がきけないかのように黙《だま》っていた。二人は再び大人たちの激しい議論に注意を集中した。

オクサはぐったりしていた。ソファに横になったまま、二人を観察した。二人は前より仲が良くなったようだ。ちがう状況だったらオクサもうれしかったかもしれない。いまは、オクサにはわからない何か暗黙《あんもく》の了解のようなものが二人を結びつけているような気がして、気になった。

オクサはなんの気なしにテュグデュアルのさらさらした髪《かみ》に指を突っこんだ。そして、そんな自分の行動にはっとした。以前には絶対にしなかった仕草だ。優しい指に気持ちがよくなって、テユグデュアルはソファに頭をもたせかけた。

「エデフィアの若者を全員集めるべきだ！」とつぜん、オシウスの声がひびいた。「そのなかに、必ず恋をしている男女がいるはずだ」

オシウスは不安そうに見える。よい兆候ではない。

「何の話をしてるの？」

オクサが小声でたずねた。よく聞こえないのだ。

「半透明《とうめい》族のこと」

テユグデュアルが口を開く前に、ゾエが答えた。

オクサは、心配そうに歩きまわっているアバクムを見た。みんな、考えこんでいる。オクサたちをじっと見つめているオーソンを除いては。

「それは時間がかかりすぎる！　ほかの解決策を見つけなければ」

オシウスの提案にアバクムが答えた。

オーソンが得意そうにテユグデュアルを指差したとき、オクサには彼のたくらみがすぐにわかった。

「だめ！　それはだめ……」

オクサはあえぐように言った。

「事を複雑にすることはないじゃないか？」と、オーソン。

オクサはとどめの一撃《いちげき》を受けたような気がした。自分の愛する人の恋愛感情を半透明族が吸い取っている光景が頭に浮かんだ。オーソンがほのめかしているのはそういうことだ。

「どうして恋に震える魂《たましい》をエデフィアじゅう探し回らなければならないんだ？　ここに、われわれの求めている若者がいるじゃないか。われわれのグラシューズの命を救うことになる半透明族の求めているもの、といったほうがいいかもしれないがね」

オーソンはせせら笑いを浮かべて言った。

「そんなことは論外だ！」

ナフタリは怒りで白くなった。

アバクムも反対した。

「ばかげている！」

ソファに寝そべったままのオクサは全身から血の気が引くのを感じた。最悪の解決策だ。すでに祖母を失い、母親やギュスとも離れ離れになっているのに、そのうえテュグデュアルの愛まで失うことになったらもう生きていけない。

テュグデュアルはオクサのほうに頭をそらせ、天井《てんじょう》をおおう青い石をじっと見つめたまま動かなかった。現実とは別のところに気持ちがあって、考えごとにひたっているようだ。しかし、彼はしっかりと現実を見つめていた。オーソンはうれしくてたまらない様子だ。

「それみろ。間に合ううちにわたしたちの側に加わればよかったんだ」

オーソンはテュグデュアルに向けて大声で言った。

驚いたことにテュグデュアルは顔を起こし、平然とオーソンをにらんだ。

「幻想《げんそう》を抱《いだ》くのはやめるんだな。おまえの仲間になんかなるもんか、絶対に！　おれはいつでも自分の行動に責任を持ってきたんだ。それがいいことでも悪いことでも、悪いほうが勝ったとしてもだ。だから、いまおれがする決断も、その結果に対して責任を取る」

テュグデュアルはここで少し間をおいた。それを、迷いととる者もいたし、最悪の事態を考えたのはまちがいだったかもしれないとかすかな期待を抱く者もいた。テュグデュアルは立ち上がった。抑《おさ》えることのできない震えが彼の頭からつま先まではしった。テュグデュアルはオクサを置き去りにし、オーソンには見向きもせずに、オシウスのほうへ向き直った。

「おれを連れて行っていい。半透明族に……会いにいく心の準備はできている」

テュグデュアルはあえぎあえぎ宣言した。

オクサは抗議《こうぎ》したかったけれども、あまりの苦痛で口を開くことができなかった。涙《なみだ》で視界がくもったが、近づいたナフタリをテュグデュアルが乱暴に突き飛ばすのが見えた。

「だめよ、テュグデュアル。そんなことはさせないわ！」

ブルンが声にならない声で言った。

「こうするしかないんだ！」

「オクサのことを考えろ」と、ナフタリ。

「そのとおり」テュグデュアルが言い返した。「おれは彼女のことしか考えていない。彼女が死んでもいいのか?」

「彼の意思を尊重してやれ。自分のことは自分で決められる歳《とし》だ」

オシウスが割って入った。

オシウスは満足げだった。一石二鳥だ。この軽率な若いグラシューズを救えるだけでなく、クヌット夫妻に復讐《ふくしゅう》ができる。この頑固《がんこ》な二人が自分たちの側を選んでいたら、すばらしい仲間になっただろうに。いま、こいつらは自分の孫を通してそのツケをはらわないといけなくなったわけだ。この冷たい目つきをした潜在《せんざい》能力のありそうな少年を通して。


「人選をまちがってる」

とつぜん、ゾエの声が聞こえた。震えているが、きっぱりとした声だ。

「テュグデュアルの情熱はみせかけよ。彼は巧《たく》みにオクサをくどいて、彼女をひきつけようとしてるだけ。いまやオクサに大きな影響力《えいきょうりょく》を持っている。でも、彼が関心があるのはオクサの持っている権力だけよ」

テュグデュアルは〈ノック・パンチ〉を放ってゾエを黙《だま》らせようとしたが、ゾエはチーターのような身軽さで部屋の反対側に飛び移ってそれをかわした。ゾエの顔は厳しくなり、目は優しい色を失って冷たく輝き始め、みんなを驚かせた。メルセディカに死のグラノックを放ったレミニサンスの姿が、その光景を目撃した人たちの記憶《きおく》によみがえった。ゾエは同じような激しい決意をただよわせている。

「では、なぜこの少年は自分が犠牲になろうとしているんだ？」オシウスがたずねた。「半透明族と向き合うことは若い者にとっては大変な試練だ」

「テュグデュアルはいつも、〈最愛の人への無関心〉にすごく興味を持っていたわ。わたしの祖母の話や半透明族の話に夢中だった。半透明族に会うことは彼の病的な妄想《もうそう》なわけ」

オクサの視線はゾエからテュグデュアルに移った。ゾエの言ったことにぞっとし、ナイフで突き刺されたように感じた。テュグデュアルは何も言わず、こぶしをにぎって、ただゾエだけをにらんでいた。オクサは自分がまるでテュグデュアルにとっても、ゾエにとっても存在していないかのように感じた。もっと悪く言えば、逃《のが》れられない陰謀《いんぼう》の歯車のひとつでしかないように……。テュグデュアルとゾエは権力に魅了《みりょう》されたため、あるいは復讐のために、オクサを利用しているのだろうか。あるいは真実のためだろうか……。いずれにしても、結果は同じだ。オクサの心はこなごなだ。

「どっちにしても、テュグデュアルはオクサを愛していないんだから、名乗り出たからといって何も失うものはないわけよ」ゾエは冷たい態度をくずさずに言い切った。「彼にとっては何も変わらない。でも、わたしたちにとっては大きなちがいよ。〈最愛の人への無関心〉は成功しないし、半透明族は満足しない」

ミュルムたちも〈逃げおおせた人〉たちもあわてた。どうしてこう何もかもうまくいかないのだろう。

「でも、オクサを救うために十分な愛情を心に持っている人を知ってるわ」

ゾエはあぜんとしているみんなの前で宣言した。

「わたしのかわいいひ孫よ、それはだれなんだい？」

ゾエの大胆《だいたん》な性格に興味を持ったオシウスがささやくようにたずねた。

混乱するオクサの耳にテュグデュアルのつぶやきが聞こえた。「やめろ、ゾエ」

そして、テュグデュアルは闇《やみ》のドラゴンがこわした窓から暗くなりつつある空に向かって飛び出した。ゾエは究極の解決策をついに口にした。

「わたしよ」

56 混乱

放心している〈逃《に》げおおせた人〉たちの前で、オシウスはゾエの肩《かた》をぐっと引き寄せ、黙《だま》ってほかの人たちから引き離《はな》した。オシウスと息子のオーソンがゾエの申し出にかすかなうしろめたさを感じたとしても――ゾエは彼らの家族なのだ！――もはやそんな感情は跡《あと》形もなくなっていた。エデフィアでの再会後、初めて本当にオシウスとオーソンは結託《けったく》し、有頂天《うちょうてん》になっていた。

もちろんクヌット夫妻に復讐《ふくしゅう》できることもうれしいが、レミニサンスの心に大きな打撃《だげき》をあたえることができるのがうれしくてしかたがない。オシウスにとっては娘と呼ぶ価値のない娘だし、オーソンにとっては宿敵でもある妹。家族を否定した裏切り者だ。レミニサンスはこれまであらゆる試練を乗り越えてきた。絶えず自分たちにはむかってきたし、毅然《きぜん》とした態度をとってきた。しかし、今回のショックは大きいはずだ。やっと彼女を自分たちの前にひれ伏《ふ》させることができるのだ！

「ゾエ、理由を話してくれるかい？　どうしてきみなんだ？」

とつぜん、アバクムが悲しそうなまなざしでゾエを見つめ、震《ふる》える声で問いかけた。

ゾエはアバクムを、それからオクサをじっと見つめてから、顔を伏せた。

「ほかの女の子のことを好きな男の子が好きなんです」

ゾエはそっけなく答えた。

オシウスはとまどった顔をした。

「それだけで……十分かね？」

この言葉にクヌット夫妻とパヴェルは憤慨《ふんがい》した。オクサは、ゾエの動機が急にはっきりしたように思った。それなら、すべてがしっくりくる。

「彼はわたしにすごく好意をもってくれています」ゾエはきっぱりと言った。「でも、彼は絶対にわたしを愛してはくれない。一生、ありえないことを期待するより、愛する気持ちを永久に失ったほうがいいんです。〈最愛の人への無関心〉はわたしにとって解放なんです」

オクサはそれを否定するように首をふった。ゾエはギュスが好きだ。そのことはずっと前から知っていた。だが、あらゆる恋を永久に放棄《ほうき》するほど愛しているとは知らなかった。

「でも、ゾエ……何だって絶対っていうことはないよ」オクサはしどろもどろになった。オシウスとオーソンが怖《こわ》い顔をしてオクサを見ている。「これから先、それがどうなるかわからないじゃない。これからの人生がどうなるかも。この世にいるのはギュスだけじゃないし！」

ゾエは顔を上げて眉《まゆ》をひそめた。

「ギュスですって？　だれがギュスのことだって言ったの？」

オクサは思わず驚きの声をあげた。それならゾエはテユグデュアルを好きなんだろうか？　もし、そうなら、ぜんぜん気づかなかった……。オクサはその可能性について考えてみたが、頭がこんがらがってくる。さっぱりわけがわからない。だまされたんだろうか？　オクサは頭のなかで二人の関係の進展を細かくたどってみた。ゾエがテユグデュアルを好きだという可能性は〝ありえない〟から〝ないとはいえない〟に格上げされた。オクサはぼうぜんとした。

「ゾエ、自分のことや自分の将来のことを考えないといけないよ」

アバクムは悲しみに耐《た》え切れない様子だ。

「きみはまだ十四歳《さい》だ。そんなふうに人生をあきらめちゃいけない！」

「そう、わたしはまだ十四歳。でも、もういろんな経験をしてるし、人生の大事なことを理解できないわけじゃない」

「愛情のない人生は不完全な人生だ」

アバクムがさらに言った。

オクサはぞくっとした。アバクムはゾエに警告する資格がある。レミニサンスはかつて愛情や優しさや人を慕《した》わしく思う気持ちを持っていたが、いまはだれにも愛情を感じることができない。アバクムにさえも。

「だが、死ぬわけではない」

オシウスの皮肉な言い方に、その場にいた人たちはショックを受けた。

「どっちにしても、テュグデュアルが言ったように、ほかにしょうがないのよ。オクサが死んだら、みんな死ぬんですもの」

淡々《たんたん》とした調子でそう言うと、ゾエはオクサのほうに歩いてきたが、しだいに足取りが重くなった。さっきまでのきつい目が和らぎ、いつもの優しく悲しそうなまなざしにもどっている。

オクサはゾエが近づいてくるのを見てとっさに体を後ろに引いた。さっきまで親友だと思っていたはずなのに……。ゾエの本性は何なのか？　それに、テュグデュアルの本性は？　もうずっと前にその答えを見つけた気がして、疑いはきっぱり捨てたはずなのに。しかし、いま、その確信が砂の城のようにたよりないものだと気づいてしまった。

このことはオクサをひどく苦しめた。ゾエはオクサの体に腕《うで》を回し、疑いがきれいさっぱりなくなるくらい心から抱《だ》きしめた。オクサはされるがままになっていた。

「わたしが言ったことを一言も信じないで」

ゾエはオクサの耳元にささやいた。

それから、ゾエはオシウスのそばに行ってしまった。オクサはあっけにとられてその場に固まっていた。何を信じるなっていうんだろう？　本当のことって何？　何が嘘《うそ》なんだろう？　オクサにはわけがわからなかった。

さらに悪いことに、そのとき、再び超低周波音がおそってきて、激しい痛みが起こった。オクサは思わず顔をしかめ、強い痛みにうめき声をあげた。平衡感覚《へいこうかんかく》がなくなり、壁も床も遠ざかっていくように感じた。そのうえ、あらゆる音が何百万倍にもなって体内で反響《はんきょう》した。その場にいる人のまばたき、心臓の鼓動《こどう》、皮膚《ひふ》の上をうごめくダニ……。それらがすべて耐えられない騒音《そうおん》となり、細胞《さいぼう》を破壊《はかい》する武器になる。


オクサはふらふらと立ち上がって父親のほうに歩いていき、倒れる直前になんとかその腕にしがみついた。〈逃げおおせた人〉たちがさっとオクサをとり囲んだ。オシウスは彼らを冷やかにながめていた。

「では、われわれの救済者に会いに行くとしようか！」

オシウスはもったいぶって宣言した。

パヴェルは何か言い返そうと思ったが、黙《だま》っていることにした。話し合っている場合ではない。窓のほうに行き、自分のせいで一部がこわれたバルコニーに出た。オシウスとオーソンが見ている前で、あっという間に闇《やみ》のドラゴンがあらわれた。

「オクサ！　アバクム！　乗ってくれ！」

オクサとアバクムが背中に乗り、ナフタリとブルンは〈浮遊術《ふゆう》〉でドラゴンの両脇《わき》についた。この冒険の指揮権をとりたいオシウスとオーソンがゾエをはさんで一行の前に陣取《じんど》り、ミュルムが四人、護衛についた。彼らはジェット機のような速さで発進し、そのあとにオクサを新たな危険な運命に連れていくドラゴンが続いた。

57 まだ希望はある？

〈断崖《だんがい》山脈〉は人を寄せつけない険しい姿でそびえていた。奇妙《きみょう》な一行は底なしの峡谷《きょうこく》の上を飛んでいた。山の峰々《みねみね》がとてつもなく高いので、峡谷が底なしのように見える。ときどき、地中が低く不気味な音を立てて揺《ゆ》れているようだ。そのたびに岩がくずれて暗い谷間に落ちていき、みんなをおびえさせた。

ミュルムたちはゾエを厳しく監視《かんし》しながら、闇《やみ》のドラゴンと〈逃《に》げおおせた人〉たちを護衛し、だれも逃げ出さないように用心しつついくつもの峡谷を越えた。

オーソンは父親の横を飛んでいる。表面上はいつものやや皮肉っぽい、いかめしい雰囲気《ふんいき》を保っている。しかし、そのまなざしや高慢《こうまん》に顔をそらせている様子からいって、この気難しい父親に目をかけられたことを喜んでいるのは明らかだった。かつてうらやみ、へつらい、同時に憎《にく》んでいた男にとって、自分こそがふさわしい息子なのだ。自分の血はほかの人より優れている、それは言うまでもない……。

有頂天になっているオーソンはさらに得意げにあごをそらせ、オシウスのほうへ目をやった。するどいワシのような横顔をしたミュルムの首領《しゅりょう》、オシウスは、両腕《うで》をわきにつけ、不気味な筋のついた空を力強く優雅《ゆうが》に飛んでいた。オーソンは彼の息子であることを誇《ほこ》りに思った。いつか、近いうちにこの父親のあとを継《つ》ぐのだ。凡庸《ぼんよう》なアンドレアスにじゃまさせはしない。

オシウスらの数十メートルうしろで、オクサはドラゴンの首につかまり、壮大《そうだい》な景色に見とれていた。そんな場合ではなかったが——いまはひどい状況《じょうきょう》だし、未来も不安だらけだ——エデフィアに来て初めて、近いうちに自分がこのすばらしい国の統治者になるということに興奮を覚えた。

エデフィアの衰退《すいたい》はここでも明らかだった。砂漠《さばく》が森に取って代わり、川の水は枯《か》れ、立派な山々もくずれかけている。あらゆる生き物が衰《おとろ》えつつある。オクサは祖母のことを思った。もしバーバがエデフィアのこの様子を見たら悲しむだろう。しかし、この薄暗《うすぐら》い空の向こうや、この乾燥《かんそう》した土地の下に豊かさや調和の可能性を感じずにはいられなかった。そこには、力強い再生の息吹《いぶ》きがある。そう思えた。

オクサの周りには、光が弱まっているにもかかわらず、さまざまな色に輝く山々が無数にある。少しでも均衡《きんこう》を取りもどせば、高山の草や花が姿を見せるだろうと思った。あの高い峰からちょろちょろと流れている水——おそらく以前は、話に聞いた巨大《きょだい》な滝だったのだろう——も、いまは流れが細く、ほとんど枯れているけれども、そこには希望が秘められている。ものは見方によってずいぶん変わるとオクサは思った。コップの水を「もう半分しかない」と見るか、「まだ半分もある」と見るかで、よく両親の意見が対立した。オクサは母親と同じで、「まだ半分もある」と見るほうだった。もし、自分の人生が選択《せんたく》できるものなら、オクサはそういう生き方のほうを好んだだろう。

あたしって、どうしようもない、とオクサはとつぜん自分の楽観主義にあきれてつぶやいた。こんなひどい状況なのに、どうして希望を持つことができるのだろうか？　自分がいま直面している状況なら、母親だってポジティブな考え方に賛成しないはずだ。母親なら、コップは完全に空っぽだとみるだろう。オクサの胸は、まるで将来を信じたことを悔《く》やむように締《し》めつけられた。ギュスの思い出や、ドラゴミラの最後の姿や、テュグデュアルが種をまいた混乱や、ゾエの残酷《ざんこく》な将来がすべて悲しい色に包まれた。希望を持つって？　何に対して？　これまでのすべてのことはむだだったんだろうか？　ばかなことだったんだろうか？　自分を取り囲み、崩壊《ほうかい》しつつある山と同じように、運命の罠《わな》にはまってしまったかのような気がした。

オクサははてしなく続く、輝く岩をぼんやりと見た。切り立った岩壁にはさまれた通り道の交差したところで、オクサは見慣れた人影《ひとかげ》に気づいた。すぐにテュグデュアルではないかと思い、疑念が次々とわいてきた。彼はあたしを裏切ったのか？　そんなことは信じられない。信じたくない。知り合って以来、二人の間に起きたもろもろのことは、嘘《うそ》だというには強烈すぎる。そこまで自分が勘《かん》ちがいすることはありえない。なのに、ゾエに追いつめられたとたんに、飛び出していってしまった。自分のほうも見ず、声もかけずに逃げた。言い訳ができないと思ったんだろうか？　実際に言い訳できなかったのか？　オクサはなんとしても知りたかった。彼の気持ちを理解したかった。

しかし、そんな不安が大きくなるにつれて、いまテュグデュアルが自暴自棄《じき》になって危険な目にあっているかもしれないと想像することほどつらいことはないと思った。オクサは彼を本当に好きなのだ。オクサは本当のことを死ぬほど知りたかった。判断を下す前に彼の説明を聞こうと思った。我慢《がまん》することは得意ではないけれど、テュグデュアルにはオクサがそう努力するだけの価値がある。それで、もし彼が本当に裏切ったのがわかったら、そのときは……。

手が肩《かた》に触《ふ》れた。アバクムにはオクサの心が乱れているのがわかったのだ。平衡感覚がなくなっているために、ふり返ってアバクムの優しいまなざしを受け止めることはできなかった。オクサはアバクムの手の上に自分の手を重ねるだけで我慢した。ドラゴンの背中にぴったりと体を押しつけて、心と体を温めているアバクムもつらいのだろう。ドラゴンがほえた。吐《は》き出された炎《ほのお》が輝く岩をなめ、くぼみに住み着いている昆虫の群れを追いやった。たとえ嫌《きら》いな昆虫であっても、そこには生命が存在していることにオクサは思いいたった。

峡谷を曲がったところで、急にドラゴンが体を起こし、進むのをやめた。あちこちから落ちてくる岩をよけ、翼《つばさ》をばたばたさせて宙に浮いた状態を保っていた。ブルンとナフタリはドラゴンの周りをまわった。彼らの正面には〈断崖山脈〉の最も高い山があり、その切り立った斜面《しゃめん》には洞窟《どうくつ》が十ばかりほられていた。中からは強い光がさしており、宝石でできた壁に反射してさまざまな色を浮かび上がらせていた。高さが四メートルはありそうないちばん大きい洞窟の入り口に、一人の男の姿が浮かび上がった。すぐにアンドレアスだとわかった。オクサとその一行を待っていたのだ。ほかの洞窟の前にも何人かの人がいた。パヴェルが悪態をついた。オシウスの親衛隊は先まわりしていたのだ。ほとんどのメンバーがすでに到着《とうちゃく》していた。ドラゴンと〈逃げおおせた人〉たちはすぐに周りを固められた。半透明族《とうめい》との重大な対面の準備はすでに整っていた。

58 半透明《とうめい》族との対面

ナフタリとアバクムに支えられ、オクサはドラゴンの背中からふらつきながら降りた。じっと監視《かんし》するミュルムたちに自分の弱りきった姿をさらしていることに苛立《いらだ》った。オシウスに忠実な人間は全員そこにいた。彼らの〝指導者〟と二人の息子であるアンドレアスとオーソンを取り囲むようにしている二十人ほどの男女だ。

オーソンは〈断崖山脈《だんがい》〉を越える旅の間は上機嫌《きげん》だったが、弟がすでに到着していたことを知って気分を害していた。そのことに〈逃《に》げおおせた人〉たちが気づいている様子なのが、よけいに腹立たしかった。ナフタリは皮肉っぽい目で、アバクムは耐《た》えがたい哀《あわ》れみの目でじっと自分を見ている。自分の落胆《らくたん》するさまを見られたお返しでもするように、オーソンはゾエの両肩《かた》をぐっとつかみ、薄笑《うすわら》いを浮かべながら自分に引き寄せた。

オクサは〈クリスタル宮〉を出発してから、ゾエの顔を初めて見た。あの騒《さわ》ぎのときの緊張《きんちょう》していた表情がほぐれ、落ちついている様子なのに驚いた。一生を左右する恐《おそ》ろしいことがもうすぐ起ころうとしているのに、どうしてそんなに平気でいられるんだろう？　ゾエは顔を上げてオクサを見た。反逆者の島《フェロン》で自分がゾエにあげたお守りを彼女が手ににぎっているのを見て、オクサははっとした。どういう態度をとっていいのかわからない。こんな恐ろしいことは初めてだ。オクサは反射的に、励《はげ》ましのこもった作り笑いをゾエに向けた。何が起きても、ここに来る前にゾエが言ったことやしたことが何であれ、彼女《かのじょ》がオクサを救うために、そして二つの世界を救うために、自分の大事なものを犠牲《ぎせい》にしようとしていることだけはたしかだ。今回の危機の解決策をにぎっているのはゾエだ。

「さあ、時間をむだにするのはやめよう」オシウスが口を開いた。「アンドレアス、気がきくな。ここを準備しておいてくれてありがとう」

オーソンは顔を引きつらせながらも不満をぐっとこらえ、〈逃げおおせた人〉たちといっしょに洞窟《どうくつ》をながめるふりをした。

洞窟は原始的どころか、建築物としてすばらしいものだった。はかりしれない値打ちのある宝石が敷《し》きつめられた壁や柱や床はその曲線や角度が見事に調和している。丸天井《てんじょう》は非常に高く、半透明のブルーの石の間に光る石を組みこんだモザイクがびっしりと張られている。まるで天空のようだ。

「すごくきれい！」

オクサは思わずつぶやいた。

アンドレアスはホールの奥に続く廊下を手で示した。

「匠人《たくみびと》の居住地にようこそ。そしてケタハズレ山のミュルムの本部にようこそ。われわれを迎《むか》えてくれる人のところまで案内しましょう。彼も待ちかねていますよ」

この言葉が残酷《ざんこく》なものでなければ、〈逃げおおせた人〉たちは初めて聞くアンドレアスの声に心を動かされただろう。その声音はうっとりするほど心地よく、そっけない容貌《ようぼう》や目のするどさと対照をなしていた。オクサはびくっとした。オーソンは猛禽《もうきん》のように一直線に目標に向かって突《つ》き進むが、アンドレアスは飲みこむ前に獲物《えもの》を幻惑《げんわく》してしまう蛇《へび》を思わせる。

「この人、大嫌《きら》いだわ」オクサは父親にささやいた。「この人と絶対に二人きりにしないで」

「約束するよ」と、パヴェルが答えた。

オクサは父親の手を取り、ワシと蛇はどっちが強いかな、と考えながら、その手をぎゅっとにぎった。たぶん、両方ともちがった意味で強いんだろう。

「どうぞ、こちらに」

アンドレアスがうながした。

オーソンは意を決したように、ゾエを強くかかえたまま、まっさきに廊下を進んだ。

「脱走《だっそう》しそうな囚人《しゅうじん》にするみたいに、そんなに締《し》めつけなくてもいいわよ」ゾエは意外にも落ちついて言った。「わたしは自分の意志でここに来たのよ。忘れたの？」

頑固《がんこ》なオーソンはとげとげしく言い返した。

「わたしの大切な妹レミニサンスの例もあるから、用心するにこしたことはない」

「あなたみたいな兄を持ったら、だれだって逃げたくなるよ！」オクサが声をあげた。「それとも、アンドレアスとあなたのような二人の兄弟を持ったらって言ったほうがいいかもね」

パヴェルがオクサの手をぎゅっと強くにぎったので、オクサは顔をしかめた。オーソンのうぬぼれの皮をひんむいてやるのは気持ちがいい！　オーソンは歩みをとめて、刃物のようなとがったまなざしを向けてきたので、図星だったことがわかった。心をずたずたにする武器のようないや味！　これからは、オーソンをほうっておかない。死ぬまでアンドレアスのことでいじめてやる！

「危ない遊びをするのはやめろ、オクサ」

パヴェルがひそひそ声で言った。

「だって、パパ！」

「ついやりたくなるだろうけど、おまえが思っているよりずっと危険なことだよ」

オクサの顔がくもった。〈逃げおおせた人〉のほうがいつだって用心しないといけないなんて、しゃくにさわる！

オクサはいらいらしてきたので、見事な洞窟の中を観察することにした。洞窟はケタハズレ山の奥深くにもぐっていく。通路はところどころ分かれ、壁をおおう宝石の色によって見分けがつくようになっていた。ルビーの赤、エメラルドの緑、トパーズの青……メインの通路は、その光の強さと繊細《せんさい》さからダイヤモンドを思わせる石でおおわれていた。アンドレアスはしなやかな足取りで右に左に曲がり、〈逃げおおせた人〉たちは不安な気持ちになった。ミュルムの洞窟はまるで迷路のようだ。うっとりするような美しさだが、迷いこんでしまったような不安な気持ちにもさせられる。

無数の通路を通って十分ばかり行くと、光が強くなり、オクサとアバクムとパヴェルは目の上に手をかざさなければならなくなった。匠人だけは壁に反射する目のくらむような光に耐えられるようだ。

「着いたんだと思う」アバクムが〈逃げおおせた人〉たちに向けて言った。「おそらく、オシウスが言っていた特別に整えた洞窟だろう」

オクサは探るように周りを見回し、以前にナフタリが言った言葉を思い出していた。第五の種族である半透明族は〈近づけない土地〉の近くに住んでいたが、若い人たちへの〈情熱狩《が》り〉をしたために、不老妖精から〈幽閉《ゆうへい》の呪《のろ》い〉をかけられた。それ以来、半透明族は〈網膜《もうまく》焼き〉という過酷な土地に隔離《かくり》され、耐えられないほど光が強いその土地から出られなくなった。そこを出ると死んでしまうからだ。

この極端《きょくたん》な光の強さは牢獄《ろうごく》の役目を果たした。そして、何世紀もの間に半透明族の代謝が変化し、オクサがいま自分の目で確認しているような姿になった――エデフィア最後の気味の悪い半透明族が目の前にいる！　恐怖にかられたオクサの頭にはただひとつのことしか思いうかばなかった。この怪物《かいぶつ》から、この悪夢から遠いところに逃げることだ。だが、そんな体力はなかった。少し離《はな》れたところで、最後の半透明族を生かしておくために複雑な採光のシステムをほどこした父親のすばらしさを、アンドレアスがおだやかな声で語っている。オクサは本能的に半透明族から目をそらさなければならないと思った。しかし、またしても好奇心が勝った。ホラー好きの好奇心が……。

「お会いできてうれしいです、若いグラシューズ様」

半透明族のしゃがれた声は雑音のように聞こえた。

ナフタリの話からオクサが想像したよりも、実物はもっとひどかった。半透明の白っぽい皮膚《ひふ》は、強い光から体を保護するためにできた厚い脂肪《しぼう》層のためにぎらぎらしている。しかし、オクサがいちばん気持ち悪く思ったのは、半透明の目でも溶《と》けた鼻でも、耳がないことでもなく、皮膚の下の生命の営みだった。体内にある毒のために、オクサには半透明族の体の中の音が増幅《ぞうふく》して聞こえてくる。そのうえ、体のなかが見えるのだ！ インクのような血を送る血管、ひくひく動く内臓、激しく打つ黒い心臓。全部まる見えだ。

「ううっ……気持ち悪い！」

オクサは半透明族から目を離せずにつぶやいた。

「おやおや、それがおまえの命を救ってくれる人に対するあいさつかね？」オシウスがいや味な笑いを浮かべて言った。「パヴェル、おまえの育て方はよくないね！」

「あたしの両親の育て方はちゃんとしてたわ！」

オクサは腹立ちまぎれに声をあげた。

「なによ、あんたこそ、おかしな息子が二人いるじゃない。子育ての教訓なんかたれる資格ないでしょ！」

オクサはパヴェルのすがるような視線を無視した。

「そんなことはいいですよ。そういう反応には慣れていますから」

不気味なしゃがれ声でそう言って半透明族がオクサに近づいてきた。いやな臭《にお》いがした。ほこりと腐《くさ》った卵とにんにくが混ざったような臭いだ。オクサは半透明族の底なしのまなざしから目をそらさないようにしようとした。すると、いつのまにかその目に吸いこまれるような錯覚《さっかく》をおぼえた。その場のよどんだ空気にからめとられたようになり、手足が重くなって、頭がぼうっとしてきた。周りの空気はどんよりと温かく湿《しめ》っている。オクサは気力を失い、すべてを投げ出したいような気にさせられた。

「オシウス、見事だ。約束を守ってくれたわけだ。若いグラシューズは実においしそうだ」

半透明族はごく小さな黒い舌でわずかに残った口の周りをなめながらささやいた。「この人の心には情熱しかない！」

その言葉を聞くと、アバクムとパヴェルがオクサと半透明族の間に入った。汗《あせ》をかいた青白い顔のゾエが一歩前に進んだ。

「あなたにあたえられるのは彼女じゃない。わたしよ」

ゾエは息をきらしていた。

オクサは思わずうめいた。半透明族はゾエのほうをふり向き、興味深そうにじっと見つめた。十分な価値があると判断した半透明族は満足そうなうなり声をあげた。少し離れたところにいたブルンが泣くのをこらえて顔をそらした。

「こんなことって……こんな卑劣《ひれつ》なことをさせるなんて」

ナフタリは何も言うことができず、ブルンの肩に手をおいた。アバクムやパヴェルと同じように、ナフタリも目に涙《なみだ》をうかべていた。ゾエの自己犠牲に彼らの心は文字どおり引き裂《さ》かれた。オシウスと二人の息子、それにミュルムのなかでも強硬《きょうこう》派の人たちにはまったく良心の呵責《かしゃく》はないようだ。

半透明族は手のように広がった足を吸盤《きゅうばん》のような音をさせて引きずり、ゾエに近づいて匂《にお》いをかいだ。半透明の皮膚を通して心臓が激しく打つのが見えた。ゾエの目は大きく見開かれ、瞳《どう》孔《こう》が開き、まなざしに黒っぽいもやがかかった。彼女を現実から遠い別世界に誘っている。

半透明族はゾエの両手を取り、その卑《いや》しい顔をゾエの無表情な顔に触《ふ》れるほど近づけた。そして、最初はゆっくりと、それからしだいにむさぼるように息を吸いこんだ。ついに半透明族は盗んだ愛に酔《よ》ったように床に倒れた。タールのような液体が大きく開いた鼻の穴から流れた。

59　こわれた心

あのおぞましい瞬間のあと、憂鬱《ゆううつ》な時間と日々が続いた。オクサは部屋を出なかった。すさんだ顔つきをしてベッドとソファの間を往復するばかりで、たまにバルコニーに出るくらいだった。エデフィアに着いた直後にわいてきた希望は、半透明族《とうめい》がゾエの心の奥底《おくそこ》の恋心《こい》を盗んだときに消え去った。ありえない悲劇だった。オクサは助かった。ミュルムの気持ちの悪い秘薬のおかげで毒はなくなった。もう死ぬことはないが、何にも興味が持てなくなった。頭は鉛《なまり》のように重く、心臓は機械のように鼓動《こどう》するだけで、どんな感情も入ってこず、出ても行かなかった。あまりにも多くの感情が行き来したために心がこわれたのだ。

持ってきたものをリュックから全部出した日に、その精神状態はさらに悪化した。リュックの底にあったセーターや靴下《くつした》の間から中学校の制服のネクタイが出てきた。持ってきたことすら忘れていた。そのネクタイを見ると、思い出が痛みとともによみがえってきた。ネクタイを締《し》めるのが最初はいやだったが、しだいに慣れてきて、最後にはほとんどいつも着けていた。友だちとの一体感や友情のシンボルのようになったのだ。聖プロクシマス中学校での幸せな日々、ギュスとの楽しかった日々……。のどが詰《つ》まり、オクサはあのころのようにネクタイをゆるく締めて、ベッドに倒《たお》れこんだ。涙《なみだ》があふれてきた。

〈クリスタル宮〉には不安が広がっていた。〈逃《に》げおおせた人〉たちは若いグラシューズを危険な状態から回復させようと、薬やキャパピルなどあらゆることを試みた。生き物たちもいつもそばにいて、若いグラシューズの気をまぎらわせよう、せめて笑わせようとアイデアを競った。ゾエはむごい経験をして顔色はよくなかったが、オクサを安心させようと彼女の部屋に移ってきた。しかし、効果はない。オクサは回復しなかった。ナサンティアすら効き目がなかった。希望は消えた。心の傷が深すぎたのだ。

ミュルムや反逆者《フエロン》たちも心配していた。オクサの虚脱《きょだつ》状態は重大な事態をひき起こした。〈ケープの間〉が閉じたままなのだ。数日前は〈ケープの間〉がすぐにでも開きそうだったのに、いまではすべてが白紙にもどったかのようだ。この六十年近い過去の日々と同じように、〈クリスタル宮〉の地下七階はまた暗くなった。それと並行して、エデフィアの最期が迫《せま》りつつあった。地面は揺《ゆ》れ、空は夜のように暗くなり、このままでは永久に夜ばかりになりそうだ。〈外界〉に愛する人を残してきた人たちはよけいに心を痛めていた。〈外界〉の状態はさらに悪化しているのではないか。そうにちがいないことがオクサにもわかっていた。オクサは自分を責め、理性を取りもどそうとしたが、元気にはなれなかった。

「若いグラシューズ様はご自分を動かす希望を心から取り除いてはいけません」

ある朝、フォルダンゴがオクサの手をなでながら言った。

オクサは一言もしゃべれずにフォルダンゴを見つめた。言葉は聞こえたし、意味もわかったのだが、心のなかには入ってこない。麻酔《ますい》をかけられたように。

「希望は人生の塩ですよ！」

ジェトリックスが髪《かみ》をふり乱して叫《さけ》んだ。

「塩を入れすぎたらいけませんよ。血圧に悪いです」

ヤクタタズが口を出した。

「黙《だま》れ、ヤクタタズ！」

生き物たちがいっせいに叫んだ。

「ねえ、オクサ、ちょっと外に出ようか。少しは外の空気も吸わないと」

ゾエがオクサの腕《うで》を引っぱった。

オクサはされるがままになった。オクサたちがいる〈クリスタル宮〉の最上階のすぐ下の階は、いまでも見張られていたが、オクサもゾエも、ほかの〈逃げおおせた人〉たちと同様に、ヴィジラントが護衛につくという条件つきで好きなときに行き来ができるようになった。オクサに〈浮《ふ》遊《ゆう》術〉を使う気力がなかったので、二人はエレベーターで下に降り、荒《あ》れはてたグラシューズの庭園を散歩した。

バルコニーによりかかったり、窓に顔をつけたりして、敵も味方も薄暗《うすくら》がりのなかをゆっくりと歩く二人の影《かげ》を見ていた。だれの目にも、二人は傷ついた女の子に見えた。しかし、その弱々しい外見の裏には、ここ数日間、〈千の目〉の上空を旋回《せんかい》している不死鳥のように、灰のなかから生まれ変われる強大な力が隠されていることをみんなは知っている。問題は、オクサだけがそれを知らないことだ。

そして、光の輪が真っ暗な空にあらわれたとき、みんなの顔が急に明るくなった。

「不老妖精が会いにきたよ、オクサ」

ゾエはオクサの手を離《はな》して言った。

「あんたに見せたいものがあるんじゃない？」

60 〈歌う泉〉への呼び出し

オクサは光の輪の中にいて空を移動していた。不老妖精たちは〈千の目〉の上空を越え、〈妖精の小島〉のある北に向かった。〈妖精の小島〉をすぎてさらに二時間以上、心休まる静けさのなかで旅を続け、不思議な幾何学《きかがく》模様が地面から浮き上がって見えるところに着いた。不老妖精たちはオクサをそっと扱いながら地面に降り立ち、そのうちの一人が光輪からでてきて、ぼんやりとした輪郭《りんかく》の女性の姿となってあらわれた。

「着きました、若いグラシューズ様」

耳に心地よい声がひびいた。

「どこに着いたの？」

オクサは周りを見回しながらたずねた。

砂漠《さばく》のような荒《あ》れた土地と、はてしなく続く石の壁《かべ》につきさささっている大きな鉄の門しか見えなかった。

「〈迷路〉です、若いグラシューズ様」と、不老妖精が答えた。

オクサはうなずいた。〈迷路〉のことはアバクムから聞いて知っていた。失った記憶《きおく》を見つけられる〈歌う泉〉に行くための道だ。そこで妖精人間アバクムは自分が受胎《じゅたい》された日――それは同時に誕生の日だった――のことを自分の目で見て、自分の出自《しゅつじ》と正体を知ったのだ。だが、オクサは思い出を何か見つけたいだろうか？　すべての思い出はひどく自分を苦しめる。しまいこんでおいたほうがいい。そうすれば少なくとも害はない。

「浮遊《ふゆう》したり、壁を抜けたりできるのに、どうしてこの壁はこんなに高いの？」

頭を切り替《か》えようとオクサは質問した。

「そのとおりです。でも、これはただの見せかけ。象徴《しょうちょう》でしかありません。最も優れた〈浮遊術〉使いやミュルムですら招待されずに〈迷路〉に入ることはできないのですから、地面の上にある単なる印でしかないでしょう」

「あたしは？　招待されてるの？」

「そうです。わたしが〈歌う泉〉まであなたをご案内しましょう。あなたを待っている人がいます」

「だれ？」

この何日かで初めて、オクサの心に風穴が開いた。自分でも驚いたことに、エネルギーを感じた。自分はいちばんだれに会いたいだろう？　母親？　祖母のドラゴミラ？　ギュス？　テュグデュアル？　泣きださないように頭をふり、うめいた。選ぶことなんてできない。

「どうぞ、こちらへ」

ぼんやりした女性の姿は金色の影《かげ》のようにしか見えないが、オクサは手を取られるのを感じた。門が開くと、あらゆる大きさの塀《へい》や、葉のない生垣《いけがき》がえんえんと入り組んでいるのが見えた。〈迷路〉は驚くほど広大で、まるで脳みその曲がりくねるしわのようにどこまでも続いているように見えた。

「ええ、行きましょう」と、オクサはつぶやいた。


〈迷路〉はひどく複雑だったが、中にはすんなりと入れた。ここで何か目印になるものを見つけようとしたら、測量計なしに大海原《うなばら》に出て行くようなものだろう。ふぞろいの大きな石でできた壁はみんな似通っていた。生垣はというと、砂漠化のために枯《か》れ枝の山のようになっており、これもみんな似ていた。以前、フランスで家族といっしょによく行った、生垣でできた緑の迷路とはまったくちがう。自分の正体や家族の出自など何も知らなかったころのことだ。迷路を抜けるのはドラゴミラがいつもいちばんで、オクサはよく〝魔法使い〟と呼んでいた。実は真実をついていたその言葉に、ドラゴミラはいつもほほえんでいた。それもそのはずだ……。オクサはため息をつき、自分を導いてくれる金色の影に目をもどした。

一時間も歩くと、単調な〈迷路〉の様子が少しずつ変わってきた。通路は広く、壁はしだいに低くなり、丘《おか》に囲まれた場所が前方に見えた。その丘の裾野《すその》は青みがかった光を放っていた。〈歌う泉〉にちがいない。〈迷路〉は終わりに近づいているのだ。ここ数日感じなかった、胸のどきどきがもどってきた。

出口まで数メートルのところに驚くべき生き物がいた。体はライオンで頭は女性。あの伝説の獅身女たちが目の前にいる！　不老妖精が手を引いたので、近寄るしかなかった。後足の上に座り、前足をオクサの前におとなしく置いた獅身女は高さが二メートル以上あった。すばらしいと思いながらも怖《こわ》かった。とつぜん、豊かな髪《かみ》を後ろにふりながら、獅身女がほえた。オクサはおびえて一歩後ずさった。しかし、不老妖精が後ろに立ちはだかっていたので、それ以上は下がれない。すると、一人の獅身女がオクサのほうに向けて足を上げた。長くするどい爪《つめ》が自分のほうに向いているのを見て、オクサは叫《さけ》んだ。ずたずたにされるんだ！　足が上から落ちてきたとき、オクサは目を閉じた。

「ずいぶん長い間、あなたをお待ちしていました」

もう一人の獅身女の声が聞こえた。

獅身女たちは再びほえた。オクサは目を開けた。足を上げた動作は怖がらせるためではなく、あいさつだったのだとわかった。その証拠《しょうこ》に、獅身女たちはうやうやしく頭をたれ、オクサの前にひれ伏《ふ》していた。

「入ってください。あなたとお話ししたいという人がいます」

オクサは待ちきれない気持ちと不安の板ばさみになりながら、一歩前に進んだ。獅身女たちの間を通り、アバクムが言っていたあの洞窟《どうくつ》に入った。なかは〈歌う泉〉からの心地よい湿気《しっけ》に満ち、泉のピンク色の水が瑠璃《るり》色の壁に映っていた。まったく妖精の世界だ。アバクムの言うとおり、巨大な宝石のなかにいるようだ。澄《す》み切った空気に包まれたオクサはすぐに気分がよくなった。泉のふちにあぐらをかき、その炭酸水を飲もうとしてはっとした。だれがあたしと話をしたいんだろう?

「だれかいる?」

オクサは呼びかけてみた。

その声はブルーの石壁にこだましたので、オクサはびくっとした。とつぜん、乳白色の影が泉から出てきて、水面に立った。その影が近づいてくると、直感が当たったことがわかった。頭の周りに三つ編みをぐるりとまわした威厳《いげん》のある姿だ。乳白色の光輪の向うに笑顔が見えるような気がする。

「わたしの愛しい子《ドゥシュカ》」

うれしくてたまらなくて、オクサは泉の中に飛びこみ、祖母のところまで駆《か》け寄った。

「バーバ!」

61　ショック療法《りょうほう》

腰《こし》まで水につかったオクサはドラゴミラの影《かげ》に近づいた。

「バーバ！　ウソみたい！　バーバなんだ！」

オクサはドラゴミラの影に跳《と》びついて抱《だ》きしめようとしたが、実体のない体に腕《うで》がつきぬけただけだった。オクサはびくっとして後ずさった。

「バーバは幽霊《ゆうれい》？」

「ちがうわよ、わたしの愛しい子《ドウシュカ》。それよりいいものよ。不老妖精になったのよ」

「わあ！」

いろんな感情が心のなかでぶつかり合った。ドラゴミラは完全に死んだわけではなかったのだ。とんでもなくうれしいけれど、同時に悲しくもある。

「元気？」

オクサは泣き声でたずねた。

ドラゴミラはキスするためにオクサのほうにかがんだ。オクサは軽い息づかいを感じ、それから額になにかが軽く触《ふ》れるのを感じた。あの世からのキスか……。

「水から出て、わたしの横に座りなさい。おまえに言うことがあるし、見せたいものがあるのよ」

オクサは泉のほとりのドラゴミラの横に座った。服はすぐに乾《かわ》いた。この洞窟はほんとに魔法のようだ！　オクサは祖母に体をすり寄せたかったが、それは無理だった。祖母の姿は現実のものだが、さわることはできない。でも、大事なのは再会できたことだ。ドラゴミラはきらきら光る砂の上に寝そべり、オクサも祖母から目を離《はな》さずにまねをした。からまった髪《かみ》を祖母がなでるのを感じた。

「知ってたんだ、バーバ」

「わたしが何を知っていたというの、わたしの愛しい子《ドゥシュカ》？」

「〈エデフィアの門〉をくぐったときに、バーバの身に起こったことよ」

ドラゴミラは悲しそうにほほえんだ。

「ええ、知っていたわ。不老妖精がオーソンの島に来たときに、わたしに告げたのよ」

「だから、あんなに暗い顔をしてたんだ」

「おまえたちをエデフィアに入らせることができたのは、わたしにとってはとても光栄なことなのよ。でも、その代償《だいしょう》は大きかった。愛する人たちと人生を分かち合うことがもうできないんですものね。でも、それだけの価値はあったわ。こういう状態ではあるけれど、わたしはここにいるし、母にも再会できたし……」

「ほんと？　マロラーヌはバーバのそばにいるの？」

「そうよ。それだけじゃないわ。祖母のユリアナも、亡くなったグラシューズも全員いるし、わたしに仕えてくれる〈心くばりのしもべ〉も一人いるのよ！」

「わあ！　半分人間で、半分雄鹿《おじか》の人よね。バーバの世話をよく焼いてくれてればいいけど」

「完璧《かんぺき》よ。フォルダンゴと同じくらい完璧」

そう言うと、ドラゴミラの影が少し揺《ゆ》らいだ。

「フォルダンゴは元気？」

そうたずねたドラゴミラの声はかすれていた。

「あたしたちと同じ。フォルダンゴもつらいんだ、わかるでしょ？」

「ええ、わかっているわ。何度か、おまえたちに会いにいったのよ。何が起きたのかも見たわ」

「どうしてもっと早く教えてくれなかったの？　バーバが死んでないってわかってたら、すごく安心したのに」

「わたしは死んでるのよ、わたしの愛しい子《ドゥシュカ》。生理学的にはね。おまえに見えているのは、わたしの魂《たましい》よ」

オクサはうめいた。

「でも、体だって見えるじゃない！　少しぼやけてるけど」

「いまわたしが見えてるのは、不老妖精の介在《かいざい》があるからなのよ。エデフィアにもどってからは、わたしはまったく見えない存在になったの。ほかの不老妖精のように影になるには、何百年もかかるのよ。おまえが行ってしまったら、わたしはまた透明《とうめい》にもどるの」

「そして、もう会えないんだ」

「もうじき、会えるわよ」

オクサはぎょっとしたように目を大きく見開いた。

「あたしも死ぬってこと？　そうでしょ？」

「いいえ、わたしの愛しい子《ドゥシュカ》！　ちがうわ！　フォルダンゴに聞いていない？」

「ちょっと待って」オクサは必死に思い出そうとした。「バーバは新しい〈永遠の本質〉になるわけ？　二つの世界の均衡《きんこう》を体現する？」

ドラゴミラはうなずいた。

「おまえが〈ケープの間〉に入ったら、わたしがいるわ。わたしが〈永遠の本質〉でも、一人ではどうにもならないのよ。均衡を回復させるには、わたしたち二人のグラシューズの力を合わせないといけないの」

「バーバが爆弾《ばくだん》で、あたしが起爆装置みたいなもの？　起爆装置がないと、爆弾は無害だもんね。爆弾がないと、起爆装置は意味がないし」

「まあ、それに近いわね。もっと平和的だけど！」

ドラゴミラが笑った。

「バーバ、問題はね、〈ケープの間〉が開かないことなんだ」

「どうしてか、知っている？」

オクサは眉《まゆ》をひそめた。

「あたしが元気じゃないから」

「そのとおりよ。おまえは自分を責めているけど、起きたことはおまえの意思や選択《せんたく》とはまったく関係のないことよ。おまえが自分を責めてばかりいるから、〈ケープの間〉はおまえがまだ準備ができていないと判断してるのよ」

「あたしは準備できてる、バーバ！」

オクサが声を張り上げた。

「いいえ、オクサ。準備はできていないわ」ドラゴミラは優しく言った。「でも、それをわたしが手伝ってあげるわ。ほら、見なさい」

泉の平らな水面に映像があらわれた。最初はぼやけた映像だったが、すぐに鮮明《せんめい》になった。オクサが本来の自分になれない原因を教えてくれるのだろう。

「〈カメラ目〉ね」

オクサは安心できるようなことがわかればいいけど、と思いながらつぶやいた。

「生まれて初めて〈夢飛翔《ゆめひしょう》〉をしたわ」ドラゴミラが言った。「これは、おまえのために見てきたものよ」

最初に目に入った映像はオクサにとってショックだった。七人の人が丸いテントのなかで寄り添《そ》っている。たしか、ゲルと呼ばれる、モンゴル高原の遊牧民が住む家だ。エデフィアに入れなかった〈逃《に》げおおせた人〉たちの家族だということはすぐにわかった。マリー、アキナ、ヴァージニアは分厚い毛皮にくるまっている。ギュスとアンドリューは火のある暖炉《だんろ》の周りで縮こまっている。みんなの顔は疲《つか》れて目に隈《くま》ができているが、元気そうだ。そのかたわらで、モンゴルの遊牧民らしき顔と服装をした人が数人、なにか作業をしている。〈カメラ目〉はクッカのほうを向いた。若い女性がクッカの横にいて、彼女の長い金髪《きんぱつ》をブラッシングしている。反逆者《フェロン》の側の人はバーバラ・マックグロー以外――オクサは彼女を見て驚いた――はだれもいないようだ。彼女は〈逃げおおせた人〉たちといっしょにいるんだ……どうして？　〈締《し》め出《だ》された人〉たちのなかには反逆者《フェロン》もいたから、彼らといっしょにいてもよかったはずなのに。

「ここで残りの人生を送るなんていやよ！」

とつぜん、クッカの声が聞こえた。

〈締め出された人〉たちの目がクッカのほうに向くのをオクサは見た。マリーは絶望的な目をしているし、ギュスはいらいらしていた。

「どならないでくれよ。頭がひどく痛いんだ」

ギュスは歯をくいしばっている。

「旅を続ける前に力をつけなくてはいけない」アンドリューが口を開いた。「文句《もんく》を言うより、この家の主に感謝しないとね。彼らがいなかったら、わたしたちは砂漠《さばく》のなかで迷って、いまごろは空腹と寒さで死んでいただろう」

次に画面が変わり、七人の〈締め出された人〉たちは興奮した旅行者であふれる空港の待合室にいた。いまにも倒壊《とうかい》しそうな建物だ。壁《かべ》には大きく不気味なひびが入っており、窓はほとんど割れている。床にはガラスやコンクリートのかけらがちらばっている。〈カメラ目〉が空港内をざっと見回したので、オクサにも完全武装した兵士やキリル文字（スラブ系言語に使われる文字。モンゴル語にも採用）で書かれた張り紙がたくさん見えた。車椅子《いす》に座ったマリーのそばに、ギュスが立っている。七人とも疲れてぴりぴりしているようだ。

とつぜん、アナウンスが流れてきた。最初はロシア語らしき言語で、次に英語が聞こえてきた。搭乗《とうじょう》アナウンスのようだ。すぐに人の波が搭乗口に押し寄せた。ひどい混雑だ。ざわざわしているので、オクサにはその便の行き先が聞き取れなかった。押し合いへし合いの混雑のなかでは、強い者が勝つというのが鉄則だ。〈締め出された人〉たちはマリーの車椅子で人ごみをかき分けようとしている。アンドリューが頭上でチケットをふりかざしていた。ギュスが止めに入っていなかったら、ヒステリーを起こした女がうばい取っていただろう。混乱がひどくなり、暴力が横行したため、兵隊が介入を始めた。彼らが人々の頭上で発砲《はっぽう》したのをはっきりと見てオクサは驚いた。パニックの叫《さけ》び声がひびいたあと、兵士たちが群衆を取り囲んだので、静かになった。

「チケットを持っている人は登録カウンターのほうに進んでください。ほかの人たちはここで待っていてください！」

兵士の一人がどなった。

群衆のなかの一部の人たちが離れて行って、兵士が示した場所に集まった。ほっとしたオクサは、〈締め出された人〉たちと何人かの兵士につき添《そ》われて搭乗口に向かうマリーの車椅子を目で追った。〈カメラ目〉はこの危機を無事に脱出したことを喜ぶ〈締め出された人〉たちをアップにした。七人ともやせ、服もひどい状態だが、飛行機に乗れることになってほっとしているようだ。ギュスの顔が画面にあらわれた。何かを探しているように天井《てんじょう》をじっと見つめている。ドラゴミラが見ているのがわかったんだろうか？　それを感じたのだろうか？

「ああ……ギュス」

ため息をついたオクサの心は張り裂《さ》けそうだ。

みんながまずまず元気で、災害から逃《のが》れたことがわかったので少し安心した。どうか、がんばってくれますように……。


続いて、いくつかの場面を〈カメラ目〉が写した。ひどく傷んではいるが、ビッグトウ広場の自分の家はすぐにわかった。こうやって、〈締め出された人〉たちはロンドンにもどるのに成功したんだ。彼らがどんな気持ちか、想像するのも怖《こわ》い……。こんな状況《じょうきょう》で帰ってくるのは大変だっただろう。世界は消滅《しょうめつ》しかかっているのに、彼らはじっと待って期待することしかできないのだ。七人は掃除《そうじ》をしたり、修理をしたりして、家を住める状態にもどすためにいそがしく立ち働いている。一階の半分の高さまで浸水《しんすい》したため、床はどろどろだ。ギュスとアンドリューは瓦《かわら》が欠けている屋根を修理している。いちばんつらいのは、災害で家が壊《こわ》されたことではなく、ほかの何百という家と同じように略奪《りゃくだつ》に遭《あ》っていたことだ。母親が仲間たちに嘆《なげ》いているのを聞いて、オクサはそう思った。自然災害で破壊されなかったものは残らず略奪されていた。

「まるで、わたしたちがまだ十分苦しんでいないって言われているみたいね」

マリーは家が荒《あ》らされているのを知って、うめくように言った。

「わたしたちはみんな無事だわ。大事なのはそれだけよ」

ヴァージニアはマリーを抱きしめてなぐさめた。

〈カメラ目〉はしばらく止まってから、次の場面を映した。その映像はオクサをうろたえさせた。ギュスはオクサの部屋だったところにいる。オクサのベッドに横になり、強い頭痛のせいか顔をゆがめている。

「痛い、もういやだ……」ギュスはうめいた。

少しして、ギュスは起き上がった。窓にひじをついて、ネクタイをいじりながら荒れた広場を悲しそうにながめている。オクサがネクタイを見つけたときにギュスのことを思ったように、ギュスもあたしのことを考えているんだろうか？　きっとそうだ、とオクサは思った。しかし、クッカがその部屋に入ってきて、ギュスに近づいたとき、心臓が止まるかと思った。

「あの人、あたしの部屋に入る権利なんかない！」

オクサは思わず毒づいた。

ギュスは〝氷の女王〟にぼんやりと目を向けただけだったが、クッカはずかずかとギュスの横に来て、その肩《かた》に自分の頭をもたせかけた。ギュスはされるがままにしていた。それがどういう意味かギュスにはわかっているんだろうか？　オクサは怒りの声をあげた。そして、砂をひとつかみつかんで、泉に投げた。すると、すぐに〈カメラ目〉の映像は消えた。

「バーバ！　どうして、あんな場面を見せるの？　どうして？」

最後の場面で興奮し激しく怒ったせいで、オクサの声はしゃがれていた。

乳白色の影は消えていた。

「あたしはゾエじゃないのよ！　あたしがいないのに、ギュスに幸せになってほしくないのよ！」

オクサは自分の言葉のひどさにぼうぜんとした。まるでむちで打たれたように、不意に真実があばかれたのだ。

「じゃあ、おまえは？」ドラゴミラの声がした。「おまえはギュスがいなくても幸せなの？」

「あたしは……そんな質問には答えられない」

オクサは砂の上にひざをがっくりとついた。

「そういうことを全部考えてごらん、わたしの愛しい子《ドゥシュカ》。よく考えて、おまえの怒りを賢く使ってごらん。すべての期待や希望の中心にいるのはおまえだということを忘れないで。あきらめないで。絶対にあきらめないで。そして、早くわたしのところに来なさい」

オクサをひどい興奮状態にしたまま、声は消えてしまった。

「バーバ、あたしを元のあたしにしたかったんなら、成功したよ！」

オクサは大声でどなった。

「あたしは怒ってる。悲しいし、ショックを受けてる。でも、ちゃんと生きてるよ！」

62 理性の復活

新たな決意につき動かされ、オクサは立ち上がって、洞窟《どうくつ》の中を歩きまわった。彼女が見たばかりの映像は、大きな安心感と苦しい欲求不満の混じった奇妙《きみょう》な感情をひき起こした。母親とギュスはとても元気とはいえないが、ともかくビッグトウ広場の家にもどることに成功した。最高の選択《せんたく》だ。アンドリューとヴァージニアはしっかりしているようだから、いろんなことをうまくやるだろう。ほかの人たちもみんなだいじょうぶだから、なんとかなるはずだ。

あのいじわるなクッカだけがしゃくにさわる。どうして彼女は〈外界〉に残ったんだろう？ そうなるはずないのに……。オクサは自分がそんなことにこだわっているのが悔《くや》しかった。母親とギュスの健康状態のほうが、あんないやなやつの陰謀《いんぼう》より大事なはずだ。しかし、〈カメラ目〉で見てから、そのことを頭から追いはらうことができなかった。我慢《がまん》できない。変身で体は成長したのに、それは何の役にも立っていない。その反対だ。他者との関係で抱《いだ》く感情や知覚、反応といったものすべてが激しくなっている。これまでにないほど、自分がピリピリしているのを感じた。

「でも、両思いじゃないよね」

オクサは、クッカが頭をもたせかけたときに、ギュスが無関心だったのを思い出して自分を納得させようとした。

ゾエがギュスに惹《ひ》かれているのに気づいたときも、自分がゾエに嫉妬《しっと》したのをオクサは覚えている。あのころはゾエを嫌《きら》っていた。しかし、ギュスは一途《いちず》だった。オクサをずっと好きだった。エデフィアに入る前にギュスがオクサにそう言ったのだ。だから、ゾエは自分を犠牲《ぎせい》にした。ギュスは絶対にゾエを好きにならない。

あるいは、自分は完全にまちがっているのか？　ゾエが、片思いの相手はテュグデュアルかもしれないとほのめかしたことで、自分の心はひどく混乱した。それもありうる。ゾエは本心を隠すのがうまい。彼女の性格は、残念ながら、物事をはっきりさせる助けにはならない。よかったのは、〈カメラ目〉の映像ではらわたが煮《に》えくり返るような怒りがわいてきたおかげで目が覚めたことだ。


オクサは洞窟の入り口に向かった。獅身女たちが何か問いかけるような顔をして待っていた。そのうちの一人が、プラムくらいの大きさの球がついた細い鎖《くさり》をオクサに手わたした。オクサはそれを受け取って、そのペンダントを観察した。本物そっくりのミニチュアの地球だ。

「すごい！」

オクサは思わず叫《さけ》んだ。

それから不思議に思って、クラッシュ・グラノックに息を吹きこんで〈拡大泡《かくだいほう》〉を出した。

「ウソ！　動いてる！」

まるで人工衛星の操縦室にいるかのように、地球全体が見える。とても不思議で、同時に怖《こわ》くもあった。大洋はゆっくり動いているところもあるが、荒《あ》れ狂ったように海岸に打ちつけ、陸をおおっているところもある。浮かんだ雲に届きそうにそびえ立つ山脈も見える。火事でもくもくと上がる白い煙《けむり》に包まれた山もある。アイスランドと思われるあたりでは火山が爆発《ばくはつ》し、小さな溶岩《ようがん》を噴《ふ》き出している。世界のあちこちで火山の噴火《ふんか》が大災害をひき起こしている。オクサはイギリス、とりわけロンドン周辺を注意して見た。ヴォルガ川やミシシッピ川とはちがって、テムズ川の氾濫《はんらん》はおさまっているようだ。よかった！〈締《し》め出《だ》された人〉たちもこれで一息つける。

とつぜん、手のひらの地球が携帯《けいたい》電話のマナーモードのように震《ふる》えた。〈拡大泡〉を通して目をこらして見ると、アメリカの西海岸の地盤《じばん》が揺《ゆ》れているのがわかった。オクサは目に涙《なみだ》をためて地球をにぎりしめた。

「かわいそうな人たち……」

世界の断末魔《だんまつま》を経験している不幸な人々のことを思いながらうめいた。

自分の精神状態のせいで、多くの人の命が失われている。オクサは自分を恨《うら》んだ。獅身女の一人が若いグラシューズの肩《かた》に前足をおいた。

「急がなければなりません」

「あたしはどうすればいいの？」

オクサは声を詰《つ》まらせた。

獅身女は〈迷路〉を案内してくれた不老妖精の影《かげ》のほうを前足で指して言った。

「幸運を祈《いの》っています、若いグラシューズ様」

オクサは地面から数センチ浮いている不老妖精に近づいた。

「行きましょ。あたしは準備万端《ばんたん》よ！」

オクサは顔をきっと上げて、地球のペンダントを首にかけた。不老妖精の金色の影につき添《そ》われ、オクサはエデフィアの薄暗《うすぐら》い空に向けてのぼっていった。二つの世界の中心が死に瀕《ひん》しているいま、オクサが自分の運命に立ち向かい、新しいグラシューズとしての責任を果たすときがやってきた。

訳者あとがき

『オクサ・ポロック』シリーズは、十三歳《さい》の普通《ふつう》の中学生オクサ・ポロックが、地球上の見えない世界「エデフィア」の次期君主であり、一家のルーツがそこにあることを知るところから始まる。第一巻の最後では、エデフィアを〈大カオス〉に導いた反逆者《フェロン》の一人、宿敵オーソンを倒《たお》した（はずだった！）。第二巻では、魔法《まほう》の絵の中に閉《と》じ込《こ》められた親友ギュスを、数々の危険な目にあいながらも救い出す。しかし、その直後、世界中で異常な自然災害が多発しはじめ、二つの世界——エデフィアと〈外界〉——を救うためにエデフィアへの帰還《きかん》が迫《せま》っていることがわかる。ロンドンも冠水《かんすい》し、〈逃《に》げおおせた人〉たちはスコットランド沖《おき》の反逆者《フェロン》の島に乗り込むために大急ぎでロンドンを後にする。

第三巻は二部に分かれている。第一部はオクサたちが〈エデフィアの門〉をくぐり抜《ぬ》けるまでの話だ。反逆者《フェロン》の島までの旅、島で起きるいくつかの事件、そこから〈エデフィアの門〉までの長く困難な旅……と息つく暇《ひま》もない冒険《ぼうけん》が続く。第二部はエデフィアに入ってからの話で、エデフィアの均衡《きんこう》を取りもどして、二つの世界を救う使命を負うオクサだが……。この巻では舞台《ぶたい》がエデフィアに移り、シリーズがいよいよ佳境《かきょう》に入ったことを感じさせる。

オクサは家族や仲間に助けられて無事に使命を全うできるのだろうか？　もちろん、反逆者《フェロン》の邪《じゃ》魔《ま》が入るので、そう簡単にはいかない。波乱を含《ふく》んだ展開とあっと驚《おどろ》く事件や新発見もある。テュグデュアルとオクサとギュスの関係も気になるところだ。オクサはテュグデュアルにますます惹《ひ》かれていくのだが、同時に疑念も湧《わ》いてくる……。これまで登場人物の会話でしか描《えが》かれていなかったエデフィアが、実際にどんなところなのかが少しずつわかってくるのも、読者には興味深いことだろう。

今年のニュースは何といっても六月に、ついに英語版が出版されたことだ。ファンタジーの本家イギリスでの評判は気になるところだが、BBCテレビの *Meet The Author*（作者に会う）という番組に著者のアンヌさんとサンドリーヌさんが出演し、「フランスのハリー・ポッターか？」というテーマで対談した。メディアの反応もよく、すぐに重版されたらしい。仏サンモールの〝ポケットブック・フェア〟で「オクサ」第一巻のポケット版（小型ペーパーバック）が「お気に入り賞」を受賞したのと相まって、まるで自分の子どもが褒《ほ》められたようにうれしい。また九月には、バンドデシネ（カラー版コミック）の第一巻が刊行された。かなりストーリーに忠実にできており、生き物たちは想像していたものとは少し違《ちが》っていたが、登場人物はうまく描かれている。

そしてフランスでは、シリーズ完結編の第六巻が今月刊行された。さらに、テュグデュアルファンにはお待ちかねのスピンオフ「テュグデュアル」の第一巻が、二〇一四年春に刊行される予定。謎《なぞ》めいたこの少年のことをもっと知りたくてうずうずしているのは、私だけではないだろう。

二〇一三年十一月、パリ郊外にて

児玉しおり

『オクサ・ポロック④　呪《のろ》われた絆《きずな》（仮題）』あらすじ

時は移り、いよいよ運命のときが来た……。

十六歳《さい》になったオクサは、二つの世界がひどい災害に見舞《みま》われているさなか、ついに自分のルーツである不思議な国〈エデフィア〉の新たな君主《グラシューズ》になり、失われた均衡《きんこう》を取りもどすことになった。

帰還《きかん》したエデフィアはひどいありさまだったが、オクサはみずからの能力によってエデフィアをよみがえらせる仕事に取りかかる。しかし、宿敵である反逆者《フェロン》オシウスと二人の息子は、一歩も譲《ゆず》らぬ姿勢でオクサを待ちかまえていた。エデフィアの民の喜びをよそに、反逆者《フェロン》たちはオクサを捕《つか》まえるため、町に火を放ち、人々の血が流れる。オクサは仲間や不老妖精、忠実な生き物たちに助けられながら、困難を乗《の》り越《こ》えてグラシューズとしてのつとめに取り組む。

いっぽう、オクサには女の子としての悩《なや》みもあった。ますます強く惹《ひ》かれていくテュグデュアルの正体は？　片時も頭から離《はな》れない母親とギュスには、再び会えるのだろうか？

血の絆《きずな》と心の絆が複雑にからみ合って……。はたしてオクサは、運命に敢然《かんぜん》と立ち向かうことができるのだろうか？


「オクサ・ポロック」シリーズ　全6巻＋外伝

1　希望の星
2　迷い人の森
3　二つの世界の中心
4　呪われた絆（仮題）　2014年初夏刊行予定
5　最後の衝突《しょうとつ》（仮題）　2014年秋刊行予定
6　エデフィアの黄昏《たそがれ》（仮題）
他、外伝刊行予定

アンヌとサンドリーヌより

どうぞ感謝を受理してください！

オクサ・ポロックの作者２人は、感謝の震《ふる》えの詰《つ》まった心を持っています。２人はしっかりと心に根付いた感謝の表現を以下の人たちにあたえることに固執《こしつ》します。

モンパルナスタワーの非常に活動的なXO出版社の方々に。男性版グラシューズのベルナール、必要不可欠なキャロリーヌ、励《はげ》まされるエディット、エネルギッシュなヴァレリー、何ごとにも動じないカトリーヌ、国際的なフロランス、元気いっぱいのジャン＝ポール、はつらつとしたステファニー、そして陰《かげ》と日なたで働くすべてのみなさん。

その選択《せんたく》と膨大《ぼうだい》な仕事に対してSND社のスタッフとジム・レムリーに。

子ども、大人にかかわらず、オクサ・マニアのみなさんに。その数と情熱は急速な増大を継続《けいぞく》しており、その活力は作者の心のなかに励ましと無上の喜びを生産しています。

「オクサ・ポロック」シリーズへの信念に満ちた大黒柱を建設してくれた書店、書籍《しょせき》や読書の世界の方々、先生方、資料係や司書のみなさん。

最初は魔法《まほう》をかけられたように、しかし、今では確信を持ってきらめきで活気づけられた普及《ふきゅう》をおこなっているジャーナリストのみなさん。

外国の出版社のみなさん。その熱心さの詰まった洞察《どうさつ》力は世界中の読者に喜びをあたえるでしょう。

★

★　★

このあいさつ文はフォルダン語《ゴ》
（フォルダンゴとフォルダンゴットの独特な言葉）
で書かれています。

アンヌ・プリショタ　Anne Plichota
フランス、ディジョン生まれ。中国語・中国文明を専攻したのち、中国と韓国に数年間滞在する。中国語教師、介護士、代筆家、図書館司書などをへて、現在は執筆業に専念。英米文学と18〜19世紀のゴシック小説の愛好家。一人娘とともにストラスブール在住。

サンドリーヌ・ヴォルフ　Cendrine Wolf
フランス、コルマール生まれ。スポーツを専攻し、社会的に恵まれない地域で福祉文化分野の仕事に就く。体育教師をへて、図書館司書に。独学でイラストを学び、児童書のさし絵も手がける。ファンタジー小説の愛好家。ストラスブール在住。

児玉しおり（こだま・しおり）
1959年広島県生まれ。神戸市外国語大学英米学科卒業。1989年渡仏し、パリ第3大学現代フランス文学修士課程修了。フリーライター・翻訳家。おもな訳書に『おおかみのおいしゃさん』（岩波書店）、『ぼくはここで、大きくなった』（小社刊）ほか。パリ郊外在住。

オクサ・ポロック3　二つの世界の中心
2013年12月9日　初版第1刷発行

著者＊アンヌ・プリショタ／サンドリーヌ・ヴォルフ
訳者＊児玉しおり
発行者＊西村正徳
発行所＊西村書店 東京出版編集部
〒102-0071 東京都千代田区富士見2-4-6
TEL 03-3239-7671　FAX 03-3239-7622
www.nishimurashoten.co.jp
装画＊ローラ・クサジャジ
印刷・製本＊中央精版印刷株式会社
ISBN978-4-89013-693-3　C0097　NDC953

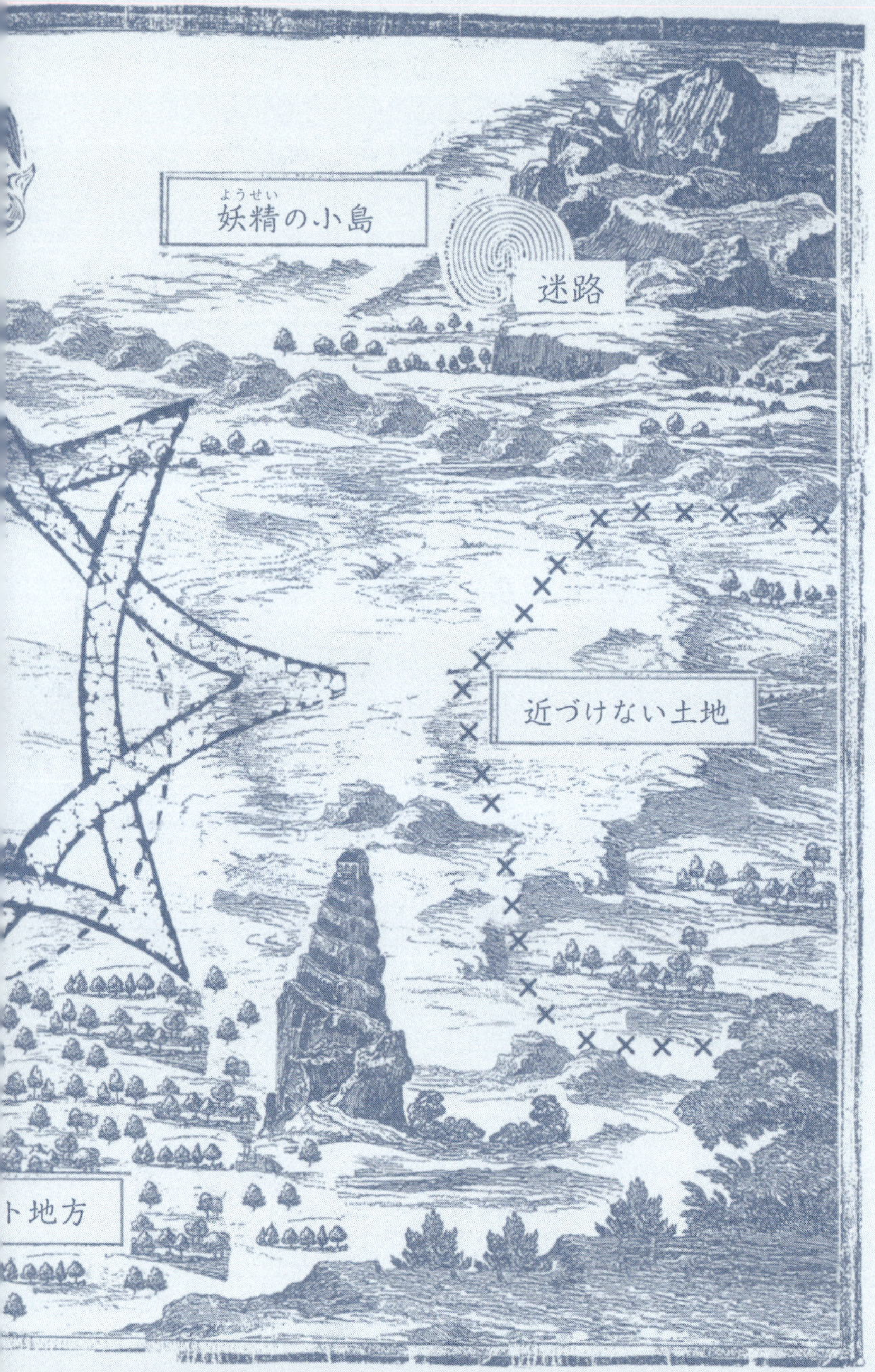
妖精《ようせい》の小島
迷路
近づけない土地
ト地方